Ostsee

Kappeln
Arnis
Husum Schleswig
Friedrich-
stadt Schleswig-
Kiel
Meldorf
Wilster
Holstein
Hamburg Ratzeburg
Stade Elbe
Lüneburg

To Mom & Dad
with love from Hans
& Jean in Göttingen
X'mas 1987

DEUTSCHE
DEMOKRATISCHE
REPUBLIK

Aller
Celle
Hannover
Leine
Wolfenbüttel
Einbeck Goslar
Carlshafen
Werra
Fulda

N

W O

S

Herbert Pothorn

Reizvolle deutsche Kleinstadt

Herbert Pothorn

Reizvolle deutsche Kleinstadt

KARL MÜLLER VERLAG ERLANGEN

Texte zu den Bildern, Anhang: Marcus Würmli
Redaktion: Ria Lottermoser
Buchgestaltung: Rüdiger Lorenz
Vorsatz: Cornelia von Seidlein
Satzherstellung: Satz 2000

Inhalt

Zum Geleit

Der eindrucksvolle Reigen deutscher Städte, der sich hier aus allen Gegenden in Nord und Süd als bunte Folge schöner Bilder und interessanter Texte vorstellt, macht vor allem verständlich, daß die Bezeichnung »Kleinstadt« nicht als Qualitätsbegriff provinzieller Enge, sondern als liebenswerter Gegensatz zur überdimensionalen Unpersönlichkeit der Großstadt zu sehen ist. Als Vorsitzender des Bayerischen Städteverbandes, in einem Land, das sich bemüht, die gewachsene Tradition bewußt und lebendig auch in die Zukunft hinüberzuführen, bin ich überzeugt, daß gerade unsere kleineren und mittleren Städte stets ein Hort überschaubaren Lebens bleiben werden, in denen, gleichsam auf Inseln vernünftiger Daseinsgestaltung, Neues neben dem bewährten Alten ebenso existieren kann wie eine ausgeglichene Lebensphilosophie, die neben der Notwendigkeit gesunden Wirtschaftens auch den Wert der kulturellen Aktivitäten nicht verkennt. Ganz nach der Art wie unsere stolzen Städte geworden und gewachsen sind und wie sie ihre historischen Schicksale bis zum heutigen Tag gemeistert haben.

So wünsche ich diesem Buch als Quelle hilfreicher Orientierung über so manchen Reichtum unseres Vaterlandes die verdiente weite Verbreitung und den Weg zu all denen, die sich mit Gelassenheit und Zuversicht ihren Aufgaben in einer immer schwieriger werdenden Welt zu stellen haben.

Josef Deimer
Oberbürgermeister
der Stadt Landshut

Im
Schutze
der
Burg

Die deutsche Sprache ist zuweilen verblüffend genau. Der Bewohner einer Stadt wird in erster Linie nicht Städter genannt. Er, der zuvor Siedler war, ist in der Stadt zum Bürger geworden, dessen Existenz so lang auf die Burg, den sicheren, steinernen Ort bezogen ist, wie die Stadt Zeit brauchte, um selbst ein sicherer, steinerner, fester Ort zu werden.

Stadtrecht war immer in einem Vertrag auf Gegenseitigkeit gegründet. Huld, Hilfsbereitschaft und besseres Wissen der einen Seite standen dem Eifer und dem aufstrebenden Verlangen der andern gegenüber. Dies ging meist für beide Parteien gut, sofern die eine nicht oder nur mit Maßen den Ehrgeiz hatte, die andere zu überlisten, Rechte zu teuer zu verkaufen oder Freiheiten da zu fordern, wo die Freiheit des andern beginnt.

Die Geschichte, die unerschöpfliche Fundgrube der seltsamsten, dem distanzierten Betrachter so sinnlos scheinenden Fehler lehrt, was im Blick auf Stadtschicksale so schwer lernbar erscheint, das rechte Maßhalten. Sie zeigt aber auch die erstaunliche Lebenskraft der Idee »Stadt«, die ihr hilft, Katastrophen und Niedertracht zu überdauern, weiterzuleben, zu wachsen und zu blühen, wenn der feste, steinerne Ort, der Stützpunkt und Patron ihrer Jugendzeit längst zerfallen ist.

Im Bild links die Stadt Bacharach mit der Burgruine Stahleck.

Bacharach

Bacchi ara, sagenumwoben

Um vier Fuder Bacharacher Wein hat König Wenzel der Faule den Nürnbergern die Schuld von 20000 Dukaten erlassen. Ein Fuder, das könnten damals, rheinisch gemessen, um die 1200 Liter gewesen sein. Bei der Absetzung des Königs im Jahr 1400 auf Betreiben Ruprechts von der Pfalz, seines Nachfolgers, so heißt es, habe auch eine ziemliche Menge Bacharacher mitgewirkt. Doch das ist eine Sage, nicht weiter verwunderlich; denn der Rhein – und das macht natürlich auch der Wein – ist sagenumwoben. Da gibt es das Rheingold, den Schatz der Nibelungen, den der einäugige Hagen ins Wasser geworfen hat, die schwebend singenden Rheintöchter, die sieben Zwerge und andere Kobolde; und besonders von Bingen stromabwärts sind die Orte zahlreich, um die im Volksglauben gute und böse Geschichten entstanden sind; eine kurmainzische Zollstation auf einem Felsen im Fluß, der Mäuseturm, in dem der grausame Bischof Hatto durch die Mäuse ein schreckliches Ende erleiden mußte; nicht weit davon das Binger Loch, ein Strudel, der manchem Schiffer zum Verhängnis wurde; Untiefen, Klippen und ein flacher Felsen bei Bacharach, der nur bei sehr niedrigem Wasserstand zum Vorschein kam und den Weinbauern einen langen heißen Herbst versprach. Ein Gelehrter im Gefolge Kaiser Friedrichs II. hat von dem Stein den Namen Bacharach abgeleitet. Auf ihm sei in der Römerzeit dem Gott Bacchus geopfert worden. Bacchi ara, das heißt Altar des Bacchus; eine Deutung, die niemand ernst nehmen muß. Urkundlich taucht Bacharach im Jahr 923 erstmals auf, also lang nach der Römerzeit.

Der Weinbauernmarkt war Schauplatz vieler in ihrem historischen Rang sehr unterschiedlichen Ereignisse: Heinrich, der Sohn des Welfen Heinrich des Löwen, feierte 1194 auf der Burg Stahleck Hochzeit mit Agnes, der Erbtochter des Staufers Konrad, und wurde so Pfalzgraf. Zwanzig Jahre danach wurde die Pfalzgrafschaft wittelsbachisch, und hundert Jahre später berieten die Kurfürsten auf der Burg die Wahl Ludwigs des Bayern zum deutschen König. Damals bauten die Bacharacher am Chor der nie vollendeten Kapelle, dessen gotisches Filigran heute noch die schönen Fachwerkhäuser überragt. Die Kapelle sollte dem Andenken des Kindes Werner geweiht werden, um dessen Ermordung eine dunkle Legende zu blühen begonnen hatte. Niemand wisse, wo der arme hungrige Knabe hergekommen sei; am Tag nach seiner Erstkommunion habe er durch Judenhand den Märtyrertod erlitten, und von seiner Leiche, gegen den Strom ans Ufer getrieben, sei ein wundersamer Duft ausgegangen.

Ein Gemisch aus bösen und rührenden Strebungen, Mißgunst, auch Haß auf ein paar handelstüchtigere Juden und das brennende Verlangen nach einem Ortsheiligen, wollte aus dem gemordeten Kind einen Märtyrer machen. Was an die zweihundert Menschen zu wissen glaubten, wurde protokolliert. Doch der Papst konnte keinen erwiesenen Fall ableiten, der eine Seligsprechung gerechtfertigt hätte; und als Zeugen und vermeintliche Täter längst tot waren, verkündete der Erzbischof von Mainz, daß die Juden zu Unrecht angeschuldigt seien.

Im Jahr 1349 nahm Karl IV., König und späterer römisch-deutscher Kaiser, die Pfalzgrafentochter Anna zur Frau und verlieh Bacharach - auch des Weines wegen - die Stadtrechte. Ein Mauerkranz mit 16 Türmen sicherte bald die Wohnungen und Weinkeller der Bürger.

Wie manche andere Stadtbefestigung konnten die Mauern die Bacharacher im Dreißigjährigen Krieg nicht schützen. Achtmal wurden die Keller der Stadt leergesoffen; und nach dem pfälzischen Krieg (am Ende des 17. Jh.) war auch die Burg Stahleck zerstört. Sie ist eine malerische Ruine geblieben. Nur ein Teil ist als Jugendherberge ausgebaut.

Bild oben: Blick auf Bacharach und den Rhein. Die Stadt ist von zwei bekannten Weinlagen umgeben, die Kloster Fürstental und Posten heißen. Die Kirche in der Bildmitte ist die heute evangelische St. Peterskirche, eine dreischiffige Basilika.
Bild unten links: Die Werner-Kapelle ist eines der schönsten Werke der deutschen Gotik. Sie wurde nie vollendet, sondern litt im Laufe der Zeit vielmehr unter Steinschlag und Erdrutschen. Unterhalb der Kapelle liegt die alte Posthalterei, ein Gebäudekomplex aus Fachwerkbauten der Spätgotik.
Bild unten rechts: Das Gasthaus »Zur Alten Mühle«, ein wundervoller Fachwerkbau in Steeg bei Bacharach, erbaut 1536.

In der Zeit der Romantik, als der Rhein noch nicht links und rechts von Schnellstraßen und Eisenbahnschienen gesäumt war, konnte ein Felsen wie der Lurlenberg oder Lurlei bei St. Goarshausen dichterische Phantasie beflügeln.

Nicht Heinrich Heine, sondern vor ihm Clemens Brentano hat aus dem mittelhochdeutschen »Lur« (Elfe) und »Lei« (Fels) den Namen Lore Lay gemacht und ihn einer Frau gegeben, deren Schönheit auch ihr eigenes Verhängnis ist und nicht nur das der Männer, wie Heine es später darstellt. Brentano ließ seine Gedanken rheinaufwärts und über den Fluß nach Bacharach fliegen:

Zu Bacharach am Rheine
Wohnt eine Zauberin.
Sie war so schön und feine
Und riß viel Herzen hin
Und machte viel zu Schanden
Der Männer rings umher.
Aus ihren Liebesbanden
War kein Rettung mehr.
Der Bischof ließ sie laden
Vor geistliche Gewalt
Und mußte sie begnaden,
So schön war ihr Gestalt.
Er sprach zu ihr gerühret:
»Du arme Lore Lay!
Wer hat dich denn verführet
Zu böser Zauberei?«

Der Bischof kann sie nicht verdammen. Sie aber soll bekennen, durch welchen Zauber sein »eigen Herz schon brennt«. Lore hat keinen Zauber. Sie will sterben, weil sie nur Unglück bringt; aber der Bischof gibt drei Rittern den Auftrag, sie in ein Kloster zu geleiten.

»Du sollst ein Nönnchen werden,
Ein Nönnchen schwarz und weiß.
Bereite dich auf Erden
Zu deines Todes Reis.«

Auf dem Weg ins Kloster bittet Lore, sie noch einmal ihres »Lieben Schloß« sehen zu lassen. Sie klettert auf den Felsen und stürzt sich in den Rhein. Auch die Ritter, die ihr gefolgt sind, stürzen ab.

Bernkastel-Kues

Der Wein und die Überwindung der Scholastik

Ob es besser Kues-Bernkastel heißen sollte? Die Frage wurde zugunsten von Bernkastel entschieden, obwohl Kues der Fläche nach größer ist als das winzige Städtchen am rechten Moselufer in der Enge zwischen der steilen Burghöhe Landshut und dem Doktorberg. Bernkastel ist älter. Der Name Princastellum taucht in einem geographischen Text schon um 700 auf, ein Dorf zu Füßen einer Burg, erbaut von dem fränkischen Comes Adalbero von Lützelburg.

Kues hatte den Vorzug, lange vor Bernkastel auf einer von Nicolaus Cusanus 1439 entworfenen Landkarte Mitteleuropas zu erscheinen. Der Fluß Mosella ist eingezeichnet, etwas ungenau und dem kleinen Maßstab zufolge noch längst nicht mit allen seinen umständlichen Windungen; aber deutlich am linken Ufer »Cusa«. Dem Dorf Kues steht die Ehre zu, Heimat des schon zu Lebzeiten in der Christenheit berühmten Nicolaus Cusanus zu sein, Niklas Krifts (d. h. Krebs), Sohn des Schiffers Johann Krifts, geboren im Jahr 1401.

Kues war jahrhundertelang ein stilles Dorf im Vergleich zu dem durch Weinbau und Handel wohlhabend gewordenen Bernkastel, auf das die Trierer Erzbischöfe bald ein Auge geworfen hatten. Schon im Jahr 1017 wurden Burg und Siedlung kurtrierisch. Um vor den Luxemburgern sicher zu sein, ließ Erzbischof Heinrich von Vinstingen um 1280 eine neue Burg bauen, die er Landshut nannte.

Die Siedlung hatte Glück. Rudolf von Habsburg verlieh dem Markt 1291 Stadtrechte. Dadurch war für die Bürger eine angenehme Distanz zur hohen Geistlichkeit geschaffen. Der Wein tat allen gut. Die Bernkastler sicherten ihre Stadt durch Mauern. Die Erzbischöfe machten die Burg Landshut durch Erweiterungsbauten zum Sommersitz.

Im Dreißigjährigen Krieg kam es, wie es kommen mußte. Die Besatzungen wechselten unermüdlich, und dem Wein in den Kellern wurde nicht Zeit gelassen, edel zu altern. Oft brannte es. Zum Glück hatte das zierliche Rathaus, erst 1608 neu erbaut, keinen argen Schaden genommen. Auch der Pranger mit den eisernen Ketten ist noch da, dazu der Marktbrunnen mit dem Erzengel Michael.

Die vielen, das Bild der Stadt prägenden Bauten sind Werke des späten 17. Jahrhunderts. Die alte Pfarrkirche St. Michael wurde um ein Joch vergrößert und bekam eine reiche Ausstattung. Die kurfürstliche Weinkellnerei war schon 1662 vollendet. Die zahlreichen, zum Teil originellen schmalen vier- und fünfgeschossigen Fachwerkhäuser stammen aus der Zeit vor und um 1700. Die alte Stadtbefestigung von 1300 ist nach den Kriegen nicht mehr erneuert worden. Nur das Graacher Tor ist stehen geblieben und im 18. Jahrhundert umgebaut worden.

In Kues, das seit 1905 zur Stadtgemeinde Bernkastel gehört, haben einige Werke der Gotik die Kriegszeiten gut überstanden und erinnern an den großen Sohn des Schifferdorfes, der aus Liebe zu seiner Heimat auf einer Kartenskizze links neben der Mosel einen Kringel gemacht und »Cusa« hingeschrieben hat.

Nicolaus Cusanus, Theologe, Philosoph und Mathematiker, war den Gedanken verbunden, die das Jahrhundert vor

ihm hinterlassen hat. Meister Eckhart, der Mystiker (+1327), wird von ihm liebevoll zitiert; auch William von Ockham, der bei Ludwig dem Bayern Schutz fand, nachdem er vom Papst gebannt war, weil er die Forderung der Trennung von Theologie und Philosophie nicht widerrufen wollte (er starb 1349 in München).

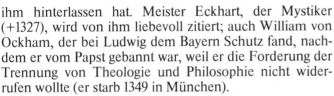

Bild linke Seite: Am Marktplatz des Stadtteils Bernkastel, der auf der rechten Seite der Mosel liegt, steht das zierliche Rathaus, das 1608 erbaut wurde und im Stil der Trierer Spätrenaissance gehalten ist, davor der achteckige Marktbrunnen (1606) mit dem Erzengel Michael. Bild oben links: Balken, Balkenköpfe und Verstrebungen von Fachwerkhäusern bieten reichlich Platz für Holzschnitzereien und andere Verzierungen. Die Gesichter an der Fassade haben ursprünglich abschreckende Wirkung und die Funktion eines Bannzaubers. Bild oben rechts: Bernkastel-Kues ist berühmt für seine schönen Fachwerkhäuser. Das sogenannte Spitzenhäuschen zeigt einen sehr schmalen Grundriß, der durch das vorkragende Obergeschoß vergrößert wird.

Cusanus war nie ein kämpferischer Dialektiker, der, wie William von Ockham, radikales Umdenken forderte, und er lag nie im Streit mit der Kirche. Dies beweist seine Laufbahn. Mit 47 Jahren wurde er Kardinal, zwei Jahre später Bischof von Brixen. 1458 berief ihn Papst Pius II., der erste Humanist auf dem Heiligen Stuhl, als Kurienkardinal nach Rom.
Um die Scholastik, die krampfhaft zum Glauben zwingt, zu überwinden, war Cusanus bemüht, die Grenzen des Erkennens aufzuzeigen. Mit dem von ihm geprägten Begriff »docta ignorantia« (gelehrte Unwissenheit), dem durch die Wissenschaft erreichten Nichtwissen, hat er das Wissen von der Unbegreiflichkeit Gottes benannt; und mit der »coinciden-

tia oppositorum« (Zusammenfallen der Gegensätze) sagt er, daß die im Endlichen nicht zu vereinenden Gegensätze sich im Unendlichen auflösen. Damit stellt er einfach und zwingend für sich und alle, die ihm denkend folgen, die Gewissensruhe her, weil er so den Umkreis menschlich möglichen Wissens bestimmt.
Cusanus polemisiert nicht; er denkt und erläutert, was er gedacht hat, einfach und ohne die bei den kleineren Geistern so beliebten Spitzfindigkeiten.
Gewissensruhe durch Vernunft; darum geht es ihm. So kommt er zu beinahe denselben Gedanken wie Meister Eckhart, der die Vernunft die »Burg der Seele« genannt hat. Als Mathematiker entwickelte Cusanus ein Verfahren, die Zahl π (pi) aus dem Innenkreis und dem Umkreis eines regelmäßigen Vielecks zu bestimmen. In seiner Schrift »De ludo globi« spekuliert er über die Drehung der Erdkugel; und er erörtert physikalische Fragen, die weit in ein neues Kapitel der Geschichte hineinreichen.
Nachdem Niklas von Kues, wie er auch genannt wird, Kardinal geworden war, stiftete er (1447) seinem Heimatdorf ein Hospital für 33 alte, arme Männer. Später, im 18. Jahrhundert, fühlte sich die Stadt berufen, diese Anstalt entsprechend auszubauen; und heute noch steht sie im Dienste manches armen Mitbürgers.
Die Vollendung der Stiftskapelle, die Cusanus seinem Namenspatron, dem hl. Nikolaus von Bari weihen wollte, hat er nicht mehr erlebt. Er starb 1464 in Umbrien und wurde in Rom bestattet. Sein Herz ist im Chor der Stiftskapelle beigesetzt. Beachtenswert sind darin die Gemälde des Hochaltars; sie zeigen die Geißelung, Dornenkrönung und Kreuzigung Jesu.

13

Burghausen

an der Salzach

Der Raum zwischen dem Fluß und der steil ansteigenden Ostflanke des langen Felsrückens, auf dem die Burg steht, ist sehr knapp. Immerhin war der Ort schon im Frühmittelalter anziehend für ein paar Siedler, Fischer, Holz- und Salzfrächter, Gerber, Zimmerer und sicherlich einen Schankwirt. Möglicherweise lebten damals auch schon auf dem von Norden her gut zugänglichen wie auch gut zu schützenden Burgberg einige Familien, die im Dienst des Bauherrn der ersten Burganlage am Südende des Felsens standen. Der Name ihres Gründers ist nicht überliefert.

Im Jahre 1024 wurde die Burg Wohnsitz der später heiliggesprochenen Kunigunde, der Witwe des Kaisers Heinrich II. Danach vererbten Adelsmänner die Burg auf ihre Söhne, die sich Grafen von Burghausen nannten. Einer von ihnen, Sieghart, wurde im Jahr 1104 auf dem Reichstag von Regensburg vor den Augen des Kaisers Heinrich IV. vom niederen Adel gefangengenommen und, nachdem er gebeichtet und kommuniziert hatte, enthauptet. Ihm war vorgeworfen worden, er habe sich Graf von Gottes Gnaden genannt; und das schien als ein Verbrechen, das mit dem Tod zu strafen sei, denn jeder Adel, ob hoch oder niedrig, sei doch auf gemeinfreie Herkunft zurückgeführt und durch Verdienst gewachsen. Gottesgnadentum sei nur dem Herrscher, König oder Kaiser, zuerkannt durch Weihe und Salbung.

Unter den Grafen wächst die Talsiedlung im Schutz der Mauern, die von der Burg den Felshang hinunter und bis an den Fluß gezogen wurden.

Im Jahr 1140 wird die Pfarrkirche St. Jakob geweiht, da errichtet, wo vordem die kleine Taufkirche St. Johann gestanden hatte. 1235 wird Burghausen Stadtrecht verliehen.

Damals kam bei der Landesteilung Burghausen an Niederbayern und war nach Landshut zweite Residenzstadt. Aus der Zeit stammen die wesentlichen noch erhaltenen Burgbauten.

1325 werden in der Talsiedlung ein Spital und die Kirche zum Heiligen Geist gebaut. Das Rathaus wird vergrößert. Vom Ende des 14. Jahrhunderts stammt der größte Bau der Burg neben dem Fürstenhaus, ein Haus mit drei Sälen übereinander, unten der »Zehrgaden« für die Vorräte, darüber der »Dürnitz«, ein heizbarer Speisesaal für die Dienstleute der Burgherren mit 38 langen Tischen, im Dach der Tanzsaal.

Im 15. Jahrhundert saßen die reichen Herzöge oder deren Frauen (diese nicht immer freiwillig) auf der Burg. Margaretha, Gemahlin des in Landshut residierenden Herzogs Heinrich, lebte hier ziemlich trostlos und wie eine Gefangene mit ihrem Sohn Ludwig.

Herzoginnen auf die Burg zu verbannen, schien Gewohnheit zu werden. Ludwig tat mit seiner Frau wie sein Vater; und auch dessen Sohn Georg hielt die Seinige hier in sicherem Gewahrsam.

Ludwig der Reiche, Herzog bis 1479, hatte einen Hofmeister, Hans von Trenberg. Als der 97 Jahre alt geworden war und glaubte, daß er wohl nicht mehr allzulang leben werde, schrieb er an die Innenseite der Tür von St. Elisabeth:

Etwan hätt ich ein gewohnheit
wann ich ausreuth,
daß ich Gott vest bat,
daß ich her wieder haimtrat.
Nun bitt ich Gott inniglich sehr,
daß ich wiederkomm nit mehr.

Dann stieg er, ohne sonst etwas zu hinterlassen, auf sein Pferd, ritt nach Oberösterreich und über die Enns und weiter ostwärts und bat bei den Karthäusern in Gaming um Aufnahme als Laienbruder. Neunzehn Jahre lebte er da noch; und er starb, nachdem er auf einer Reise zum Gilt-Einheben im Ennstal vom Pferd gefallen war.

Nachfolger Ludwigs war Georg der Reiche (1479–1503). Er ließ die Schloßkapelle St. Rupert bauen. Zum Schutz vor den Türken verstärkte er die Mauern und ließ Gräben zwischen den hintereinanderliegenden Burghöfen ziehen. Ein Jahr nach Georgs Tod zerstörte ein Brand die halbe Stadt. St. Jakob mußte neu aufgebaut werden, ebenso das Spital und das Rathaus.

Adalbert Stifter schrieb über seine erste Begegnung mit Burghausen: »Eine seltsame Stadt. Lange, altertümliche, festungsartige Mauerwerke, hie und da ein viereckiger Turm, ein runder Turm, am linken Ende ein altes Schloß ... Dann stand eine Tafel, auf der zu lesen war, daß der Radschuh angelegt werden müsse. Wirklich begann der Weg sanft abwärts zu gehen. Da sah ich ein neues Wunder ... Plötzlich löste sich das Rätsel ... Zu unseren Füßen lag ... die Stadt. Was ich früher ... für die Stadt gehalten hatte, war das alte Schloß ... gewesen. Die Stadt sieht nicht anders aus, als wäre sie aus einem altdeutschen Gemälde herausgeschnitten und hierhergestellt worden.«

Um 1510 lebte Johannes Turmair, genannt Aventinus, als Erzieher und Freund der Herzöge Ludwig und Ernst für einige Jahre auf der Burg. Er ist der Autor der »Annales baiorum«, und er schrieb die »Chronica von ursprung, herkommen und taten der alten Deutschen«. Das Werk wurde erst Jahre nach seinem Tod gedruckt. Dies hatte seinen Grund in der Haltung des Klerus, dem viele Stellen zu freimütig vorkamen. Der Bischof von Regensburg ließ Aventin sogar einmal einsperren; aber der Herzog holte ihn bald wieder heraus.

Aventin gelang eine schöne glaubwürdige Beschreibung seiner Heimat und seiner Landsleute, die er kritisch, aber doch liebevoll betrachtete:

»Das ganze land im allgemeinen ist sehr fruchtbar, reich an salz, getreide, viech, fischen, holz, jagd, wildpret; kurz alles, was zur schnabelwaide gehört, ist all da übrigs genug. .. Das bairische volk, gemeinlich davon zu reden, ist geistlich schlicht und gerecht, es geht gern kirchfahrten, zu den es viel gelegenheit hat, legt sich mehr auf den ackerpau und das viech als auf kriege, denen es nicht viel nachläuft, pleibt gern daheim, raist nicht viel aus in fremde land, trinkt sehr, macht viel kinder. .. Der gemeine mann, so auf dem gäu und land sitzt, darf sich nichts ongeschafft der obrigkeit understehen, doch ist er sunst frei, mag auch frei eigen guet haben, dient seinem herrn, der sunst kein gewalt über ihn hat, mit jerlicher gilt und scharwerk, tut sunst, was er will, sitzt tag und nacht bei dem wein, schreit, singt, tanzt, kartet, spilt, mag wer will tragen schweinsspieß und lange messer. In niederbaiern, wo man das rechtsbuch nit braucht, sitzen sie an den landschrannen und müssen urteil schöpfen, auch über blut richten. ..«

In den Jahren nach 1620 wurden noch einmal die Mauern verstärkt, besonders zum Schutz der Bürger im Tal.

1627 kamen Jesuiten, bauten die Kirche St. Josef, richteten ein Seminar ein, ebenso ein Gymnasium. Auch die Kapuziner gründeten eine Ordensniederlassung; und am Ende des 17. Jahrhunderts kamen Englische Fräulein.

Im 18. Jahrhundert bekam die Pfarrkirche St. Jakob endlich den der Stadt wohl würdigen Turm, ein Oktogon auf dem alten Viereckstumpf und eine gar schöne Doppelzwiebel.

Die letzten kunst- und kulturhistorisch bedeutenden Hinterlassenschaften sind die Schutzengelkapelle der Englischen Fräulein und der barocke Schmuck der Spitalkirche innen und außen. Kennzeichnend für das alte, durch Neubauten wenig gestörte Stadtbild sind das originelle Rathaus, die für die ganze Gegend typischen Grabendachhäuser, die Laubenhöfe und die den älteren Baukörpern

vorgesetzten barocken Giebel und zopfstiligen Fassaden, das Stegmüllerhaus und die Häuser 44, 95 und 111 am Hauptplatz.

Burghausen hat längst mehr Einwohner, als der enge Raum zwischen Burgberg und Fluß beherbergen konnte. Die neuen Wohnviertel liegen nördlich der Burg. Und von da ist es nicht weit nach »Marathon«, dem jüngsten, zum oberbayerischen Industriedreieck gehörenden Werk, in dem ein Zweig der Pipeline endet, die Erdöl von Triest nach Ingolstadt befördert.

Die Raffinerie Marathon ist eine Kontrastvedute zum alten Burghausen. Aber die Straßen, die an den in einem großen Kahlschlag liegenden Wichtigkeiten vorbeiführen, sind gut ausgebaut. Man kann schnell fahren und ist bald wieder im Bauernland.

Friedberg

in der Wetterau

Es gab eine Zeit, im Mittelalter, da wollte Friedberg so sein wie Frankfurt, es gar überflügeln als Handelsplatz mit Beziehungen überallhin. Daraus konnte nichts werden. Aber trotzdem hat die Stadt, die klein geblieben ist, der großen Stadt Frankfurt etwas voraus.

Ein Mensch, den Geschäfte, Termine, Autostau und Großstadtluft müde gemacht haben, kann in zwanzig Minuten mit der S-Bahn von Frankfurt nach Friedberg fahren und da in der durchaus nicht sensationellen, aber freundlichen Altstadt oder in der Burg seine Ruhe haben, spazierengehen und ein wenig Vergangenheit schnuppern. Die Römer nannten das Kastell auf dem am Nordende steil abfallenden Bergrücken »Taunus« nach der Siedlung »Taun« (=Zaun), einem germanischen Wort, das einen umfriedeten, sicheren Platz bezeichnet. Der Name »Taunus« ging erst im 18. Jahrhundert auf das Gebirge über, das vordem »Die Höhe« genannt wurde. Das Kastell war wie die Saalburg eine wichtige Garnison am obergermanischen Limes, deren letzte Mannschaft aus tausend Bogenschützen bestanden hat.

Nach dem Alemannensturm über den Limes, um 260, wurde es still in der Wetterau. Scherbenfunde aus der Zeit um 400 lassen auf einen fränkischen Königshof schließen, der wohl längst vernachlässigt war, als der Staufer Friedrich I. Barbarossa um 1170 die Burg Friedberg gründete, die Bestand haben sollte. 1219 wird Friedberg als Stadt genannt, deren Oberhaupt der vom Kaiser eingesetzte Burggraf war. Um 1215 verkündete Friedrich II. dem Burggrafen, was er zu tun und zu lassen habe. So sei es unter anderem nicht angängig, daß sich Burgmannen nach Belieben schöne Mädchen aus der Stadt holten und sie zu ihren Frauen machten. Für die Mädchen war das sicherlich nicht immer schlimm. Bei den Bürgern machte das aber böses Blut. Wirklich entspannt waren die Beziehungen zwischen der Burg und der Stadt in ihrem Schutz eigentlich nie.

Mit dem Ende der Stauferzeit verging auch deren Idee des Herrschens über Städte. Friedberg trat dem Rheinischen Städtebund bei, wurde 1257 Reichsstadt, privilegiert durch Richard II. von Cornwall (Schwager Friedrichs II.), der zwar in Aachen gekrönt, aber nur im Westen als König Anerkennung fand.

Das Schloß in Friedberg wurde 1604–1610 errichtet. Der hübsche Renaissancebau (hier Nordflügel) zeigt reich geschmückte Giebel und war einst der Burgmannensitz der Herren von Kronberg gewesen. Heute beherbergt er Amtsstuben. Vor dem Schloß steht der St.-Georgsbrunnen, der 1738 von Johann Philipp Wörrishofer geschaffen wurde. Die Plastik stammt von Burkhard Zamels.

Friedberg war als Handelsplatz angesehen. Das »weiße Friedberger Tuch« wurde bis nach Böhmen, Polen und Ungarn exportiert. Zweimal im Jahr wurde, ganz wie in Frankfurt, Messe veranstaltet, und die 30 Meter breite Hauptstraße war mit drei Brunnen Ausspann- und Rastplatz für die Überlandfuhren und Bauernmarkt für die Wetterau, wie die Senke zwischen Vogelsberg und Taunus im heutigen Bundesland Hessen genannt wird. Um die Jahrhundertmitte hatten die Friedberger mit dem Bau ihrer Stadtkirche begonnen, einem großzügig angeleg-

ten gotischen Bau mit weiten Pfeilerabständen und breiten Seitenschiffen. Das Werk wurde erst nach 1400 vollendet, nicht ganz so, wie es geplant war.

In der Zeit, da Friedberg von zwei Bürgermeistern und 24 Ratsherren Entscheidungsfreiheit hatte, entstand in der Judengasse ein architektonisch und kulturhistorisch bemerkenswertes Bauwerk, das Judenbad, ein Schacht, 25 Meter tief in den Basalt gehauen und ausgemauert von Steinmetzen, die auch für die Pfarrkirche tätig waren. Die Tiefe war notwendig, denn man mußte bis an den Grundwasserspiegel kommen, weil das rituelle Tauchbad der jüdischen Frauen nur in »lebendigem« Wasser geschehen konnte, das fließend sich gesammelt hatte.

Am Anfang des 14. Jahrhunderts mußte Friedberg auf einige der selbst erworbenen Freiheiten verzichten. Die Habsburger Könige setzten einen Burggrafen als Gerichtsherrn ein, und dieser berief einen Schultheiß und sechs Burgmannen, die »adligen Sechser«, in den Stadtrat. Die Friedberger mußten dem Burggrafen huldigen und manche Einschränkungen hinnehmen. Dies belastete die Stimmung in der Stadt erheblich.

Die Stadtkirche durfte nicht so weitergebaut werden, wie man sie vorgesehen hatte. Anstelle der schon begonnenen zwei Türme wurde nur einer erlaubt, der niedriger sein mußte als der schöne Bergfried der Burg, der Adolfsturm, benannt nach dem Grafen Adolf von Nassau, der den Bau mit dem Lösegeld finanziert hat, das er nach der Gefangennahme bei einer Fehde den Friedberger Burgmannen hatte zahlen müssen.

Die Stadt hatte nicht mehr den Ehrgeiz, Frankfurt zu überflügeln. Doch die Baufreudigkeit bewies, daß es ihr gut ging, obwohl sie nicht so frei war, wie sie sein wollte.

Am eindrucksvollsten ist auch heute noch der breite, 600 Meter lange Markt (Kaiserstraße), wie eh und je Bauernmarkt für die Wetterauer, denen die Fahrt nach Frankfurt zu weit ist. Das Rathaus, nahe dem Nordende der Kaiserstraße, ist ein schlichter Bau von 1740. Hier stand mitten auf der Straße die Katharinenkapelle. Sie wurde im 16. Jahrhundert abgerissen. Von der Stadtbefestigung steht

nur noch der Dicke Turm an der »Vorstadt zum Garten« westlich der Burg, deren Mauerkranz erhalten ist.

Ihren grimmigen Charakter hat die Burg im Laufe der Zeit verloren. Das Schloß mit Kavaliersbau und Marstall, um 1610 vollendet, sieht mit seinen originellen Renaissancegiebeln geradezu heiter aus. Die übrigen großen Häuser der Burg, Renthaus, Deutschordenshaus, Burgwache und Bünauischer Hof, stammen aus dem 18. Jahrhundert und machen einen erfreulich zivilen Eindruck.

Die Burg Friedberg wurde 1768 Sitz des vom Kaiser Joseph II. gestifteten St. Josephs-Ordens. Die Burgmannen konnten Ordensritter werden.

Im Jahr 1806 kamen Stadt und Burg Friedberg an Hessen-Darmstadt. Das seit 1817 Großherzoglich-hessische Schloß ist heute Behördensitz. Im Bindernagelschen Haus im Südteil der Burg hat sich das Aufbaugymnasium einrichten lassen. Das Witwenhaus ist ein Internat geworden, und in einem Burgmannenhaus im Nordteil lernen junge Mädchen.

Bild oben links: Da in Friedberg Stadt und Burg einander nicht wohlgesinnt waren, ja in Feindschaft lebten, wurde die Burg zu einer kleinen Stadt ausgebaut. Jeder der Burgmannen hatte sein eigenes Haus innerhalb des Burgbezirks. In der rechteckigen Ummauerung der Burg stehen diese Häuser einzeln und freigestellt. Im Bild das Südtor zur Burg mit der Brücke über den Wassergraben.
Bild oben rechts: Die Kaiserstraße von Friedberg.
Bild rechte Seite: Der Adolfsturm ist das Wahrzeichen der Stadt Friedberg. Er ist fünfzig Meter hoch und wurde für das Lösegeld des 1347 gefangenen Grafen Adolf von Nassau gebaut. Der spitze Turmhelm stammt aus dem 19. Jahrhundert.

So ist die Burg heute der Stadt nützlich. War sie ihr jemals ein Schutz? Sie war es in kleinen und mittleren Fehden, ungeachtet der Spannungen zwischen ihr und der Bürgerschaft. Im Dreißigjährigen Krieg war die Stadt nicht zu schützen. Jahrzehntelang kamen Spanier, Schweden, Kaiserliche über sie; und in der napoleonischen Zeit war es nicht besser. Ein Bürgermeister schnitt sich die Kehle durch, weil er die Leiden seiner Stadt nicht mehr ertragen konnte.

Wie einladend ist Friedberg heute, die Stadt am Ende der S-Bahn! Still, freundlich wie der Klang ihres Namens.

Kleve

Katastrophen und glückliche Zeiten

Der Kermisdahl ist ein Altwasserbogen, der die Niederrheinische Tiefebene nach Westen begrenzt. Von da bis ins nahe Holland ist die Gegend bergig, manche Erhebungen sind über 90 Meter hoch. Der östliche felsige Hügel fällt steil zum Wasser ab; ein Kliff. Nach ihm ist die Burg Kleve benannt, die, von Karolingern erbaut, zeitweise verlassen war und von der Mitte des 11. Jahrhunderts an von einem Geschlecht aus Nijmwegen bewohnt und ausgebaut wurde, das sich Grafen von Kleve nannte.

Im 12. Jahrhundert entstanden aus Tuffstein und Basalt die Ringmauer und auf ihr Wohnbauten und Wirtschaftshäuser, dann der Palas, der herrschaftliche Hauptbau. Ein Dichter ritterlichen Standes lebte mit den Grafen auf der Burg: Heinrich von Veldeke, der Schöpfer der »Eneide«, der ersten Verserzählung in deutscher Sprache.

Bis ins 15. Jahrhundert hinein wurde gebaut, der Schwanenturm um 1440 vollendet. Sein Name weist auf die brabantische Sage von den Schwanenrittern, deren mythische Traditionen in den Regeln eines exklusiven Ritterordens weiterlebten.

Auf und um den Hügel südlich der Burg war bald eine Siedlung entstanden, ins Tal hinunter gewachsen und die benachbarten Hügel wieder hinauf. Schon 1242 hatten die Grafen ihr Stadtfreiheiten verliehen.

1341 war Kleve von einer über Tal und Hügel gehenden Mauer umschlossen. Auf der Oberstadt beim Kleinen Markt wurde bald danach mit dem Bau einer neuen größeren Kirche begonnen, nachdem das Kollegiatstift Monterberg bei Kalkar nach Kleve verlegt worden war (Weihe des Chors 1356).

Gegen Ende des 14. Jahrhunderts kam Kleve an die Grafen und späteren Herzöge von der Mark. Stadt und Territorium erlebten eine erste glückliche Zeit. Bedeutende Männer wurden an den Hof gerufen: der Orientalist Andreas Masius, der Arzt Johannes Weye, Kämpfer gegen den Hexenwahnsinn, und Johan der Greve, Autor des ersten Mahnrufs zur Abschaffung der Folter. Einer jungen Dame ist zu gedenken: Anna Prinzessin von Kleve. Sie wurde 1540 dem König von England, Heinrich VIII., als vierte Ehefrau vermittelt. Die Sache ging für sie gut aus. Sie mißfiel dem König und er ihr. Sie durfte bald wieder nach Haus, ohne Schaden an Seele und Leib genommen zu haben.

1614 kam Kleve nach dem Jülich-kleveschen Erbfolgestreit an Brandenburg.

Kleve liegt an einem Altwasser, das Kermisdahl heißt. Das merkwürdige Wort setzt sich aus drei Wortbestandteilen zusammen: kêr bedeutet Wendung oder Windung, mis und dal, beide Sumpf oder feuchte Niederung. Das Schloß, das die Stadt überragt, stammt vom Beginn des 15. Jahrhunderts. Bemerkenswert ist der gotische Schwanenturm mit Ecktürmchen, Spitzenhelm und Wehrgang.

In den überall in Europa brennenden Glaubensfragen war Kleve lange Zeit unentschieden. Dem konzilianten Geist der Stadt wäre ein reformierter Katholizismus im Sinne des Erasmus von Rotterdam gemäß gewesen; aber es war zu spät für eine mittlere Lösung. Zudem war die Ruhe in den Niederlanden trügerisch. Der 1609 vereinbarte Waffenstillstand zwischen dem spanisch besetzten Süden und den Generalstaaten im Norden war 1621 abgelaufen. Die brandenburgisch-klevesche Regierung hatte sich über den Rhein nach Emmerich abgesetzt. Am Anfang waren es blutige Kraftproben. Beide Parteien, die Spanier und die Armee der Generalstaaten, geführt von Maurits von Oranien, wollten Kleve erobern. Im Juli 1635 begann die Katastrophe. Zehn Monate später kapitulierten die Spanier. Kleve war verwüstet. Durch Krieg und Pest waren zwei Drittel der Bürger umgekommen.

Der Wille zum Wiederaufbau war überwältigend, und die zurückgekehrte brandenburgische Regierung förderte den Zugang von Neusiedlern.

Die zweite glückliche Zeit Kleves begann 1647 mit der Ernennung des Grafen Johann Moritz von Nassau-Siegen zum Herrn über Kleve durch den Kurfürsten Friedrich Wilhelm von Brandenburg (den späteren Großen), der zwanzig Jahre alt 1640 zur Herrschaft gekommen war.

Der Kurfürst hatte in den Niederlanden Staats- und Kriegskunst studiert. Durch seine Beziehungen zu den Oraniern wußte er, welchen Mann er sich zur Statthalterschaft über Kleve wünschte. Johann Moritz hatte im Dienst der Generalstaaten den Auftrag gehabt, die junge Kolonie Niederländisch-Brasilien zu festigen.

Er besiegte 1637 den portugiesischen Admiral Antonio da Cunha Andrade bei Paraiba, dem östlichsten Punkt der brasilianischen Küste, und gründete Mauritiopolis, die Hauptstadt der Kolonie.

Johann Moritz kehrte ins alte kriegs- und gewissensgeplagte Europa zurück, wurde von den Oraniern ehrenvoll entlassen und nahm, man kann sagen mit Vergnügen, das Angebot des Kurfürsten an. Die beiden barocken Edelmänner paßten gut zueinander. Gemeinsam war ihnen die absolutistische Attitude, das Verlangen, gut und prächtig zu wirken. Auf dem Schwert des Nassauers stand fein graviert »Antonio«, der Name seines portugiesischen Gegners. Den jungen Kurfürsten beeindruckten die brasilianischen Taten des um 16 Jahre älteren Johann Moritz, auch dessen Umgang mit gelehrten Männern, die schon dabei waren, die erste »Naturgeschichte Brasiliens« zu schreiben.

Ein Nachwirken aus der Studienzeit war es, daß sich der Kurfürst zu allem hingezogen fühlte, was holländisch war. Er heiratete Luisa Henrietta von Oranien. Wie die Medaillons mit ihren Porträts ausweisen, waren sie ein stolzes Paar.

Johann baute mit Leidenschaft an seiner Residenz. Das war wohl die Folge seiner Neigung zur großen Repräsentation, auch seiner Eitelkeit; nicht zuletzt war es aber die Liebe zur ihm gestellten Aufgabe. Er baute auch an der Landschaft. Der Sternberg, nordwestlich der Stadt, ist benannt nach den neun Alleen, die von seiner ansehnlichen Höhe (86 m ü.d.M.) nach allen Seiten ausgehen. Das ist Landschaftsgestaltung, wie sie im Barock verstanden wurde. Dem Sternberg schließt sich der Tiergartenwald an, in seiner Längsausdehnung gute 3 km; weiter war es nicht möglich, denn danach geht's nach Holland. Eine Bodensenke wurde zum Amphitheater umgestaltet, im obersten Blickpunkt die marmorne Pallas Athene, ein Geschenk der Stadt Amsterdam.

In den Jahren um 1665 entstand der Prinzenhof am Kermisdahl südlich der alten Oberstadt, dazu der Prinz-

ADOLPHVS Victoriosus xxx Comes At 1417 creatus est Dux Cliviæ, Comes Marchiæ, duxit D. Agnetam F. Ruperti Imp. absq. liberis. deinde D. Mariam F. Iohannis Ducis Burgundiæ, ex qua Iohannem Successorem, Adolphu Dominum de Ravestein, Margaretham Duci Bavariæ Catharinam Duci Geldriæ, Elisabeth. Comiti Schwartzenburgiaco, Agnetham Regi Navarræ, Helenam Duci Brunswicensi, Mariam Duci Aurelianensi nuptas suscepit; Anno 1442 Wilhelmum Ducem Montium Reinoldu, Ducem Geldriæ aliosq. Comites & Barones illustres, memorato prælio in Cleverham vicit, præfuit Annos LIV. Obiit 1448 in Septemb.

IOHANNES I Bellicosus Dux Cliviæ Comes Marchiæ, ex contuge sua D. Elisabetha Burgunda, D. Iohannis Burgundi Comitis Niverst & Estampes filiam Iohannem Successorem, Theodoru Philippu, Archepiscopum Nivernensem, & Mariam Sabaud addictam suscepit: peregrinatus in Palestina, Soyst & Santen, item Goch & Lobith acqui sivit, præfuit annos xxxiii. Obiit 1481.

IOHANNES II Dux Cliviæ, Comes Marchiæ & de Catzenellebogen, duxit D. Mechtildem F. Landtgravii Hassiæ Comitissã de Catzenellebogæ cum qua procreavit Iohañem Successore, Adolphum in Hispania defunctum, Annam Comitissam de Waldeck : Cum filio Cliviæ & Marchiæ Nobilibus illustre illud dedit privilegium: actionem pro Comitatu Catzenellebogen vendidit Nassoviis, Obiit Anno 1521, præfuit annos XL.

IOHANNES III Dux Cliviæ Comes Marchiæ, D. in conthoralem D. Mariam unicã filiam Guilielmi Ducis Juliæ &c. cum qua Ducatus liæ & Montium, Comitatus Ravensbergh, Hinsbergh, Leuwenbergh, Born Sittart actio de Ducatu Geldriæ accessere, ex suscepit liberos, Wilhelmum Successore Sibyllam Electori Saxoniæ Anna Regi gliæ nuptas, & Ameliam Princeps pac præfuit annos XVIII. Obiit 1539.

Moritz-Park, weiter draußen die »Nassauer Allee«, die zum unvollendeten Park Sternbusch führt.

Auf zeitgenössischen Stichen ist meist mehr zu sehen als gebaut wurde. Obwohl unvollendet, wurde aus dem verwüsteten Kleve in 25 Jahren ein Schulbeispiel von europäischem Rang: im Unterschied zu anderen Residenzen nicht zu großspurig, nicht zu geometrisch, eine urbane Perspektive zur Dekoration des Absolutismus. Die Nassauer Allee wurde für den Großen Kurfürsten das Vorbild zu seiner Berliner Prachtstraße »Unter den Linden«.

Mit dem französischen Feldzug (1672) gegen Holland war die Zeit des Planens und Bauens zu Ende. Johann Moritz starb 1679, neun Jahre danach der Große Kurfürst.

Aber Kleve war zu bedeutend geworden, um einzuschlafen. Die Stadt und die Parks waren anziehende Reiseziele für Deutsche wie für Holländer. Die Entdeckung der Heilquelle »Stahlbrunnen« war das Signal zu neuem Bauen. 1742 wurde die erste Kursaison eröffnet.

Französische Störungen – Revolution und napoleonische Unruhe – waren nicht harmlos, aber erträglich im Vergleich zu den Schrecken der Vergangenheit. 1815 wurde die deutsch-holländische Grenze festgelegt, allem Anschein nach »für alle Zeit«. Kleve blieb attraktiv, obwohl keine ho-

hen Behörden mehr ihren Sitz in der noblen Stadt hatten. Der prominente Maler B. C. Koekkoek nahm seinen Wohnsitz in Kleve, baute für sich am Ende der Kavarinenstraße ein klassizistisches Palais und gründete 1841 eine Akademie. In seinem Testament vermachte er das Haus der Stadt zur Einrichtung eines Museums, das heute überregionale Bedeutung hat.

Um die Jahrhundertwende bekam Kleve Zuwachs. Industrie begann sich anzusiedeln. Der Kermisdahl wurde nach Norden zum Spoykanal ausgebaut. Die Stadt hatte so über den alten Rhein einen schiffbaren Zugang zum großen Rheinstrom. Kleve wurde nicht das, was man eine stille Provinzstadt nennen könnte. Dafür sorgte die lange Freundschaft mit Holland, Kulturverwandtschaft, die weiterlebte auch über Zeiten, in denen die Grenze im flachen Land zur politischen Barriere werden sollte.

Im Mai 1940, nach dem Einmarsch deutscher Truppen in das Land des bisher neutralen Nachbarn, war die Freundschaft zunächst eingefroren.

Im Herbst 1944 brach die zweite Katastrophe aus den Wolken. Die Flächenbombardements der Alliierten zerstörten vier Fünftel der Stadt. Es war wie 1636, nur eben viel schneller, ohne Belagerung, ohne wechselndes Kriegsglück, ohne

LHELMVS Dux Cliviæ, Iuliæ,& Montêsiu
nes Marchiæ & Ravêsbergiæ, ex successione
patrui Dominus in Ravestein. Winhedæl
Kensandt, Ducatu Geldriæ & Com. Zutpha
cessit. Aet 1563 Carolo V, Imp. duxit p.
iam Ferdinandi Austriaci Regis Hungset
temiæ Imp. filiam, quæ illi procreavit Caroli
Italia defunctum, Iohannem Wilhelmum Suc-
corem, Mariæ Leonoram Duci Borussiæ, Aliam
atino Neoburgsi. Magdalenam Palatino Bi-
tino, Sibyllam Marchioni de Burgow nuptas
sfuit. Lii annos Obiit 1592 et Jan—

IOHANNES WILHELMVS Dux Cliviæ, Iuliæ &
Montensium, Comes Marchiæ & Ravensbergiæ,
deinde & Comes Mörsensis, Dominus in Ravestein Winnendael Bres Kensandt, Duxit
primo D. Jacobam Marchionissa Badensem,
secundo Anthoniam F. Caroli Ducis Lota-
ingiæ, nullis relictis liberis. Obiit Anno
1609. xxv Martii, cum præfuisset annos
xvii —

Aushungern. Nach ein paar Nächten war alles vorbei. Der Hunger kam dann erst. Aber kaum war er einigermaßen gebannt, begann der Wiederaufbau. Er dauerte wie im 17. Jahrhundert kaum 25 Jahre.

Bild oben: Das Gemälde im Rathaus von Kleve zeigt sechs Herzöge. Links außen »Adolphus victoriosus . . . 1417 creatus est dux Cliviae«, »Adolph der Siegreiche . . . 1417 Herzog von Kleve geworden«. Neben ihm, ebenso grimmig, Johannes I. bellicosus, »Johannes I. der Kriegerische«. Im 18. Jahrhundert war das Rathaus das Logis der Brandenburger bei ihren gelegentlichen Besuchen im kleveschen Land.
Bild unten: Das historische, im vorigen Jahrhundert im Tudor-Stil umgebaute Schloß Moyland.

Kleve ist heute kein Rekonvaleszent mehr. Es gibt im neuen Stadtbild nüchterne Stellen, Häuser mit ausdruckslosem Rauhputz. Solcherlei muß der Gast freundlich übersehen (auch in anderen Städten). Was zu konservieren war, ist erhalten worden. Nur eine der drei alten Kirchen mußte abgerissen werden. Über einigen Häusern, zum Beispiel über dem Haus Koekkoek, scheint ein Schutzengel geschwebt zu haben.
Der Gast darf keine romantische alte Bilderbuchstadt erwarten. Die Kleinstadtzeit ist vorbei. Die großartige stil-und sinnvolle Neubelebung wird immer an sie erinnern, ja, das Neue erhöht die noch stehenden eindrucksvollen Werke der Vergangenheit.

Moyland

Sechs Kilometer südöstlich von Kleve an der B 57, der Straße nach Kalkar, versteckt sich zur Linken hinter Buschwerk im nassen Grund das Schloß Moyland, der Ort des denkwürdigen Zusammentreffens Friedrichs II. (des damals noch jungen Alten Fritz) mit Voltaire im Jahr 1740. Hier begann die Freundschaft, besser wohl der Gedankenaustausch der beiden nach Herkunft und Lebensgang so ungleichen, im Geist einander oft so nahegekommenen Männer: Voltaire, der Antirousseau, der Berühmte, hinter dessen geistreichem Spott viel Menschenliebe verborgen ist, und Friedrich, der junge König, dessen »Antimachiavell« ein Jahr zuvor in Haag anonym in französischer Sprache erschienen war.
Der Unvorbereitete wird vom Ort der Begegnung überrascht sein. Das Schloß mutet an als eine kleine Tudorburg, dunkel backsteinern in einem Sumpf, der früher einmal der Graben um das Wasserschloß war.
Das den Klever Grafen gehörende Landgut Moyland kam im 14. Jahrhundert an den Archidiakon van den Eger. Der baute das Schloß und nannte sich seitdem Jakob van den Moyland. Um 1500 entstand der kräftige runde Eckturm. 1695 kaufte Friedrich III., Sohn und Nachfolger des Großen Kurfürsten, das Schloß und ließ es als Logis für die Aufenthalte der Brandenburger im Kleveschen einrichten. 1854 machte der Kölner Dombaumeister Zwirner aus dem reparaturbedürftigen Bau ein Schloß im Tudorstil. Die ehedem berühmte reiche Ausstattung kam in verschiedene Hände.
Moyland ist kein Meisterwerk, ein romantisches Beispiel des Historismus, stimmungsvoll besonders an trüben Tagen, ein anregender Ort des Nachdenkens.

Kronach

und die Bischöfe von Bamberg

Drei Flüßchen aus dem Frankenwald, die Haslach, die Kronach und die Wilde Rodach, vereinigen sich südlich vom Rosenberg, auf dem in der Germanenzeit der Sage nach ein heiliger Baum gestanden hat.

Urkundlich erscheint Kronach in der Schreibweise »Crana« oder »Cranaha« (das heißt »Krähenwasser«) erstmals 1003 in einer Schrift des Bischofs Thietmar von Merseburg. Damals war die Siedlung bereits niedergebrannt, und das kam so: Heinrich, ein bayerischer Herzog, dem die Chronik den Beinamen »Zänker« gegeben hat, intrigierte gegen Kaiser Otto II., wurde in der Pfalz zu Ingelheim eingesperrt, konnte fliehen, verbündete sich mit Boleslav von Böhmen und war drauf und dran, sich die Vormundschaft für den im Todesjahr seines Vaters zum König gekrönten drei Jahre alten Sohn Otto III. zu erschleichen. Die Großmutter des Kindes kam ihm in die Quere. Der zänkische Heinrich mußte bei Boleslav in Böhmen Schutz suchen. Unterwegs plünderte er die Siedlung am Krähenwasser und ließ sie abbrennen.

Dies ist die Vorgeschichte von Kronach, das nach dem bald vergessenen Brand in leidlicher Ruhe zu einem Gemeinwesen von Bauern, Flößern, Bierbrauern und Handwerkern heranwuchs, ohne Zutun der Babenberger Grafen, die kein Interesse an dem für sie entlegenen Besitz hatten und die Entscheidungen des Kaisers Heinrich V. akzeptierten, der 1122 Kronach und den Rosenberg dem Hochstift Bamberg übergab. So blieb es bis zum Jahr 1803.

Bischof Otto ließ um 1130 auf dem Rosenberg ein steinernes Haus und einen Turm bauen, den »Grundstein« der

Bild oben: Die innere obere Stadt von Kronach ist noch von einem Mauerring umgeben. Im Bild der Lehlaubenturm, der 1617 erhöht wurde. Bemerkenswert sind die überdachten Wehrgänge, die allerdings nicht mehr auf der ganzen Mauerlänge vorhanden sind.
Bild unten: Auch das Bamberger Tor liegt im Mauerring Kronachs.
Bild rechte Seite: Die Veste Rosenberg ist eine der besterhaltenen und großartigsten Festungsanlagen Deutschlands. Sie wurde um 1130 gegründet und vom 14. bis zum 17. Jahrhundert immer wieder erneuert und erweitert.

später als uneinnehmbar weitergerühmten Veste Rosenberg, der zuverlässigsten Sicherung an der Nordgrenze des Bamberger Besitzes.

Gefördert von den Bischöfen wuchs die Siedlung. Im Jahre 1323 wurden ihr Markt- und Stadtrechte verliehen. Die Kronacher Bürger bauten einen Mauerring, doppelt und dreifach an manchen Stellen, und sie gruben tiefe Brunnen, die ihnen später sehr nützlich wurden. Auch die Veste Rosenberg wurde im 14. Jahrhundert vergrößert: vier dreigeschossige Baukörper um einen quadratischen Hof und ein mächtiger Bergfried.

Um 1400 beschloß die Bürgerschaft den Bau der neuen Stadtkirche: auf romanischen Grundmauern eine dreischiffige gotische Halle.

1430 bewährte sich die gute Kronacher Stadtmauer zum ersten Mal. Die Hussiten, die seit zehn Jahren Krieg gegen die Reichsheere führten, belagerten die Stadt, nachdem sie sich an den Frankenwaldbauern nicht hatten sattplündern können. Sie mußten abziehen.

Die Tapferkeit der Kronacher Männer sprach sich herum und brachte der Stadt das Wohlwollen des Bischofs, der 1462 ein Spital stiftete und die Kirche, die der heiligen Anna geweiht ist.

Aus der Gilde der Stuben- und Kunstmaler stieg einer zu hohem Ruhm auf: Lucas Cranach (geboren 1472). Kronach besitzt nur drei Bilder von seiner Hand; denn Lucas verließ schon um 1500 seine Heimat. Aber auf vielen seiner Bilder ist ihm der Frankenwald gegenwärtig geblieben, stimmungsvoll, oft märchenhaft als Hintergrund legendären Geschehens.

1505 als Hofmaler zu Friedrich dem Weisen nach Wittenberg berufen, lernte er Luther kennen, Melanchthon, auch andere Männer, die große Gedanken im Kopf hatten und mit ihnen die Welt aus den Fugen geraten ließen.

O schaw doch wunder mein lieber Christ/
Wie Bapst/Luther und Calvinist/
Einander in die Haare gefallen/
Gott helffe den Verirrten allen.

So steht es auf einem Spottblatt aus der Zeit, das »Geistlicher Rauffhandel« betitelt ist. Bauernkrieg, Reformation, auch Hexenverfolgungen erschütterten das Hochstift Bamberg und auch die Stadt Kronach. Um die Mitte des Jahrhunderts wurde es ruhiger. Die Kronacher waren nicht müßig. Vorsorglich verstärkten sie die Türme der Stadtbefestigung. Auch auf dem Rosenberg wurde wieder gebaut, an der Südwestecke der Dicke Turm, anschließend das Zeughaus.

Die Stadt war um die Wende zum 17. Jahrhundert in einem guten Zustand. Das neue Rathaus war vollendet, ein reprä-sentativer Steinbau mit dreigeschossigem Giebel. Auch der Pfarrkirchturm hatte endlich einen Glockenstuhl und eine spitze Haube bekommen. Die Bürgerruhe, die den Bischöfen in Bamberg Sorgen machte, war in Kronach bis auf ein paar Streitereien über Braurechte ungestört.

In der dreißigjährigen Kriegszeit ist in Franken ein Liedchen aufgekommen, das die Kinderfrauen ihren Schützlingen vorsangen; sie sollten schon früh genug das Gruseln lernen:

D'Schweden san kommen,
haben alles mitgnommen,
haben d'Fenster eingschlagen
und s'Blei davontragen,
haben Kugeln draus gossen
. . . und den Bubi erschossen.

25

Dreimal, 1632 und in den beiden darauffolgenden Jahren wurde Kronach von den Schweden belagert. Um zu zeigen, was ihnen blutig bevorstand, wenn sie nicht freiwillig aufgaben, wurden zwei Bürger aus der Vorstadt, außerhalb der Mauer gelegen, geschunden, das heißt nach dem alten Sinn des Wortes, es wurde ihnen buchstäblich die Haut abgezogen. Die Kronacher ergaben sich nicht. Die Mauern hielten stand.

Fürstbischof Melchior Otto verlieh 1651 als Dankeszeichen für Tapferkeit und Treue im Schwedenkrieg dem Bürgermeister eine goldene Kette und der Stadt ein neues Wappen: weiß und rot, mit Rosen und einer Zinnenkrone, als Schildhalter die zwei Geschundenen, die am freien Arm ihre Haut tragen, als wäre sie ein Mantel.

In den Jahren 1656 bis 1741 wurde der Rosenberg zum für den Festungsbau klassischen, allseits durch Bastionen geschützten Fünfeck ausgebaut. Die Hauptmannschaft wurde zum Oberamt mit eigener Gerichtsbarkeit erhoben. Die Festung wurde nie eingenommen, nie durch Kriegseinwirkung beschädigt. In den Wirren des Siebenjährigen Krieges gelang es 1759 der Besatzung, eine preußische Armee zu vertreiben, bevor es zur Belagerung kam.

Nach dem Ende des Heilig-Römischen Reiches verlor das Bistum Bamberg seinen territorialen Besitz an das Kurfürstentum Bayern. 1803 beschloß die Bayerische Regierung, die Veste Rosenberg zu schleifen, das heißt abtragen zu lassen. Dazu kam es nicht. 1806 ließ Napoleon, der Verbündete Bayerns, in ihrem Schutz sein Heer aufmarschieren und erklärte auf ein von ihm nicht akzeptiertes Ultimatum Preußen den Krieg.

1867 wurde die königlich-bayerische Besatzung abgezogen. Die Veste Rosenberg hatte ausgedient. Die Stadt Kronach erwarb sie 1888 und bewahrte sie vor dem Verfall. Sie thront über der Stadt, ein Denkmal des Kriegsglücks und eines der besterhaltenen Beispiele barocker Festungsarchitektur.

Lahr

an der Badischen Weinstraße

Ein Heinricus de Lare verkaufte im Jahr 1215 sein Landgut in der Ortenau, der schönen Niederung zwischen dem Oberrhein und dem Schwarzwald, an das Kloster Tennenbach. Wer Heinricus war und wo er abgeblieben ist, steht nirgends zu lesen. Er hat nichts hinterlassen als seinen Namen für das Städtchen Lahr an der Badischen Weinstraße, die vom Kaiserstuhl kommend über Offenburg nach Baden-Baden lockt, an einem Dutzend Orte vorbei, deren Namen jeder schon einmal oder oft auf dunkelgrünen Flaschen gelesen hat.

Die Gegend, dank ihres Lößbodens und der linden Lüfte fruchtbar, ist seit alters besiedelt. Römer bauten im 1. und 2. Jahrhundert eine Straße und sicherten sie durch kleine

Bild oben links: Das sogenannte Kommandantenhaus der Veste Rosenberg in Kronach. Das Haus stammt aus dem 16./17. Jahrhundert. Fachwerkbauten sind Holzbauten. Zwischenräume zwischen den tragenden Holzständern und den Balken, die sogenannten Fächer oder Gefache, werden mit Lehmwerk oder Backsteinen ausgefüllt.
Bild oben rechts: Blick in den Zeughaus-Hof der Veste Rosenberg.
Bild rechte Seite: Der Storchenturm der Stadt Lahr ist das einzige Überbleibsel der Burg, die in der Mitte des 13. Jahrhunderts errichtet wurde.

Garnisonen, in deren Nähe bald dörfliches Leben entstand. Im 3. Jahrhundert kamen Alemannen und waren durchaus nicht immer kriegerisch; denn sie hatten ein Land gefunden, in dem es sich lohnte, zu bleiben, weil die Sonne hier länger schien als in den Wäldern ihrer langen Wanderung.

Die Alemannen prägten das Land nachhaltig. Ihre Sprache, das Alemannische, ist erhalten bis heute, nicht nur im Volksmund, auch in der Literatur. In Dinglingen, heute als Stadtteil zu Lahr gehörend, ist beim Baureifmachen von Grundstücken eine Tongrube aus der Römerzeit freigelegt worden. Ein Brennofen und ein Haufen Scherben von

quadern an den vier Ecken und einem breiten Graben rundum. Im Norden des Schloßgrabens entstand bald eine dörfliche Handwerkersiedlung. Graf Walther war wohlgesonnen und tätig. Im Jahr 1259 berief er sechs Augustiner aus dem Elsaß und übergab ihnen eine Hofstätte zur Einrichtung eines Spitals. Die Siedlung wurde mit einer doppelten Mauer gesichert.

1305 wird Lahr zum ersten Mal Lahr genannt. Eine Urkunde mit dem Siegel der »stat zuo Lare« ist aus dem Jahre 1306 erhalten, auch ein Bürgerbuch von 1356. Damals war der zweite Mauerring schon gebaut, der die Stadt nach Norden vergrößerte; und auch der war zu eng geplant. Um 1400 mußte im Verlauf der jetzigen Turmstraße ein dritter Bering gebaut werden. 1482 wurde das Spital der Augustiner zum Stift erhoben.

Die Lahrer Linie der Geroldsecker starb 1527 mit dem dritten Grafen Heinrich aus. Seine Erbtochter Adelheid brachte Schloß und Stadt als Mitgift in ihre Ehe mit dem

---

Bild links oben: Das Alte Rathaus der Stadt Lahr wurde 1608 gebaut. 1885 wurde es verändert und dabei, wie so oft bei Umbauten dieses Jahrhunderts, ziemlich entstellt. Das Neue Rathaus ist ein bemerkenswerter, klassizistischer Bau mit einer Säulenhalle im Obergeschoß.
Bild links unten: Lahr hat eine Reihe schöner Wohnhäuser vom Spätbarock bis zum Biedermeier. Im Bild der Fachwerkbau des Hotels zum Löwen.
Bild rechte Seite: Der Stadtpark von Lahr mit seiner freundlichen Atmosphäre. Unter dem Eindruck ostasiatischer Gartengestaltung baute man in Parks oft chinesisch anmutende Pavillons.

Grafen Johann von Mörs-Saarwerden. Der ließ einen Amtmann und eine Besatzung im Schloß über Lahr wachen. In den folgenden Jahrhunderten fiel Lahr unter wechselnde Herrschaften, bis es schließlich 1803 kurfürstlich-badisch wurde.

Damals standen die Mauern und Tore noch; aber in der Stadt war vieles anders geworden. Als 1525 die Bauern rebellierten, gelang dem Stadtvogt nach den ersten Plünderungen ein Kompromiß. So hielt sich der Schaden in Grenzen. Nur ein Rittergut und ein Kloster wurden niedergebrannt.

1558 bekannte sich Lahr zur Reformation. Um 1570 wurde auf dem Urteilsplatz die neue Stiftschaffnerei erbaut, 1608 an der Kaiserstraße ein der Stadt würdiges neues Rathaus, das seit 1810 Altes Rathaus heißt, ein nüchterner Renaissancebau auf fester gotischer Spitzbogenlaube und mit einer seitlichen Freitreppe zum Obergeschoß. Der Bau wurde mehrmals, zuletzt 1885, zu seinem Nachteil verändert.

Im Jahr 1632 wurde das protestantische Lahr von kaiserlichen Truppen besetzt, und es ging wild zu, schlimmer noch ein Jahr darauf, als die Schweden die Stadt »befreiten«.

1677 waren Franzosen unter General Créqui auf dem Marsch von Kehl nach Freiburg. Die Plünderung Lahrs, das am Weg lag, war perfekt-schrecklich: Als die Soldaten weiterzogen, war mehr als die halbe Stadt ausgebrannt! Vom Schloß stand nur noch der Storchenturm. Das Spital am Dinglinger Tor war zerstört, auch die Stiftskirche, an der im 13. Jahrhundert Steinmetzen der Straßburger Münsterbauhütte mitgearbeitet hatten. 1706 berichtete der Rat der Stadt, daß nur acht Bürger in der Lage seien, die Kriegslasten zu tragen.

Aber die Lahrer waren zähe eifrige Schwaben; und am Ende des Jahrhunderts, als Straßburg für die Rechtsrheini-

---

Fehlbränden besagen, daß hier eine keramische Industrie bestanden hat. Nicht weit davon stießen Erdarbeiter auf alemannische Gräber.

Dinglingen ist seit 961 urkundlich, also älter als Lahr; ebenso Burgheim oberhalb der Altstadt durch die Kirche St. Peter, deren neue Westapsis 1035 vom Bischof von Straßburg geweiht wurde. Eine kleine Kirche stand hier, wie Grabungen bezeugen, schon im frühen 8. Jahrhundert. Die Archive schweigen, auf welches Bauwerk der Name Burgheim zu beziehen ist und wann er erstmals erscheint. Heller wird es nach dem Verschwinden des ein wenig sagenhaften Heinricus, als Walther I., einer der Herren von Hohengeroldseck, beschlossen hatte, da, wo die Schutter im Flachen der Kinzig entgegenfließt, einen festen Sitz zu bauen, ein Wasserschloß mit runden Türmen aus Buckel-

schen als Handelsplatz durch die zollpolitischen Maßnahmen Napoleons ausgefallen war, entwickelte sich die Stadt allmählich zu einem der wichtigen Handelsplätze am Oberrhein.

Das Jahr 1801 ist denkwürdig. »Des Lahrer Hinkenden Boten neuer historischer Kalender für den Bürger und Landmann« war zum ersten Mal erschienen und, wie der umständliche Titel versprach, durchaus nicht nur ein Bauernkalender, sondern auf eine beschauliche Art weltoffen und schwäbisch, voll mit Geschichten, Geschichtchen, Glossen und Anekdoten ein langes Lesevergnügen. Das ist er bis heute geblieben. Seine Symbolfigur ist der hinkende Bote, ein Veteran mit Stelzbein, gekleidet in eine alte badische Uniform mit Zweispitz, Federbusch und Lanze. 1810 bezog die Stadtverwaltung ihr Neues Rathaus, das ehemals Lotzbecksche Palais; ein schöner klassizistischer Bau südlich der Altstadt.

1849 wurde die rechtsrheinische Bahnlinie eine gute Wegstunde westlich an Lahr vorbeigeführt. Die Bürger fühlten sich grob benachteiligt. Doch das ist vergessen. Die Stadt ist längst an die Bahn herangewachsen. Sie ist heute doppelt so groß wie eine Kleinstadt genaugenommen sein darf.

Die Altstadt ist nicht das, was man fotogen nennt, hat aber doch bemerkenswert schöne Ecken, und sie hat die Stimmung einer alten Stadt wahren können, ohne verträumt zu sein. Mittelalter, Barock, ein wenig Neugotik und Gegenwart haben sie geformt.

Landshut

Commedia dell'arte in Bayern

Bei einigen Kraftakten Heinrichs des Löwen ging es um Salz. Zum Beipiel ließ er die Salzquellen bei Oldesloe im Holsteinischen zuschütten, weil die Saline von Lüneburg ihm gehörte und so größeren Nutzen haben sollte. Das war im Jahr 1152. Nachdem er vier Jahre danach mit dem Herzogtum Bayern belehnt worden war, schlug er sogleich dem Bischof von Freising ein Schnippchen und zerstörte die zum Bistum gehörende, für die Salzfuhren nach Westen wichtige Brücke bei Föhring, ließ beinahe in Sichtweite südlich eine neue Brücke bauen und versprach den Mönchen, die sich da niedergelassen hatten, seinen Schutz. So kam München zu der Ehre, 1158 von Heinrich dem Löwen gegründet worden zu sein. Ähnliches, genaugenommen Gleiches, geschah zwei Tagesritte flußabwärts bei dem Marktflecken Altheim, dessen Brücke vom Bistum Regensburg kontrolliert wurde. Sie lag auf dem Salzweg von Burghausen nach Regensburg. Heinrich zerstörte sie.

Der Ort für die neue Brücke war gut ausgesucht. Am rechten Flußufer bot ein steiler Bergrücken einen schönen Platz für eine künftige Burg »Landes Hut«, von der aus die Brücke überwacht werden konnte.

Viel Zeit zu kräftigem Wirken war dem Herzog nicht vergönnt. Er hätte dem Kaiser Friedrich I. Barbarossa in der Lombardei helfen sollen. Dafür wollte er Goslar haben. Der Kaiser ließ ihn fallen. Auf dem Reichstag zu Regensburg 1180 kam die Reichsacht über ihn. Er floh zu seinem Schwiegervater, dem König von England, Heinrich II.

Nach dem kurzen Gastspiel Heinrichs des Löwen kam das Herzogtum Bayern an Ludwig den Kelheimer von Scheyern-Wittelsbach. Damals standen auf der Burghöhe nur hölzerne Schutzbauten.

1204 gründete der Kelheimer neben der dörflichen Siedlung am Fluß die Stadt und begann »zu pauen das geschlos Landshut«, das im 13. Jahrhundert zu einer von guten Mauern geschützten umfangreichen Anlage anwuchs. Die Hauptbauten, Wittelsbacher Turm, Fürstenbau und Dürnitz, entstanden zur Zeit Heinrichs, des achten Wittelsbachers dieses Namens, des zweiten der »Reichen Herzöge«. Die Burg Landshut, die seit dem 16. Jahrhundert »Trausnitz« heißt, blieb Herzogsitz, nur nicht immer Sitz des regierenden Herzogs. Es gab ja meist mehrere Wittelsbacher Herzöge. Sie waren einander oft nicht wohlgesonnen. Gelegentlich sperrte einer den andern ein oder verhängte Hausarrest auf einer der zahlreichen Burgen.

Der Stadt Landshut stetige und nur durch einen Brand 1342 gestörte Entwicklung läßt sich noch auf einem Stadtplan der Gegenwart mit einem Blick ablesen. Die erste Nordsüdachse war ein langer, von Anfang an breit genug bemessener Straßenmarkt, der heute noch Altstadt heißt; an ihm das Rathaus und die erste Stadtpfarrkirche, eine romanische Basilika am selben Platz, auf dem um 1380 die gotische Hallenkirche Sankt Martin begonnen wurde. Wo anfangen, sie zu rühmen?

Die Meister: Hanns von Burkhausen, Hans Stethaimer und der erst 1459 genannte Thoman. Meister Hanns, auch »Meister Steinmetz« genannt, scheint der Schöpfer des Baukonzepts gewesen zu sein. Es ist nicht zu entscheiden, wie die Begabungen zu verteilen sind, die eine der eindrucksvollsten Kirchen der Spätgotik haben entstehen lassen: Kunstverstand, der Vollkommenheit im Einfachen sucht, Formsicherheit für Details und ein Fingerspitzengefühl für Statik, das es erlaubt, Streben so knapp zu mauern, daß sie wie eine freundliche Erinnerung an den üblichen gotischen Pfeiler-und-Bogen-Aufwand aussehen, und Stützen, so schlank bemessen, als hätten sie nur ein Gewölbe zu tragen, dessen Gewicht nicht der Rede wert ist.

Der Turm, 132 Meter hoch, ist abwechslungsreich in fünf Stockwerke gegliedert. Ihn heute in dieser Höhe aus Backstein zu bauen, würde jede Baubehörde verbieten.

Bild oben links: Landshut in Niederbayern ist eine der malerischsten Städte Deutschlands. Die Altstadt wurde in den letzten hundert Jahren kaum nachteilig verändert.
Bild oben rechts: Barocke Häuserfassaden im winterlichen Landshut; vom Stadtbild her ist Landshut allerdings eine Stadt der Gotik. Im Hintergrund oben die Burg Trausnitz.
Bild unten: Überdachte Wehrgänge beim Eingang in die Burg Trausnitz in Landshut. Mit den Bauarbeiten an dieser Burg begann man kurz nach 1200, die An- und Umbauten dauerten bis ins 17. Jahrhundert. Einen großen Anteil daran hatten italienische Künstler, Maler und Architekten. Besonders die doppelte Arkadenreihe des Fürstenbaues mutet südländisch an.

Das Rathaus, da wo die Bauflucht der Altstadt sich sanft der Isar zuwendet, ist nach dem Stadtbrand begonnen, zweimal erweitert, 1570 umgebaut und 1860 mit einer Fassade versehen worden, die an den Frankfurter »Römer« erinnert, historisierend zwar, aber ohne den Gesamteindruck der Zeile zu mindern, der lebendig wirkt auch durch die wechselnden Höhen der Giebel, nicht stilrein, aber anmutig. Am Nordende der Altstadt fängt die Heilig-Geist-Spitalkirche den Blick zur Isar, ohne ihn ganz zu verdekken. Eine Inschrift am Turm nennt den Baubeginn: 1404. Das Wappen mit den zwei Winkelhaken weist die Bauhütte von St. Martin aus.

Vom ersten Mauerring, der bald zu klein war, sind am Südende der Stadt das Burghauser Tor, das Ländtor zur Isar und der Röckelturm in der Ländstraße erhalten. Die Achse für die erste Stadterweiterung war die östlich der Altstadt parallel laufende breite Straße, die heute Neustadt heißt, weiter östlich zum Burghang die Freyung mit der 1368 geweihten Kirche St. Jodokus. Der Turm, der 1958 restauriert werden mußte, erscheint wie eine Vorstufe zum Turm von St. Martin.

Das alte Landshut ist auf den ersten Blick eine gotische Stadt. Renaissancegiebel, Barockfassaden, auch ein wenig Klassizismus erzählen von einer lebendigen Vergangenheit. Es war immer allerlei los. Ein übriges trugen die Herzöge – mit dem Beinamen »die Reichen« – zur Belebung bei, musisch, an allem interessiert, was mit Theaterspielen zusammenhing. Ohne es bös' zu meinen: Sie lebten auch ein bißchen theatralisch.

Die Burg Trausnitz wurde ausgebaut, zur Sicherheit, mehr noch zur Bequemlichkeit, zum Feiern.

1475 richtet Herzog Ludwig der Reiche seinem Sohn Georg die Hochzeit mit der polnischen Prinzessin Jadwiga, ein Fest mit kaum zu übertreffendem Schaugepränge. Seit 1905 wird es alle drei Jahre aufs neue gefeiert. Mitzumachen ist jedem Landshuter ehrenvoll, und die Bauern aus dem Umland stellen ihre gestriegelten Pferde bereit.

1516 bis 1545 residiert Ludwig X., Mitregent seines Bruders Wilhelm IV., auf der Trausnitz. Nach zwanzig Jahren Burg-

leben beschließt er, in der Altstadt gegenüber dem Rathaus eine Stadtresidenz zu bauen. 1536 reist er zu einem Staatsbesuch nach Mantua, dem Herzogsitz der Gonzaga, einem italienischen Fürstengeschlecht. Dort sieht er zum ersten Mal italienische Renaissance, den Innenausbau des Castello di S. Giorgio und den Palazzo del Tè, den Giulio Romano für Federico Gonzaga II. gebaut, mit Fresken geschmückt und 1525 vollendet hat, eine villa pomposa mit Stallungen und einer Reitbahn vor der Stadt.

Ludwig kommt mit neuen Ideen und einer Schar italienischer Künstler nach Haus. An den »Deutschen Bau« der Stadtresidenz wird der »Italienische Bau« mit der Fassade zur Ländgasse angeschlossen. Landshut hat etwas Neues, Einmaliges bekommen, einen sehr italienischen Palazzo mit Arkadenhof. Sogar eine Reitertreppe ist da, wie sie die pferdenärrischen Gonzaga in ihrem Palazzo Ducale auch hatten. Die Wandmalereien, soweit sie aus der ersten Bauzeit stammen, sind von dem Tiroler Hans Bocksberger d. Ä., der auch in Neuburg an der Donau tätig war.

Auf der Burg wird der Fürstenbau auf zwei Hofseiten mit einladend weitbogigen Arkaden und einer klug in den Winkel gebauten Außentreppe verschönert.

Die Innenmalereien des Fürstentrakts sind durch einen Brand 1961 zerstört worden. Erhalten ist die Narrentreppe des Alessandro Scalzi (1679) mit lebensgroßen Darstellungen komisch-dramatischer Szenen aus der Commedia dell' arte, dem italienischen Stegreif-Volkstheater, das den Herzog Wilhelm V. so königlich amüsierte. Massimo Troiano und Battista Scolari sorgten für Unterhaltung, auch der herzogliche Hofkapellmeister Orlando di Lasso; der aber war aus Flandern.

Als die Wittelsbacher Könige von Bayern geworden waren, schwand der Herzogsglanz. Aber der Stadt machte das wenig aus. Sie wußte schon, was sie war, eine gesunde, ihrer Tradition bewußte bayerische Landstadt. 1800 war die alte Universität von Ingolstadt nach Landshut verlegt worden. Allerdings fand König Ludwig I. (1826) dann doch, daß sie besser in München aufgehoben sei, in seiner Nähe. Im 19. Jahrhundert wurde in Landshut wenig gebaut. Einige unangenehme Verbesserungen in der Ausstattung der Kirchen haben die Konservatoren, die es zum Glück jetzt besser wissen und können, wieder beseitigt.

Landshut ist gewachsen; der Fläche nach ist es gut zehnmal größer geworden. Industrie hat sich angesiedelt, »breitgefächert«, wie Wirtschaftler es ausdrücken. Landshut ist keine Kleinstadt im statistischen Sinne mehr, aber mit einem liebenswerten, bewahrten und zugleich lebendigen Herzen, der Altstadt vom Burghauser Tor bis zur Heilig-Geist-Kirche und über den Fluß zur Abtei Seligenthal, als Nonnenkloster gegründet von Ludmilla, der Witwe des aus politischen Motiven ermordeten Gründers der Stadt.

Bild oben: Die Silhouette von Landshut wird beherrscht vom Turm der St.-Martins-Kirche. Mit seinen 132 Metern ist er das höchste Bauwerk der Welt aus Backsteinen. Die mächtige gotische Hallenkirche imponiert nicht nur durch die Gesamtkonzeption; sie enthält im Innern auch hervorragende Kunstwerke.
Bild rechte Seite links: Manche Straßen Limburgs sind seit dreihundert Jahren weitgehend unverändert geblieben. Im Bild Fachwerkhäuser der Barfüßerstraße 6.
Bild rechte Seite rechts: Fachwerkhäuser am Fischmarkt in Limburg.
Bild folgende Doppelseite: Im Dom zu Limburg an der Lahn stehen romanische und gotische Formelemente gleichberechtigt nebeneinander und durchdringen sich ideal.

Limburg an der Lahn

Ein Lehrbeispiel

Auf dem Kalksteinhügel, dessen steiler Hang, von der Lahnbrücke aus gesehen, durch dichtes Grün verdeckt ist, hatte die Gotik der Île-de-France mit der Romanik des deutschen Westens ihr erstes Rendezvous.

Der Gast wird gebeten, dies in Stein verewigte Ereignis von weitem und aus zwei Richtungen zu betrachten, bevor er Limburg, den Dom, die Burg und die Altstadt näher kennenlernt.

Von der Brücke aus sieht er das Westwerk des Doms lebhaft farbig; ein klarer Eindruck, keine geheimnisvolle Gralsburg, sondern ein gesteigertes Diesseits. Lahnaufwärts vom Schleusenweg aus stellt sich die Ostseite dar, der halbrunde Chor und die Dimensionen des Querschiffs sind zu erkennen, die Türme. Es ist nicht ganz leicht, sie zu zählen. Dabei sind es nur sieben.

Zur Linken, dem Dom benachbart, zeigt sich die Burg altväterisch, schmucklos, aus verschieden hohen Baukörpern zusammengesetzt. In der Burg ist heute das sehenswerte Diözesanmuseum, eine wahre Schatzkammer frommer Kunst, eingerichtet.

Limburg ist ungeachtet seines hohen Alters von reichswichtigen Aktionen nicht betroffen gewesen. Es gab Fehden, manchmal sehr blutige, aber sie hatten kaum weitreichende politische Wirkungen.

Im 8. Jahrhundert war auf dem Hügel am Fluß eine erste Burg entstanden, erbaut von einem Adelsherrn aus dem Niederlahngau. In der ersten Hälfte des 9. Jahrhunderts weihte der Erzbischof von Trier, Hatto, eine vom Burgherrn errichtete kleine Kirche dem Heiligen Georg.

In Verbindung mit der Jahreszahl 910 taucht Limburg als Gründung des Grafen Konrad Kurzbold auf. Der Dom behütet sein Grabmal, von sechs Säulen getragen auf einer steinernen Bahre ein schöner junger Mann mit schmalem Gesicht. Er war ein Vetter Konrads I., kämpfte für Kaiser Otto I. Es heißt, er habe Bärenkräfte besessen. Die Überlieferung gab ihm den Namen »der Weise«. Auch soll er keusch gelebt haben, da er der Überzeugung war, nur so seine außerordentlichen Kräfte zu behalten. Konrad Kurzbold gründete auf der Limburg das Stift St. Georg.

Die Isenburger Grafen, die seit dem 12. Jahrhundert auf Limburg saßen, bewahrten dem Konrad Kurzbold ein ehrendes Andenken; sie stifteten das Grabmal.

In der ersten Zeit der Isenburger Herrschaft, um 1130, entstand um die bäuerliche Siedlung westlich der Burg die erste Mauer. Das heutige Bild der Burg stammt im großen und ganzen vom Anfang des 13. Jahrhunderts. 1214, nach Verleihung des Stadtrechts, wurde mit dem Bau der neuen Mauer begonnen, die im Zuge der heutigen Grabenstraße um 1230 vollendet war.

Das großartige Werk der Isenburger Grafen ist der Dom, die ehemalige Stiftskirche St. Georg, die mit nur geringen Änderungen so dasteht, wie sie in der zweiten Hälfte des 13. Jahrhunderts nach überraschend kurzer Bauzeit vollendet worden ist. Der Helm des Turms über der Vierung ist einmal mit einem neuen Dachstuhl um sechs Meter höher gebaut worden, und das südliche Seitenschiff hat seit 1865 Ecktürme, entsprechend dem Vorbild auf der Nordseite.

Der Dom ist das Lehrbeispiel für eine Kirche der Übergangszeit von der Romanik zur Gotik. Das Grundrezept ist noch ganz romanisch. Die Türme sind kantig, kubisch, mit deutlich gekennzeichneten Stockwerken. Die Turmhelme sind etwas schlanker, als man sie im allgemeinen bei romanischen Bauten gewohnt ist. Die Fenster haben mit einigen Ausnahmen Spitzbögen. Im Mittelschiff zeigt sich der Einfluß der französischen Frühgotik nicht nur durch die Spitzbögen, sondern am deutlichsten in der Wandgliederung. Die ruhig stehende große Fläche, die romanische »tragende« Wand war nicht mehr erlaubt. Alle Last war den Pfeilern aufgebürdet; daher die übertriebene Betonung alles Senkrechten. Die Räume zwischen den Pfeilern waren nicht mehr einfach zu füllen, sondern in Bogenreihen aufzulösen. Nach dem Vorbild der Kathedralen zu Laon und Noyon in Frankreich bauten die Meister von Limburg über der Erdgeschoßarkade des Mittelschiffs die Bogenreihe der Empore. Der Pfeilerabstand wurde halbiert, dadurch die Zahl der Bögen verdoppelt. Über dem Scheitel des unteren Bogens steht eine Zwischenstütze, die wieder die Senkrechte betont.

Über dem Emporengeschoß reihen sich die kleinen Bögen des »Triforiums«, in dem der Pfeilerabstand durch Zwischenstützen gedrittelt oder geviertelt wird; eine Erinnerung an die romanische Zwerggalerie. Darüber erst ist Platz für den »Obergaden«, die lichteinlassenden Fenster, die bis hinauf in die Höhe des Rippengewölbes ragen.

Der Dom St. Georg ist nicht, wie viele andere Kirchen des Mittelalters, romanisch begonnen und gotisch weitergebaut worden, sondern von Anfang an nach dem Prinzip aus der Île-de-France, der gotischen Kathedralenlandschaft, entworfen.

Bild rechts oben: Reich geschnitzter Erker im Walderdorffer Hof (Fahrgasse 5) in Limburg, aus der zweiten Hälfte des 17. Jahrhunderts.
Bild rechts unten: Fachwerkerker im Haus »Zum Goldenen Hirsch« am Kornmarkt in Limburg, erbaut 1527.
Bild rechte Seite: Der Marktplatz von Miltenberg ist von interessanten Fachwerkbauten mit bemerkenswert spitzen Dächern umgeben.

Er ist nicht jedermanns Geschmack, aber er ist interessanter als manches problemlose stilreine Bauwerk. Was in Frankreich schon ein neuer Stil ist, will hier erst einer werden.

Im 14. Jahrhundert schrieb ein Chronist, Stift und Stadt Limburg »stehen in Ehr und Seligkeit«. Dies aber sagt nichts über die wirtschaftliche Situation. Die Verkehrslage war gut. Über die Lahn führte eine steinerne Brücke. Doch der Handel, so nah an Frankfurt, wollte, mit Ausnahme von Pferdehandel und Bauernmarkt, nicht so recht gelingen. Nach mehreren Verpfändungen kam Limburg 1407 an das Erzbistum Kurtrier.

Die Stadt blieb klein und war anfällig gegenüber Störungen. Durchziehende Armeen, Einquartierungen ruinierten, was in ruhigen Zeiten sich hatte entwickeln können und schwächten zusätzlich die Wirtschaftskraft der Stadt. Es gab ein paar erfolgreiche Unternehmer, die sich hier im Abseits fühlten. Sie zogen nach Frankfurt. Dort baute ein wohlhabender Neubürger auf dem Römer das »Haus Lympurg«, ein Haus zur Geselligkeit für vornehme Frankfurter.

Im Jahr 1803 kam Limburg an Nassau, und im Jahr 1827, als in Trier die Franzosen saßen, wurde das Bistum Limburg gegründet. Das Ordinariat zog ins ehemalige Franziskaner-

kloster. Die Kirche St. Sebastian wurde bischöfliche Hauskapelle. Ein Palais wurde gebaut.

Allmählich wuchs Limburg doch über seine alte Umgrenzung hinaus. Die Altstadt aber hat heute alle Merkmale alter Bürger- und Kleinstadtbürgerkultur nicht nur noch aufzuweisen, Erhaltenswertes hat man vor allem in den letzten Jahrzehnten gut restauriert.

Es gibt viel zu sehen in Limburg. Zwischen Fischmarkt und Johanneskapelle (Römer Nr. 1) steht das wahrscheinlich älteste deutsche Fachwerkhaus, ein dreigeschossiger Ständerbau von 1296, mit vorkragendem Obergeschoß auf der Talseite. Der vordere Teil des Hauses wurde 1520 neu gebaut. An einigen anderen, schönen Fachwerkhäusern ist neuerdings die originale Farbigkeit wiederhergestellt worden.

Miltenberg

zwischen Spessart und Odenwald

An einem Ort, der zum geplanten Bauen alles andere als
einladend ist, entstand ein Marktplatz, eine Kleinstadt-
mitte, die auf anmutig altfränkische Art zeigt, wie schön es
sein kann, wenn nicht alles mit rechten Winkeln zugeht.
Ein Triangel, gebildet aus einer Straße, die salopp den
Mainbogen mitmacht, und von ihr südwärts in gefälliger
Rundung den Berg hinauf abzweigend eine Straße, die bald
zur Gasse wird und durch einen engen Torturm schlüpft –
wohin? – ins »Schnatterloch«. So heißt die kühle Schlucht
und läßt an Gänse denken, die in der ihrer Art eigenen

Marschordnung da hinunterschnattern, wenn Kirchweih
vorbei ist und sie keine Angst mehr haben müssen, geköpft
und gerupft in den Bratröhren der »Krone« oder des »Riesen« zu bräunen.
Die Mildenburg, von der Miltenberg den Namen hat, war
einmal Pfalzgrafensitz auf den Mauern eines Römerka-
stells. Seit 1226 gehörte sie urkundlich dem Bistum Würzburg. Politisch hat sich mit ihr nichts ereignet, bis sie 1816
zugleich mit Miltenberg an Bayern kam.
Aus der Pfalzgrafenzeit stammt der Bergfried, Vertrauen
weckend aus Buckelquadern gemauert. Der ehedem hölzerne Palas wurde um 1400 durch einen Steinbau ersetzt.
Die steilen Böschungsmauern und der Marstall am jetzigen
Conradyweg sind wahrscheinlich schon um die Mitte des
13. Jahrhunderts gebaut worden.

Die Burg war lange Zeit ruinös. Neu verputzt und mit einem neuen Dach erscheint sie farblich nicht ganz gelungen; aber das wird der Zahn der Zeit bald gemildert haben. Im Burghof steht der »Teutonenstein«, vier Meter hoch, vom nahen Greinberg hierhergebracht. Die Rätsel, die er aufgibt, wären lösbar, könnte man seine Inschrift entziffern.

Rätselhafte Steine gibt es in Franken mancherorts, zum Beispiel die »Heunensäulen« am Mainbullacher Berg westlich von Miltenberg oder die berühmten »Götzen« aus der Regnitz, in die sie im 8. Jahrhundert von frischgetauften Christen versenkt worden waren.

Zu Füßen der Mildenburg und in ihrem Schutz wuchs Miltenberg heran, bekam durch kurmainzische, großzügige Privilegien Markt- und Stapelrecht und als Münz- und Zollstätte Stadtfreiheiten, wie sie im Spätmittelalter selten üblich waren, blieb klein und wurde wohlhabend. Miltenberg konnte sich nicht ausbreiten, nur der Enge zwischen Berghang und Fluß gemäß ausdehnen und dies besonders nach Osten mainaufwärts.

Die Stadtmauer (um 1400) ist auf der Südseite der Stadt von der Burg ausgehend mit neun Türmen bis zur Ochsengasse ganz erhalten. Auf der Mainseite ist sie schon seit dem 16. Jahrhundert von Häusern überbaut. Die gotischen Tortürme, die im Westen und Osten die Hauptstraße zu bewachen hatten, stehen noch, ebenso der Brückenturm. Wo die Walldürner Straße von der Hauptstraße abzweigt, ist im Gegensatz zum Marktplatz streng geometrisch der Engelplatz ausgemessen; an ihm das Rathaus, das im 18. und 19. Jahrhundert umgebaute alte Mainzer Kaufhaus aus der Zeit um 1400, das damals wohl eindrucksvoller war.

Gegenüber dem Rathaus die Franziskanerkirche, ein schlichter Raum mit Stichkappentonne, um 1700 von Antonio Petrini erbaut, einem Barockarchitekten, der auch in Bamberg, Würzburg und Veitshöchheim tätig war.

Die Miltenberger Stadtpfarrkirche steht auf dem alten Marktplatz, in dessen Nordfront zur Hälfte hineinragend. Der mittelalterliche Bau ist im 18. Jahrhundert und später noch einmal verändert worden; leider nicht von Petrini. Gut in den Maßen sind die Osttürme, in barocker Tradition 1830 entstanden. Die sehr alte Martinskapelle ist im 13. Jahrhundert und später liebevoll verschönert worden.

Die Kirchen beeinträchtigen das altfränkische Stadtbild nicht, das sich in vielen schönen, zum Teil gut erhaltenen Fassaden darstellt. Am Markt ein altes, noch schmuckloses Giebelhaus von 1450; daneben ein fünfgeschossiges Haus mit einem vieleckigen Giebel. Zwischen den beiden Häusern ein Torbogen, die Pforte zur Burggasse, die mit der Steigung zum Fußpfad wird. Gegenüber das ehemalige Gasthaus zur Krone von 1623.

Überraschend ist das Haus Nr. 341, mit freundlich-klassizistischer Fassade mit flachen Wandpfeilern, 1750 erbaut von Johann Martin Schmidt. Dieser in Miltenberg geborene Künstler war ein vielbeschäftigter klassizistischer Architekt. Altfränkisch zu bauen konnte niemand von ihm erwarten.

Nicht in der Mitte, sondern ein wenig beiseite, genau da, wo es der legeren Komposition dieses nicht genug zu rühmenden Marktes entspricht, steht der Brunnen, 1683 nach Nürnberger Vorbildern entworfen, ein achteckiger Trog in guten Maßen und mit einer schlichten Säule in der Mitte. Stattlich als Kopfbau an einer Straßengabelung in der

Hauptstraße steht das Haus »Zum Rihsen ist es genandt / Fürsten und Herren wohlbekandt«. Bis 1590 war es Fürstenherberge, seitdem Gasthof, »Bürger und Bauren steht es zur Handt«.

Verkehrsprobleme gibt es in der langen Hauptstraße nicht, denn sie ist zur Einbahnstraße ernannt. Wer aus Wertheim kommt, wird vor dem Ostturm zur neuen Mainstraße umgeleitet, die in beiden Richtungen für Eilige da ist. Hier am Mainufer kann man auch ohne Ärger parken, auch, wer Lust hat, Minigolf spielen.

Der Gast, der Miltenberg in Richtung Wertheim verläßt, sollte an der Laurentiuskapelle haltmachen. Der Chor, 1456 geweiht, ist sehenswert ob seiner aus der Bauzeit stammenden Malereien.

Bild linke Seite: Blick auf die Stadt Miltenberg am Main. Im Vordergrund die Pfarrkirche St. Jakob mit ihren beiden Türmen.
Bild oben: Wundervolle altfränkische Fachwerkhäuser an der Hauptstraße in Miltenberg. Der altfränkische Fachwerkbau zeichnet sich vor allem dadurch aus, daß die Ständer, also die senkrechten Holzpfeiler, viel näher als bei anderen regionalen Stilen beieinander stehen. Die landschaftlichen Spielarten des deutschen Fachwerkbaues – man unterscheidet noch drei oder vier weitere Arten – sind nicht immer leicht zu unterscheiden, da die Formen auch von Landschaft zu Landschaft gewandert sind.
Bild unten: Das berühmte Haus zum »Riesen« in Miltenberg.

In dem heute zu Miltenberg gehörenden Bürgstadt gibt es noch einiges zu betrachten. Der Ort war schon um 800 im Besitz des Erzstifts Mainz, wurde aber seit dem 13. Jahrhundert von Miltenbergs stetigem Aufstieg überschattet. Das Rathaus ist ein typisch altfränkisches Bauwerk aus dem 16. Jahrhundert mit unregelmäßig gesetzten Fenstern und einer zweischiffigen gotischen Halle im Erdgeschoß.

Rothenburg ob der Tauber

Berühmt wie sie ist keine

Im Jahr 1356 erschütterte ein Erdbeben Mittelfranken und zerstörte die Burg auf dem schlanken Felsrücken über dem Taubertal. Karl IV. überließ die Ruine der damals längst freien Reichsstadt und regte an, auf den Grundmauern des Großen Hauses eine Kapelle zu bauen, die dem heiligen Blasius zu weihen sei, einem der Vierzehn Nothelfer.

Seitdem hat Rothenburg keinen Burgherrn mehr zum Nachbarn; und das muß ein schönes Gefühl für die Stadt gewesen sein, denn sie war mit einem Mal, dank der Naturgewalt, noch freier geworden.

Urkundlich nachweisbar haben auf der Roden Burg im 10. und 11. Jahrhundert schwäbische Grafen gesessen, die von der Comburg bei Villa halle stammten, dem heutigen Schwäbisch Hall. Die Comburger starben am Anfang des 12. Jahrhunderts aus. Heinrich V. zog in die Burg ein und belehnte mit ihr Konrad von Schwaben, den Sohn seiner Schwester, den späteren Kaiser Konrad III., der die Burg zur Kaiserfeste ausbaute und sie seinem Sohn Friedrich zum Wohnsitz gab.

Die Burg und die in ihrem Schutz entstandene Siedlung wurden damals schon oppidum (Burgstadt) genannt. Daß sehr bald ein einfacher Plan vorgegeben war, ist an der Herrengasse zu erkennen, durch die mit den Häusern der Burgmannen die erste Straße festgelegt war, geraden Weges in Richtung auf den rechteckigen Marktplatz.

Stadtrecht erhielt Rothenburg durch Friedrich I. Barbarossa 1172 in einer Urkunde, die schon als Privileg zur freien Reichsstadt gedeutet werden kann, das nach dem Ende der Staufer vom Habsburger Rudolf I. bekräftigt wurde (1274). Damals hatte Rothenburg schon den inneren Mauerring, der an den Straßen Alter Stadtgraben, Pfeifersgasse, Pforgasse, Judengasse, Klosterweth zu denken ist und von dem die Tore Röderbogen und Weißer Turm erhalten sind. Damals stand auch schon das Rathaus, das zweite, nachdem das erste den Stadtbrand 1240 nicht überlebt hatte.

In diesem inneren Stadtbereich liegen nicht nur die großen Bauten, die im 13. Jahrhundert entstanden sind, die älteste Kirche St. Kilian (die heute nicht mehr besteht) und das Franziskanerkloster, sondern, mit Ausnahme des Spitals, auch alle bedeutenden Bauwerke aus späterer Zeit. Nachdem Karl IV. der Stadt die Ruine der Burg großmütig überlassen hatte, traf der Rat 1373 eine - fürs erste - glückliche Wahl mit der Ernennung des Heinrich Toppler zum Bürgermeister. Toppler war ein energischer und begabter Mann, beinahe ein »König von Rothenburg«. Unter seiner »Regierung« wurde die Stadt groß und sehr schön. Die neue Pfarrkirche wurde geplant und begonnen, die Tauberbrücke durch eine zweite Bogenreihe über den alten Bögen höher gebaut, der äußere Mauerring vervollständigt. Der Handel blühte. Die Stadt wurde zum wichtigsten Markt zwischen Würzburg und Augsburg.

Heinrich Toppler hat sich selbst ein pittoreskes Denkmal gesetzt, das »Topplerschlößchen« westlich der Stadt im Taubergrund. Der Bau ist aufschlußreich für das Wesen des Bürgermeisters und das gespannte Verhältnis zwischen ihm und den Ratsherren; vier Geschosse auf knappem Grundriß, außen auffallend schmucklos, innen ganz ge-

mütlich, gastlich sogar. König Wenzel, Sohn und Nachfolger Karls, soll Toppler hier mehrmals mit seinem Besuch beehrt und jeweils unglaublich viel getrunken haben.

Mit Schießscharten allseits und einer Zugbrücke war das Schlößchen gut eingerichtet, wenn es einmal mit den Ratsherren hart auf hart zugehen sollte.

Bald war es so weit. Wenzel wurde (1400) als deutscher König abgesetzt. Toppler hielt seinem hohen Saufkumpan die Treue, und Ruprecht von der Pfalz verhängte zur Strafe die Reichsacht über Rothenburg; das hieß: Jeder konnte der Stadt den Krieg erklären.

Der Rat setzte den Bürgermeister ab, der ihm das eingebrockt hatte, und sperrte ihn ins Rathausgefängnis, bevor er sich in seinem Schlößchen verschanzen konnte. Nach mehrjähriger Haft starb er.

Zu Topplers Zeit war mit dem Bau der neuen Pfarrkirche St. Jakob (auf dem Grund der alten St. Kilianskirche) begonnen worden. Eine Inschrift an der »Ehetür« trägt die Jahreszahl 1373. Kein Name eines planenden Meisters ist überliefert. Erst 1438 ist Konrad Heinzelmann als Leiter der Bauhütte genannt. Nachfolger für den bald nach Nürnberg zum Bau von St. Lorenz berufenen wird Nikolaus Eseler d. Ä., der sich zuvor an den großen Stadtkirchen zu Dinkelsbühl und Nördlingen bewährt hatte. Im Jahr 1464 wird die Kirche geweiht. Vollendet ist der Bau erst um 1490. Die Sünden eines Restaurators im 19. Jahrhundert, der Teile der Ausstattung ausräumen ließ, wiegen nicht so schwer, da die beiden überragenden Kunstwerke der späten Gotik noch da und überdies in sehr gutem Zustand sind: der Hochaltar mit dem Schnitzwerk aus der Schule oder dem Umkreis des Ulmers Hans Multscher und den gemalten Altarflügeln des Friedrich Herlin aus Nördlingen (1466); dazu der Heiligblutaltar Tilman Riemenschneiders, 1505 vollendet.

Überraschend in der Jakobskirche ist das Grabmal des Bürgermeisters Toppler. Der Rat war mächtig genug, ihn abzusetzen, als seine Maßlosigkeit und seine politische Dummheit für Rothenburg gefährlich wurden. Dennoch hat man ihm den Ehrenplatz des Grabmals zugestanden; denn Toppler hat die Stadt stark gemacht, widerstandsfähig für künftige Schicksalsschläge; und die waren keine Kleinigkeiten.

Im Jahr 1450 rebellierten die Zünfte gegen das aristokratische Aufgeführ der Patrizier. Fünf Jahre danach gaben sie auf, unzufrieden und hellhörig auf die Töne, die draußen bei den Bauern in Schwaben und Franken laut wurden.

Der Röderbogen mit dem Markusturm gehört zum alten ersten Ring der Stadtbefestigung von Rothenburg ob der Tauber. Die ehemalige Reichsstadt hat ihr mittelalterliches Stadtbild bis heute bewahrt. Einer der Hauptgründe lag darin, daß die Stadt und die Bürger nie sehr reich waren und nicht das Geld hatten, ihre alten Bauten abzureißen und durch zeitgemäßere zu ersetzen.

Der Reichsritter Florian Geyer nahm sich der Sache der aufständischen Bauern an, beschwor 1525 in der Kirche St. Jakob die Fahne mit dem Bundschuh, machte Pläne zu einer Reichsreform, fand kein Verständnis und wurde erschlagen. Aber da war Rothenburg schon als Keimzelle des fränkischen Bauernaufstands gezeichnet.

Die Rache des Markgrafen Casimir von Ansbach war schrecklich. Blut floß in den Gassen - und danach war alles wie zuvor.

1544 bekannte sich die Stadt zur Reformation. St. Jakob ist seitdem evangelische Pfarrkirche. Die Freude am Bauen erwachte wieder. Das gotische Rathaus bekam einen nicht mehr sehr gotischen Turm, der ihm aber gut steht. 1578 war neben dem alten Rathaus der neue Bau vollendet. Zwei Giebelfronten stehen nebeneinander: die gotische aus dem 13. Jahrhundert und die neue, gut gegliederte Renaissancefassade, eindrucksvoll und nur wenig in ihrer Wirkung gemindert durch den etwas zu schwer wirkenden Eckerker und die zum Marktplatz hin vorgebaute Arkade.

Bild linke Seite: Das Rödertor gehört zur äußeren Mauerumfassung Rothenburgs. Sie wurde gebaut, als die Stadt bereits um das Doppelte über den staufischen Kern hinausgewachsen war; dies war bereits im 13. Jahrhundert der Fall. Die bastionsartigen Verstärkungen des Rödertores stammen vom Beginn des 17. Jahrhunderts.
Bild oben: Blick vom Taubergrund auf die Stadt Rothenburg ob der Tauber. Die Tauberbrücke ist oder war eines der bedeutendsten Denkmale der mittelalterlichen Brückenbaukunst. 1945 wurde sie gesprengt, später jedoch wieder aufgebaut. Sie hat heute einen Betonkern; ihr mittelalterliches Äußeres wurde aber wiederhergestellt. Der untere Bogen der Doppelbrücke stammte von 1330, der obere von 1400. Aus der Stadtsilhouette ragt der Turm des Rathauses empor.

1631 lag der katholisch-kaiserliche Tilly vor der evangelischen Stadt. Der Feldherr schickte einen Parlamentär zum Verhandeln. Der Rat schrieb zurück, man wisse nicht recht, um was es ginge, und bat um nähere Auskunft. Tilly befahl den Angriff. Die Tore gingen auf.
Nach einem alten Bericht soll »durch wunderliche Fügung« die Stadt vor Metzelei und Plünderung bewahrt worden sein. Die Geschichte vom »Meistertrunk« ist bekannt. Sie stimmt verdrießlich.

Tilly war ein harter Kriegsmann, aber sicher kein Popanz; und warum sollte das Schicksal Rothenburgs vom Ausgang einer Trinkburleske entschieden werden.
Die Geschichte ist fragwürdig; aber das allsommerlich aufgeführte Schaustück vom »Meistertrunk« ist sehenswert. Die Stadt wurde nicht zerstört. Jedoch, so steht es poetisch in einem anderen Bericht, »die kaiserlichen Soldaten haben dem Geld und dem Geschmeide der Bürgerschaft Flügel gemacht«.
Nach dem Ende des großen Krieges wurde es still in Rothenburg. Die Zeit war nicht danach, riskante Handelsunternehmungen zu planen. Die Stadt war nicht verarmt; sie schlief. Das 18. Jahrhundert zog an Rothenburg vorbei. Es war, als hätte es in der Zeit keine Geschichte gegeben, auch keinen Barock, keinen Kirchenprunk der Gegenreformation, kein Rokoko. Rothenburg blieb, was es war und was es heute noch ist: altdeutsch; und so wurde es weltberühmt. Schon in der Romantik hatte die Stadt einige ihrem Ruf förderliche Beinamen bekommen: »Märchenstadt – Lebendiges Mittelalter – Kleinod – Steinerner Zeuge einer stolzen Vergangenheit«. Man mag sie für zu schwärmerisch halten, zu laut. Zutreffend sind sie.
Der Gast muß sich viel Zeit nehmen. Er darf nicht nur von einem Bauwerk zum anderen hasten. Jede Straßenecke schenkt ihm neue Eindrücke. Die Museen sind wichtig: das Reichsstadtmuseum im ehemaligen Dominikanerkloster, das Heimatmuseum am Alten Stadtgraben, das Mittelalterliche Kriminalmuseum in der Burggasse.
Der Allerweltstouristentrubel in der Sommerzeit ist gewaltig und wohl nicht jedermanns Sache. Es gibt noch drei Jahreszeiten.

Rottweil

Burgstadt und Hofgericht

Ein auf drei Seiten steiler Klotz aus Muschelkalk, um den der Neckar einen gefälligen Bogen machen muß, war für die Römer zu Vespasians Zeit einer der strategisch wichtigen Plätze in dem bäuerlich dünn besiedelten Gebiet zwischen dem Schwarzwald und der Schwäbischen Alb. Zwei Kastelle Arae Flaviae, benannt nach dem plebejischen Geschlecht der flavischen Caesaren, sollten mithelfen, das Land zwischen Rhein und Donau zu schützen, denn die germanischen Stämme waren in Bewegung geraten. In der Nachbarschaft der Kastelle entstand am Neckar eine römische Siedlung, Landgüter (villae), dazu zwei Thermen, wie die Grabungen ergeben haben, komfortabel eingerichtet. Schönster Fund: das Mosaik, den mythischen Sänger Orpheus darstellend, das geborgen werden konnte und im Heimatmuseum mit anderen Funden zu bewundern ist. Um die Mitte des 3. Jahrhunderts überrennen die Alemannen den Limes, drängen in einer Stärke ins Land, die von den Römern nicht zu ahnen war. Sie kämpfen, sie arrangieren sich aber auch mit den Römern, lassen sich nieder und sind bereit, mit der Armee des Kaisers Probus (um 280) den wiederhergestellten Limes zu sichern. Sie überstehen die Zeit der Völkerwanderung und sind nach dem Ende des weströmischen Imperiums immer noch da. Der Name Arae Flaviae wird vergessen. Rottweil (auch Rotuvilla, Rotwyl u. ä.) ist seit dem 8. Jahrhundert urkundlich. Damit ist aber bald nicht mehr die dörfliche Siedlung gemeint, sondern das um 750 gegründete fränkische Königsgut. Der Markt am Neckar wurde zur »alten Stetten«. Die seit dem Jahr 1140 urkundliche Stadt Rottweil ist die Schöpfung des Herzogs Konrad aus dem Geschlecht der Burgen und Städte gründenden Zähringer. Lage und Anlage waren nach dem Sicherheitsbedürfnis des Mittelalters ideal. Von Anfang an festgelegt waren das Straßenkreuz und der Große Platz für die Kirche. Der Aufwand für den Mauerbau war dank der steil abfallenden Felswände nicht übermäßig groß. Nur an der Westseite der Stadt war eine doppelte Mauer mit Zwinger und einem hohen Turm zu bauen. Der größere Teil dieser Stadtbefestigung stammt von den Staufern, in deren Besitz das Königsgut nach dem Erlöschen der Zähringer (1218) gekommen war. Von den fünf Toren steht heute nur noch der Schwarze Torturm, durch den an »Fasnet« lieblich und fürchterlich Verkleidete die Hauptstraße hinuntertoben wie Boten aus einem mythisch-germanischen Urwald.

Typisch für die Wohnbauten der Stadt Rottweil, die aus dem 16. bis 18. Jahrhundert stammen, sind die langgezogenen Erker, die sich über zwei oder mehr Stockwerke der Obergeschosse erstrecken. Sie sind aufwendig geschnitzt und bemalt.

Die Mauern rund um die Stadt sind heute verbaut oder bis auf Brüstungshöhe abgetragen. An der Nordostecke stehen noch der Pulverturm und ein Teil des Wehrgangs, der heute mit der Lorenzkapelle des aufgelassenen Friedhofs als Museum genutzt wird. Noch vor dem tragischen Ende der letzten Staufer war Rottweil freie Reichsstadt geworden, keine Stadt mehr im Schatten der Burg, sondern selbst Burg.

In der Zeit des Interregnums verstand es die Stadt, ihre Macht in eigenen Sachen zu festigen. Zwar verpfändete Rudolf von Habsburg, der 1273 König geworden war, das Königsgut Rottweil samt dem mit dem Gut verbundenen Schultheißenamt erblich an den Grafen von Hohenberg; aber Karl IV. löste es aus und verlieh beides, Gut und Amt, der Stadt Rottweil.

Das Hofgericht, das seit alters an das Königsgut gebunden blieb, tagte echt altgermanisch auf einer Wiese außerhalb der Stadt an der Königstraße, die heute noch so heißt. Das Hofgericht war ein Zivilgericht unter dem Vorsitz des vom König eingesetzten Hofrichters. Urteilsfindung war Sache der Beisitzer. Diese waren Ritter oder, bei einem späteren Mangel an Rittern, prominente Bürger des freien Rottweil, die dann in ihrer Stadt eine gewisse Aristokratie innerhalb der Oberschicht der Bürger darstellten mit dem Privileg, »Sammet unt Zobel« tragen zu dürfen; nicht ungewöhnlich, denn Freiheit war ja nicht Gleichheit. Aber diese beiden Worte in einem Atem zu nennen, kam damals niemand in den Sinn.

Durch königliche, auch kaiserliche Gunst kam das Hofgericht Rottweil zu hohem Ansehen als »das oberste des Heiligen Reichs Gericht in Teutschen Landen«. Es konnte die Acht verhängen und war »gefeit« vor Berufung an Kaiser und Papst.

Über Malefizsachen und über Fälle, die Rottweiler Bürger angingen, konnte das Hofgericht nicht Recht sprechen. Das führte dann zu Komplikationen, wenn es ums Pürschrecht ging, das Rottweil zugleich mit dem Schultheißamt zugestanden war; und dies konnte manchem zur eigenen Kurzweil im Umland jagenden Adelsherrn zuwider sein. Doch der Rat der Stadt war geschickt im Bemühen, die eigenen Rechte und die der Bauern zu verteidigen. Die jagten ja nicht zur Kurzweil, sondern zum Sattwerden. Das schöne Dokument dieses demokratischen Denkens ist die große Pürschgerichtskarte (im Heimatmuseum), auf der Rottweil und alle Dörfer, Weiler und Einöden des Umlands Haus für Haus bezeichnet sind.

Rottweil war Mitglied des Schwäbischen Städtebunds. Zu ihm gehörten auch, solang' sie von der heilig-römischen Reichsgrenze umschlossen waren, die schweizerischen Reichsstädte, die Waldstätten, dazu Luzern, Zürich, Bern (eine Gründung der Zähringer) und St. Gallen.

An der gemeinsamen Herkunft, am Alemannentum, lag es wohl, daß sich Rottweil so sehr zu den Eidgenossen hingezogen fühlte als »zugewandter Ort«, wie es in einem Dokument von 1463 steht. Der Bund wurde mehrmals besiegelt. »Ewig Ding und ewig Fründschaft« heißt es am Anfang einer Urkunde von 1519, zwanzig Jahre nach der Reichsreform Maximilians I.

Ein liebenswürdiges, die Zeit überdauerndes Nebenbei ist der gutartig-kraftvolle schwarze »Rottweiler«, eine Hunderasse, durch Kreuzung kurzhaarig aus dem dickfelligen Berner Sennenhund gezüchtet.

Rottweils Stadtverfassung war eine kluge Mischung aus demokratischen Freiheiten und großbürgerlichen Privilegien. Handel und Handwerk blühten, vor allem Tuchgewerbe und Schloß- und Waffenschmiede. Die Bürger hatten, wie es scheint, wenig Neigung, reichsstädtisch zu prunken. Die profane Stadtarchitektur wirkt auf den ersten Blick schematisch, besonders in den Hauptstraßen. Sie monoton zu nennen, wäre ungerecht. Die Häuser stehen meist traufseitig; keine Giebel zur Straße, nur da, wo es nötig war, eine gegiebelte Dachöffnung für den Lastenaufzug. Origineller Beweis für den Gemeinsinn sind die über zwei oder drei Obergeschosse gebauten Erker, verziert mit buntbemaltem Schnitzwerk. Rottweils Rathaus ist zurückhaltend einfach, aber doch stattlich, ein spätgotischer Bau im oberen Teil der Hauptstraße, um 1520 vollendet.

Im künstlerischen Wert überragen die Kirchen der Stadt deren Profanarchitektur. Der Platz für die Pfarrkirche zum Heiligen Kreuz war vom Zähringer Herzog vorgegeben. Aus der am Anfang des 13. Jahrhunderts begonnenen Basilika wurde eine gotische Pseudobasilika (so genannt, weil die Hochwände des Mittelschiffs keine Fenster haben). Der äußere Eindruck ist schlicht, das Dach des Chors gering überhöht, der Turm aus dem südlichen Seitenschiff hochragend, quadratisch mit dicken Mauern und einem achtkantig spitzen Helm. Die Innenausstattung ist durch Veränderungen im Lauf der Zeit immer reicher geworden: Über dem kastenförmigen Hochaltar ein großer Kruzifixus, im Jahr 1841 erworben, dem Nürnberger Veit Stoß (um 1515) zugeschrieben; elf Seitenaltäre aus dem 15. bis 20. Jahrhundert, darunter der Apostelaltar (1460) aus der Werkstatt des Braunschweigers Cord Bogentrik und der Marienaltar mit dem spätgotischen Gnadenbild »Unserer lieben Frau von der Augenwende«. Die lieblich-ernst blickende Madonna stand früher in der Kirche des Dominikaner- oder Predigerordens. Im Jahr 1643, als die Stadt von den Franzosen belagert wurde, flehte das Volk die Madonna um Beistand an. Zweimal, so sagt man, sahen die Gläubigen Veränderungen im Gesicht der Gottesmutter, insbesondere eine Wendung des Blickes.

Bei der Belagerung wurde der Marschall Guébriant am Ellenbogen verwundet. Er starb bald darauf an einer Blutvergiftung.

Im 18. Jahrhundert wurde die meistbesuchte Wallfahrtskirche Schwabens baufällig. Das Langhaus wurde abgerissen, nachdem die Madonna in die Pfarrkirche Heilig Kreuz überführt worden war. Eine neue Kirche entstand im schönsten Rokoko, hell und gar nicht mehr karg-dominikanisch. Feine Rocaillen umrahmen die Deckengemälde: im Chor die Glorie des hl. Dominikus, die »Rosenkranzspende« und die Allegorie der vier Erdteile; im Schiff die Apotheose der Seeschlacht von Lepanto und die Belagerung Rottweils mit Verwundung und Tod des Marschalls. Als württembergisches Militär 1802 im sogenannten Schwäbischen Krieg die Stadt besetzte, wurde das Kloster aufgelöst und die Schließung der Kirche befohlen. Seit 1818 ist sie Pfarrkirche der evangelischen Gemeinde. Rokokokirchen sind empfindliche Kunstwerke. Eine Restaurierung von Grund auf wurde nach dem zweiten Weltkrieg notwendig und endlich 1971 begonnen. Sie ist stilrein und meisterhaft gelungen, ein heller, festlicher Raum, dessen fröhlich-fromme Stimmung die Vergangenheit liebevoll verklärt.

Zwei Sakralbauten im alten Rottweil sind noch zu nennen. Die Lorenzkapelle an der nordöstlichen Ecke der Stadtbefestigung. Sie wurde nach der Auflösung des Friedhofs profaniert und beherbergt seit 1860 Figuren und Tafelbilder der Sammlung Dursch, Meisterwerke kirchlicher Kunst aus Schwaben.

Zum Beschluß. Das bedeutendste architektonische Denkmal der Gotik in Rottweil ist der Kapellenturm, so benannt

nach einer gotisch geplanten und begonnenen Marienkapelle, die um 1480 zur Kirche vergrößert und um 1725 innen barock vollendet wurde. Der Turm, wohl um 1350 begonnen, stellt eine Wendemarke in der deutschen Gotik dar. Zum ersten Mal hat eine deutsche Bauhütte im Sinn der französischen Gotik ein Figurenprogramm für den Schmuck der Portale und Pfeiler aufgestellt. Der Turm, zurückgesetzt an der Ostseite der Hochbrücktorstraße, stellt für die Restauratoren ein Riesenproblem dar. Zu lang schon war er dem Verfall preisgegeben. Er ist eingerüstet und wird es noch über Jahre bleiben. Die zum Teil arg beschädigten Figuren sind abgenommen und, soweit möglich, konserviert und im eigens dafür eingerichteten Wehrgang neben der Lorenzkapelle aufgestellt. Der Turm selbst, sagen die Fachleute, ist zu retten; aber man wird immer wieder an ihm arbeiten müssen.

Bild oben: Die Lorenzkapelle enthält eine bedeutende Sammlung oberschwäbischer Kunst. Im Bild trauernde Frau aus einer Beweinungsgruppe von Eriskirch.
Bild rechte Seite oben: Da Rottweil auf einem ziemlich steil aufragenden Klotz aus Muschelkalk steht, konnte es sich nicht nach allen Seiten ausbreiten. Die gedrängte Bauweise ist bei dieser Ansicht deutlich zu erkennen.
Bild rechte Seite unten: Das Stadtmuseum von Rottweil.

Die Bedeutung Rottweils ist mit dem Heiligen Römischen Reich vergangen; aber Städte leben ja in der Regel länger als Reiche. Das ist tröstlich. Sie verändern ihr Wesen, schlafen ein oder wachsen. Rottweil ist – statistisch – eine Mittelstadt geworden, schwäbisch-geschäftig, gesund; und bewundernswert in ihrer tätigen Sorge um das, was eine lange Zeit ihr hinterlassen hat.

Schwäbisch Hall

Salz, Geld und eine Klosterburg

Wie der Taler nach dem Erzgebirgsstädtchen Joachimsthal benannt ist, müßte der Heller, durch staufisches Privileg in Schwäbisch Hall geprägt, eigentlich Haller heißen. Aber nein, er heißt Heller, und dies paßt zu seinem schönen Klang, denn er ist aus Silber. Geringwertig aus Kupfer wurde er erst im 16. Jahrhundert geprägt. Der mittelalterliche Silberheller zeigt auf der Bildseite ein heraldisch seltenes Symbol, eine offene Hand.

Schwäbisch Hall ist als Villa halle urkundlich 1030 genannt; aber zuvor war einiges geschehen: Die Saline, auf die schon der lateinische Name hinweist, hat mit großer Wahrscheinlichkeit bereits im 9. Jahrhundert bestanden. Seit dem 10. Jahrhundert saßen auf der Comburg, sich hoch erhebend über dem engen Tal des Kocher, die Grafen von Rothenburg, die sich hier Grafen von Comburg nannten. Die Burg, über deren Anbeginn nichts überliefert ist, hätte ihrer Lage nach ein sicherer Adelssitz für den Besitzer einer Salzquelle sein können; aber es kam anders.

Ein heftiger Erbstreit unter vier Brüdern ging so aus, wie Graf Burkhard es wollte. Er hatte im Sinn, ein Kloster zu stiften, wollte so die von Hirsau ausgehende Reform klösterlichen Lebens fördern. Er baute die Burg zur Klosterburg um, trat selbst in das Kloster ein, berief 1080 einen Benediktinermönch als ersten Abt und starb. Mit seinem Nachfolger, dem Grafen Heinrich, Gründer des Klosters Klein-Comburg, erlosch das Geschlecht.

Die Staufer nahmen sich der Comburg an. Konrad III. feierte 1140 auf ihr das Weihnachtsfest. Damals stand die Kirche St. Nikolaus mit den Westtürmen, eine noch knapp bemessene Burgmauer und ein wehrhafter Torbau im Osten. Die fromme Comburg war kein Schutz für die Siedlung im Tal. Da sie auch keinen Anteil am Ertrag der Salzquelle hatte, führte sie seit der Stauferzeit ihr Eigenleben – recht und schlecht – und wurde arm, so arm, daß es die aufständischen schwäbischen Bauern 1525 nicht der Mühe wert fanden, sie zu stürmen.

Die Siedlung im Tal blühte, war auf schwierigem steil ansteigenden Baugrund vom rechten Flußufer bis zur heutigen Crailsheimer Straße gewachsen, ein romantisches, winkeliges Durcheinander, dem 1156 von Friedrich Barbarossa die Stadtrechte verliehen wurden. 1165 wurde die Pfarrkirche geweiht.

Walter von Schüpf aus einer alten in der Gegend am Kocher ansässigen Familie war Reichsschultheiß über die kaiserlichen Güter. Er baute sich auf halber Strecke zwischen der Comburg und Hall die Limpurg und nannte sich, weil er einen Schenkenbecher im Wappen hatte, Schenk von Limpurg. Das Aufsichtsamt war erblich.

Mit den Haller Salzsiedern hatte er es schwer, obwohl die Stadt staufertreu war und sogar zu dem vom Papst gebannten Friedrich II. hielt. Wenn es aber um den Ertrag der Salzquelle und der Siedereien unten am Haal ging, waren sie hartnäckig; und auch die sieben kleinen, mit Salzrechten belehnten Adelsburgen, die im 13. Jahrhundert in und um Hall gebaut worden waren, konnten sich auf die Dauer nicht halten. 1276 erhob Rudolf von Habsburg Hall zur freien Reichsstadt. Um die Zeit war der Ertrag der Saline in 111 gleiche Teile geteilt, vergeben als Lehen, Nutzeigentum oder Erbe. Um die Mitte des 14. Jahrhunderts waren beinahe alle Anteile im Besitz der Erbsieder. Es gab »Zwietrachten« unter den Bürgern. 1340 änderte Ludwig der Bayer die Stadtverfassung. 12 Adelige, 6 sogenannte »Mitterbürger« und 8 Handwerker sollten im Rat vertreten sein. 1382 kam das Schultheißenamt an die Stadt. Ein Viertel der rund hundert adligen Familien wanderte aus. Die sieben Burgen wurden im Laufe der Zeit aufgegeben. Reste der Sulmeisterburg und die Keckenburg stehen noch; die andern sind überbaut. Die Limpurg wurde von Erasmus Schenk an die Stadt verkauft. Sie ist heute eine gepflegte Ruine.

In den Jahren 1427 bis 1456 wurde auf dem alten romanischen Grundbau die neue Pfarrkirche gebaut, eine dreischiffige Halle mit Rippengewölben auf Rundstützen und einem hohen, hellen Chor. Im Jahr 1530, als der Westturm noch nicht vollendet war, kam ein junger Prediger nach Hall, Johannes Brenz, Schultheißenssohn aus Weil der Stadt, ein glühender Verehrer Luthers. Die Bürger bekannten sich zur Augsburger Konfession und hielten einmütig an ihr fest.

1548 verlangte der Kaiser die Auslieferung des Predigers. Freunde warnten ihn. Er verließ seine Frau und seinen Sohn und sah beide nicht wieder.

Im Dreißigjährigen Krieg verlor Hall ein Drittel seiner Einwohner. Der Schaden durch Plünderungen hielt sich in einigermaßen erträglichen Grenzen.

1728 wütete ein Brand in der Altstadt, dem auch das Rathaus zum Opfer fiel. Danach sind einige beinahe festliche Barockbauten entstanden, die Hall noch schöner gemacht haben, vor allem das neue Rathaus, schon 1735 vollendet, ein für die kleine Stadt repräsentativer Bau, konventionell, aber sehr vornehm, das Rathaus einer Kurstadt, die Hall im 19. Jahrhundert geworden ist.

Blick auf das Zentrum von Schwäbisch Hall. Das Bild wird beherrscht von der evangelischen Pfarrkirche St. Michael. Daß diesem gotischen Bau eine romanische Basilika voranging, sieht man am Turm: Die vier ersten Geschosse sind romanisch. Erst 1573 setzte man die achteckige Turmerhöhung auf.

Bild folgende Doppelseite: Glücklich eine Stadt wie Schwäbisch Hall, die sich an die Ufer eines Flusses, hier des Kocher, anschmiegen kann. Die Wohnbauten zeigen trotz des Stadtnamens einen eindeutig fränkischen Charakter. Hoch ragt das Große Büchsenhaus »Neubau«, das Zeughaus aus dem 16. Jahrhundert.

Als Schwäbisch Hall 1803 an Württemberg kam, war die Stadt mit über einer Million Gulden verschuldet. Es mußte etwas geschehen. Landbesitz wurde verkauft. Der König erwarb preiswert alle Salinen-Aktien. Da das Steinsalzwerk Wilhelmsglück rentabler war, ließ er die Sidereien am Haal abreißen. Die Salzquelle wird seitdem nur als Solbad genutzt.

Schwäbisch Hall heute nur ein Heilbad zu nennen, wäre ungerecht. In höflichem Abstand hat sich Industrie angesiedelt, auch Unternehmen haben sich etabliert, die zum sogenannten »gehobenen Management« gehören.

Wie lebendig, wie aufgeschlossen Schwäbisch Hall auch ist; in vielem, beinahe in jeder Gasse, auf jedem Platz der schönen Altstadt wird der Gast an die Vergangenheit erinnert; und auch die Haller haben sie nicht vergessen. Sie feiern zu Pfingsten das »Kuchen- und Brunnenfest der Salzsieder« in der Stadt, auf dem Kocher und auf den beiden Flußinseln, der Unterwöhrd und dem Grasbödele.

Stade

Ich, der nun schon 200 Jahr
Ablader an dem Flethe war,
Möcht heute mit euch unterhandeln
Um Ablösung durch einen andern. 1861

Inschrift auf dem 1898 abgebrochenen
alten Holzkran auf dem Fischmarkt.

Über dem Buschwerk am Ufer ist gerade noch ein kurzer Bootsmast zu sehen, davor, immer im selben Abstand, ein Schlangenkopf, hoch aufgerichtet, der sich mit der Flut elbeaufwärts treiben läßt. Ihm folgen, erst einzeln, dann wie eine ziehende Herde, Masten und spähende Schlangen. An den Fingern nicht mehr abzuzählen, sammeln sie sich da, wo der Fluß – der heute Schwinge heißt – in die Elbe mündet, biegen ein und halten auf die Hügelsiedlung zu.

So mag ein Hirte aus dem Geestland gesehen haben, was leise bedrohlich seinem Dorf näher und näher kam; Schiffe mit Schlangenköpfen als Bugzier, wie sie lange vor seiner Zeit schon einmal die Elbe hinaufgefahren waren und den großen Erzbischof Ansgar aus Hamburg vertrieben hatten, der danach sein Erzstift nach Bremen umsiedeln mußte. Mit dem normannischen Überfall im Jahr 994 wurde Stade urkundlich durch den Bericht des Thietmar von Merseburg, dem auch die tapferen Kronacher erstes Erwähnen zu danken haben. Thietmar stammte aus dem Harsefeld zwischen Stade und Bremen. Er war ein Mönch mit allen Weihen, Neffe des Grafen Siegfried von Harsefeld, der nach dem kurzen, aber schmerzlichen Besuch der Normannen daran ging, den Hügel über der Siedlung, den Spiegelberg, zu befestigen. Es war sehr im Sinne des Erzstifts, daß der Graf den Spiegelberg zu seinem Wohnsitz machte. Stade war nicht mehr wehrlos.

Am Anfang des 12. Jahrhunderts hatte Stade fünf Gotteshäuser: die Burgkapelle St. Pancratii, die Kapellen St. Cosmae et Damiani für die Dienstmannen der Burg und St. Nikolai am Hafen, St. Spiritus in der Nähe des Bischofshofs auf dem »Sand« südlich der Burg, und St. Wilhadi zwischen dem »Sand« und dem Spiegelberg, die spätere Pfarrkirche Stades. Um 1135, zur Zeit des letzten Stader Grafen, Rudolf, entstand das Stift St. Georg.

Das Erzstift tat viel für die Stadt, der 1180 die Stadtrechte zugesprochen wurden. Die erste Umwallung wurde gebaut. Holländische Kolonisten sicherten durch Deiche und Schleusen die Salzwiesen. Die Marschbauern gewannen Land. Um 1200 setzte das Erzstift den Grafen Adolf III. von Holstein zur Verwaltung der Grafschaft Stade ein. 1219 trat zum ersten Mal ein ständisch gegliederter Landtag in Stade zusammen, neben dem Domkapitel die Ritter und die Vertreter der Städte. Die ersten Ratsherren von Stade wurden consules genannt. Dies war im Grunde das einzige Zugeständnis an die Stadt, der es nur schrittweise gelang, freier zu werden. Sie bekam Stapelrecht und durfte Münzen prägen. Der Elbzoll wurde weiter vom Erzstift eingezogen.

Landfriedensbündnisse belebten den Handel. Neben den Erzeugnissen aus dem bäuerlichen Umland förderten Salz aus Lüneburg und Erze aus dem Harz den Güteraustausch mit dem elbaufwärts kommenden flandrischen Tuch und mit Fisch und Vieh aus dem Norden.

Im 13. Jahrhundert begann der Bau der zwei großen Backsteinkirchen auf den Kapellenplätzen von St. Cosmae und St. Wilhadi. Letztere, als Eigenkirche des Erzstifts gebaut, war bis ins 15. Jahrhundert hinein Pfarrkirche der Stadt, eine gotische Halle mit Kreuzrippengewölbe. Der am Anfang des 14. Jahrhunderts vollendete Westturm aus Backstein auf granitnem Sockel mit einer Mauerdicke von drei Meter trug als erstes Dach einen Doppelsattel mit vier Wetterfahnen auf den beiden parallelen Firsten. Durch Blitzschlag und Brand mußte der Turm dreimal instand gesetzt werden. Sein Helm erfuhr dabei überraschende Veränderungen. Um 1340 wurde der Chor geweiht, die Baulücke im Kirchenschiff erst um 1380 geschlossen.

Bild rechte Seite: Das Bürgermeister-Hintze-Haus in Stade ist von der Architektur her ein typisches Kaufmannshaus der Renaissance. Heino Hintze ließ 1621 die charakteristische und kunstgeschichtlich interessante Barockfassade anbringen.
Zeichnung unten: Der hölzerne Kran aus dem Jahre 1661 am Fischmarkt zu Stade.

Stade war eine fromme Stadt. Obwohl sie der Vormundschaft des Domkapitels oft müde war, wandte sie sich doch mit großer Liebe dem Bau ihrer Kirchen zu. Um 1300 stand die ungemein kräftige Vierung von St. Cosmae et Damiani, weitspannende Bögen auf dicken Pfeilern und mit einem Kreuzgewölbe ohne Rippen. Im Verhältnis zum wuchtigen Querschiff ist das einschiffige Langhaus unproportioniert, der Chor eigentlich nur die Verlängerung des Langhauses nach Osten. Wie er konzipiert war, läßt sich nicht mehr herausfinden. Ihren großen architektonischen Wert hat die Kirche durch den Turm, der im 15. Jahrhundert achteckig über der Vierung aufgebaut wurde. Der

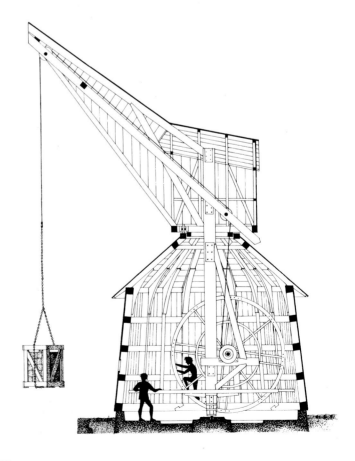

Stich von Weigel um 1550 ist nicht ganz zuverlässig. Wahrscheinlich war dieser erste Turm nicht so schön wie der heutige, der nach dem Stadtbrand 1659 mit dem Barockhelm des Andreas Henne errichtet wurde.

St. Cosmae benachbart stand das gotische Rathaus von 1279. Den Stadtbrand von 1659 überlebte es nicht.

1337 wird im Stadtbuch der hölzerne Tretkran zum ersten Mal erwähnt. Nach dem Prinzip einer drehbaren Windmühle konstruiert, hatte er längst noch nicht den technischen Wert des späteren Krans aus dem 17. Jahrhundert.

In der zweiten Hälfte des 14. Jahrhunderts gelangen Stade ein paar Schritte zur Unabhängigkeit. Die Vogtei des Hochstifts ging in die Hände der Stadt über, die überdies dem Erzbischof nicht mehr Huldigung und Heerfolge leisten mußte. Der alte Bischofshof »am Sand« wurde abgetragen.

Um 1500 erwarb die Gilde der Brauersknechte für ihre Kapelle in St. Nikolai, vermutlich aus Hamburg, einen Dreiflügelaltar, den Gertrudenschrein. Dies ist der einzige gotische Altar, der das Feuer von 1659 überstanden hat.

In der Nikolaikirche hörten die Stader Bürger 1522 die ersten Predigten des neuen Glaubens, die ersten Lieder.

Fünf Jahre danach war die Reformation abgeschlossen. 1535 erschien das erste plattdeutsche Gesangbuch.

Die Klosterschule St. Georg wurde von der Stadt übernommen. Als Gymnasium »Athenaeum« weitergeführt, erwarb sich die Schule Ruhm durch ihre hervorragenden Lehrer.

Später fanden wallonische Flüchtlinge Aufnahme in der Stadt. Die Merchants Adventurers, englische Tuchhändler, schlossen 1587 einen Handelsvertrag mit der Stadt, der die Stader Kaufherren trotz der wachsenden Konkurrenz Hamburgs reich machte. Es war ein kurzes Blühen. Die Engländer erlagen schließlich den Verlockungen Hamburgs.

Dann kam der Krieg, der Dreißigjährige. 1628 eroberte Tilly die Stadt und ließ die katholischen Mönche zurückrufen. Die Besatzungen wechselten mehrmals. Einmal ließen sich die Schweden durch eine Geldzahlung zum Abzug bewegen. 1645 eroberte Graf Königsmarck, Feldmarschall in schwedischem Dienst, die Stadt, die 1648 im Westfälischen Friedensvertrag, nach Auflösung des Erzstifts Bremen, die Hauptstadt des Herzogtums Bremen wurde. Graf Königsmarck wurde erster Gouverneur.

In der »Schwedischen Zeit« erlebte die Stadt ihre letzte Blüte. Die Festungsanlage wurde gebaut, die modernste der damaligen Zeit. Zudem erhielt Stade als Kriegsentschädigung die Einkünfte des ehemaligen Erzstifts zugesprochen.

Der Wiederaufbau nach dem großen Brand von 1659, dem zwei Drittel der Stadt zum Opfer fielen, ging schnell voran. Auf dem alten Grundriß entstanden die Bauten der heutigen Altstadt, die Bürgerhäuser, das neue Rathaus, das Zeughaus auf dem Pferdemarkt, der Schwedenspeicher am Hafen, der neue hölzerne Kran auf dem Fischmarkt, ein technisches Meisterwerk seiner Zeit, das ein alberner Bürgermeister als Verkehrshindernis 1898 abbrechen ließ. (Durch Initiative des Rotary Clubs wurde der Kran 1976 nach den alten Plänen wieder aufgebaut, finanziert durch Spenden der Bürgerschaft und der Industrie.)

Die Erneuerung der beiden großen Kirchen war um 1680 abgeschlossen. St. Cosmae bekam seinen vielbewunderten Barockturm. Vom selben Meister Henne wurde auch der Turm St. Wilhadi errichtet. Ein Chronist beschreibt ihn: »Die Spitze hat drey Bäuche oder wie mans nennet welsche achtkantichte Haube.« Über die Höhe (umgerechnet 77 m) schreibt er: »...das ist genug für eine mittelmäßige Stadt als unser Stade ist.«

1712 wurde Stade von den Dänen belagert und erobert. Zweihundert Häuser waren zum Teil verbrannt, zum Teil nicht mehr bewohnbar. Die Pest forderte sechshundert Deutsche und Dänen gleichermaßen. Der König von Dänemark ritt durch die Stadt und ließ Gedenkmünzen prägen. 1715 verkaufte er das Herzogtum für 600000 Taler an Hannover.

1724 zerschlug ein Blitz die welsche Haube von St. Wilhadi. Seitdem hat die Kirche einen sehr ernsten, in seinen dunklen Backsteintönen eindrucksvollen Turm mit einem einfachen Zeltdach.

Das Zwischenspiel mit den Franzosen, 1803 bis 1814, wäre schnell vergessen worden, wenn sich die Besatzer nur um einiges besser aufgeführt hätten. 1807 gehörte Stade zum Königreich Westfalen. König war Jerôme Bonaparte, der sich lediglich amüsierte und sogar ein paar Worte Deutsch lernte: »Morgen wieder lustig«.

1834 wurde die Nikolaikirche abgerissen. Der Gertruden-altar der Brauersknechte wurde nach St. Cosmae über-führt.

Bild linke Seite links: So ist das Bürgermeister-Hintze-Haus in Stade am Wasser West in die Häuserzeile eingegliedert.
Bild linke Seite rechts: Im Freilichtmuseum auf der »Insel« steht dieses Altländer Bauernhaus mit phantasievoll angeordnetem Ziegel-muster an der Fassade. Solchen Ornamenten – gleich aus welcher kunstgeschichtlichen Epoche und gleich welchen Kulturkreises – liegen übrigens strenge Symmetrieverhältnisse zugrunde, die mit denen von Kristallen vergleichbar sind.
Bild oben: Gut und geschmackvoll erneuerter Laden in der Fußgän-gerzone von Stade.

In der zweiten Jahrhunderthälfte begann sich Industrie anzusiedeln: einer Fabrik für Holzriemenscheiben folgte eine Eisengießerei, dieser eine Pianofortefabrik. Die Festungsgräben sorgten für einen höflichen Abstand zur Altstadt.

Das Schicksal der Stadt im zweiten Weltkrieg war gnädig. Stade hatte genug erlebt und möchte auf eine ruhige Zu-kunft hoffen.

Seit 1973 ist die Stadt bemüht, ihren historischen Bestand zu konservieren, Neues dem Alten anzupassen und die Sünden aus der Zeit der Verständnislosigkeit, wo es mög-lich ist, zu korrigieren.

Tittmoning
Am schönsten, wenn der Föhn kommt

Südlich von Burghausen auf einem felsigen Hügel an der Salzach ließ sich der Erzbischof von Salzburg, Eber-hard II., eine Feste bauen, um den Herren von Burghausen die salzburgische Oberhoheit über die Handelsniederlas-sung am linken, bayerischen Ufer deutlich zu machen.

Der Name Tittmoning, so oder ähnlich geschrieben, taucht schon im 8. Jahrhundert auf, und vordem (dies haben Gra-bungen am Fuß des Burghügels ergeben) stand hier min-destens eine römische Villa, wie üblich mit Bad, Warmluft-heizung und Mosaikfußboden.

Flößer und Fischer siedelten am Fluß. Ein kleines Landgut gehörte einer Äbtissin vom Kloster Nonnberg in Salzburg. In der beruhigenden Nachbarschaft der Burg entstand an dem stufenförmig zur Salzach abfallenden Hang bald eine ansehnliche Siedlung um einen Straßenmarkt, der die 400 Meter vom südlichen Salzburger oder Laufener Tor bis zum Burghauser Tor im Norden beinahe ganz durchmißt. Seine Länge und besonders die Brunnen sind typisch für einen Ort, in dem die Fuhrleute gern Rast machten.

Tittmoning ist mit seinem zum Teil erhaltenen, an die Burgmauern anschließenden Bering durchaus mittelalter-lich angelegt. Sein freundliches Gesicht aber hat es sich erst im 17. und 18. Jahrhundert aufgesetzt. Grabendachhäuser, wie sie in der Inn-Salzach-Gegend üblich sind, geben dem Markt, der heute Stadtplatz heißt, eine südländische Stim-mung. Italien ist ja nicht allzu weit. Das Rathaus, genauso kubisch in den Maßen wie die meisten Häuser am Markt und mit dem das Dach versteckenden kräftigen Sims als Abschluß, hat seine Fassade im 18. Jahrhundert bekom-men; über den Fenstern des ersten und zweiten Oberge-schosses vergoldete Caesarenköpfe erinnern an die Rö-merzeit. Der Gast freut sich, wenn er das »Königlich-Baye-rische Amtsgericht« aus der Fernsehserie wiedererkennt, in dem die Rathausfassade die Titelrolle spielt.

Der Stadtplatz ist nicht nur lang, sondern auch geräumig. Bäume, Blumenbeete sind da, der Floriansbrunnen, die Nepomuksäule, die Mariensäule, dazu auf hohem Sockel ein Storch, in seinen natürlichen Farben bemalt, von wei-tem aussehend, als sei er echt.

Die Kirchen stehen westlich vom Stadtplatz: Die Pfarr-kirche St. Laurentius, als gotische Halle 1514 vollendet, brannte 1815 völlig aus. Von der alten Ausstattung ist nur der Altaraufbau in der Kreuzkapelle mit den Figuren von Meinrad Guggenbichler (um 1700) erhalten.

Das ehemalige Gotteshaus der Augustiner-Eremiten, die Allerheiligenkirche, ist ein tonnengewölbter einschiffiger Raum. Die feierlich dunklen Altäre vor hellen Wänden sind wie der Bau um 1680 geweiht worden.

Anmutig am Ponlachgraben außerhalb der Stadt im Süd-westen der Burg steht die Kapelle Maria Ponlach, vom Salzburger Sebastian Stumpfenegger um 1715 entworfen; ein Zentralbau mit drei halbrunden Apsiden und einer Doppelempore an der Westseite. Wie sehr sie als Wall-fahrtskapelle geliebt wird, bezeugen die vielen Votivgaben an den Wänden. Maria hat sehr oft geholfen.

Die Burg, ernst und abweisend, sehr mittelalterlich, hat im Laufe der Zeiten einiges mitgemacht. Wesentliche Um-

bauten stammen aus dem 15. Jahrhundert, machten sie sicherer, vielleicht auch wohnlicher, als sie zuvor gewesen sein mag. Das hohe Vorrätehaus, der Getreidekasten, wurde um 1550 gebaut.

Und es ist kaum zu glauben. Im Jahr 1611 wurde die Burg von den Bayern belagert. Dabei erlitt sie so erhebliche Schäden, daß der Erzbischof Marcus Sitticus seinen Baumeister Santino Solari kommen lassen mußte. Seit der Erneuerung wird die Burg allgemein »Schloß« genannt und dient als Jagdsitz mehr der Kurzweil als der Verteidigung des erzbischöflichen Territoriums, obwohl ein neuer bayerischer Angriff immer noch gut hätte abgewehrt werden können.

1693 bekam die Schloßkapelle einen Marmoraltar mit dem schönen Gemälde des Johann Michael Rottmayr (der auch im Passauer Dom und bei den Zisterziensern von Raitenhaslach tätig war), St. Michael, den Bezwinger des Teufels, darstellend.

Im Jahr 1805 wurde das Schloß von französischen Soldaten besetzt. Durch Fahrlässigkeit brannte ein Teil des Nordtrakts aus.

Seit 1816 ist Tittmoning bayerisch.

Heute beherbergt das Schloß eines der schönsten Provinzmuseen des Landes, das »Heimathaus des Rupertiwinkels«. Die Sammlung erlesener Stücke heimatlichen Kulturguts wurde schon 1910 begonnen. In vielen Räumen herrscht ein anregendes Durcheinander im Gegensatz zur akademischen Ordnung mancher Museen. Zu sehen sind Möbel und kleiner Hausrat, Rokokoöfen, viel Zinn, Keramik, Grabkreuze. Beachtenswert sind die für den Rupertiwinkel typischen, mit Architekturmotiven bemalten

Schränke, die sogenannte Torturmmalerei. Ein Prunkstück ist der »Türkenofen« (um 1750), der früher die Wohnstube eines Dorfpfarrhauses gewärmt hat; auf prächtig mit Roccaillen dekoriertem Unterbau ein Türke im Türkensitz, sehr energisch blickend.

Die berühmte Schützenscheiben-Sammlung ist im Getreidekasten zu betrachten. Im Dachgeschoß des Kavalier- oder Prälatenstocks ist landwirtschaftliches und handwerkliches Gerät versammelt.

Bild oben: Das imposante burgenähnliche Schloß von Tittmoning in Oberbayern. Das rote Dach, das über die anderen Gebäude das Schlosses hinausragt, gehört zum Getreidespeicherkasten. Er stammt aus dem 16. Jahrhundert und beherbergt heute die weithin bekannte Sammlung von Schützenscheiben.

Bild rechte Seite: Die schlichten Gebäude der Burg von Wasserburg am Inn sind durch die hohen Stufengiebel leicht zu erkennen.

Bild folgende Doppelseite: Die Stadt Wasserburg liegt an einer verhältnismäßig naturnahen Innstrecke. In der näheren und weiteren Umgebung findet man noch schöne Auenwälder.

Vom Schloß geht der Blick weit ins Land. Die Sicht nach Süden ist bei Föhn merkwürdig klar. Aber das ist es nicht allein. Es scheint, als seien die Berge näher, auch höher, wie zum Greifen. Der eine kennt jeden Gipfel beim Namen, ob Spitz, Kopf, Horn oder Kogel. Der andere kennt keinen einzigen; und beide sagen, es sei ganz einfach wunderbar: Was für ein Land!

Wasserburg am Inn

Ein Streitfall für bayerische Herzöge

Das Grabendach-Haus ist eine Besonderheit der Architektur im Inn-Salzach-Gebiet. Es sei hier beschrieben, denn man kann das Dach von der Straße aus nicht sehen, weil es hinter der höher als notwendig gebauten Fassade verborgen ist. Das originelle, einer in Wasserburg nicht überlieferten Bauvorschrift aus dem 15. Jahrhundert folgende Dach ist aus meist drei oder vier nebeneinander liegenden Satteldächern zusammengesetzt, die quer zur Hausfront ausgerichtet sind. Das Dach hat einige Vorteile. Die Sparren sind kurz (nur rund 2,5 bis 3 m) und müssen dank ihrer Kürze nicht dick sein. Die Zimmermannsarbeit ist einfach, der Holzbedarf gering. Ein Nachteil: Das Haus hat keine Traufseiten, und dies macht das Ablaufen von Regen und Schmelzwasser problematisch.

Die niedrigen, nebeneinander sichtbaren Giebel der einzelnen Dächer gefielen sehr vielen Bauherren gar nicht; daher die Idee, sie zu verstecken, die Fassade höher zu machen und sie oben mit einem waagrechten kräftigen Sims abzuschließen, eine Lösung, die dem Haus seinen besonderen, südländisch anmutenden Reiz verleiht.

Die Lage der Stadt Wasserburg ist ein Idealfall. Die löffelförmige Schleife des Flusses hat sich durch das Abschmelzen des Inngletschers am Ende der Eiszeit ausgeformt und einen Ort geschaffen, der geradezu darauf wartete, zu einem vor Angriffen geschützten Gemeinwesen ausgebaut zu werden. Der Anfang war eine Fischersiedlung, die längst da war, als der Salzgraf Engelbert von der Lintpurg am Inn erkannte, wie diese natürliche Halbinsel für die Anlage einer Burg geeignet sei, um sie zum Mittelpunkt seines Landbesitzes zu machen.

1137 ist das Gründungsjahr der ersten Burg Hohenau, benannt nach dem stillen Fischerdorf am Fluß, das, von den Burgherren gefördert, hundert Jahre einer friedlichen Entwicklung erlebte. In den Streitigkeiten der bayerischen Grafen mit den Herzögen verlor Dietrich, der Enkel des Gründers, Burg und Siedlung Hohenau 1247 an das Herzogtum Bayern, welche seitdem Wasserburg heißt. 1334 wurden ihr von Kaiser Ludwig dem Bayern die Stadtrechte verliehen. Fünf Jahre danach vernichtete ein Brand drei Viertel der Stadt samt dem um 1250 entstandenen Rathaus. In der Zeit des Wiederaufbaus wurde die erste Kirche am heutigen Marienplatz errichtet, Zacharias von Hohenrain stiftete das Heilig-Geist-Spital. Die Innbrücke wurde gebaut, 1374 das Brucktor. Bei den Kraftproben unter den bayerischen Herzögen kam Wasserburg 1392 an das Herzogtum Bayern-Ingolstadt. Ludwig der Gebartete verstärkte die Befestigungsanlagen der Stadt. 1410 begann der Bau der Stadtkirche St. Jakob, vollendet 1460 von Hans Stethaimer, dem Meister von St. Martin zu Landshut. Damals gehörte Wasserburg bereits zum Herzogtum Bayern-Landshut.

Um 1460 entstand der Rathauskomplex mit den allseits bestaunten hohen gotischen Treppengiebeln, wie sie einer wohlhabenden Stadt zustehen. In bewährter Weise war hier alles beisammen, was der Bürgermeister und seine Ratsherren zum Regieren brauchten: Ratssaal, Trinkstube, Tanzhaus, Kornschranne und Brothaus, wo unter

den Lauben jeder Wasserburger Bäcker heute noch seinen Verkaufsstand hat.

Weit außerhalb der Stadt am andern Ufer baute Wolfgang Wieser um 1485 für das Leprosenhaus die gotische Kirche St. Achatius.

Um die Zeit entstanden die ersten Grabendach-Häuser, das älteste, das Irlbeckhaus in der Schmiedzeile, danach das Herrenhaus in der Herrengasse, das Stadtquartier der geistlichen Herren aus dem Benediktinerkloster Attel am Inn. Das Herrenhaus beherbergt heute das reiche Heimatmuseum der Stadt.

1503 kam Wasserburg an das Herzogtum Bayern-München, unter die Obhut des Herzogs Albrecht IV.

Schon bald danach gab es wieder Erbstreitigkeiten unter den Wittelsbachern. Wasserburg öffnete seine Tore dem Herzog Rupprecht von der Pfalz. Albrecht revanchierte sich, zog das Monopol des Brückenzolls für Salztransporte (1 Pfennig für jede Salzscheibe) von Wasserburg ab und übertrug es an Rosenheim. Die Stadt wurde stiller.

In den Bauernunruhen des 16. Jahrhunderts hatte die Stadt nicht zu leiden. In Bayern gab es zwar Lehnsbauern; aber die waren nie Leibeigene eines Adelsherrn.

Wasserburg verlor im 16. Jahrhundert viel von seiner alten Wichtigkeit, wurde aber dadurch nicht arm. Mit dem Entzug des Salzmonopols war ja der übrige Handel nicht erloschen. Die Brücke war da, wenn sie auch oft nach Hochwasser und Eisgang erneuert werden mußte; zum letzten Mal 1929.

Die mehrmals veränderte Ausstattung der Kirchen läßt noch auf beruhigenden Wohlstand der Bürger schließen,

60

so die Werke der Brüder Zürn, Bildhauer aus Braunau (um 1635), in der Stadtpfarrkirche.

Die Frauenkirche am Marienplatz, die älteste Kirche der Stadt, ist um 1750 barock umgestaltet worden. Das schönste Beispiel eines Profanbaus aus dem 18. Jahrhundert ist das Kernhaus auf dem Marienplatz mit der bezaubernden Stuckfassade des Johann Baptist Zimmermann von 1738. Die Stilunsicherheiten des 19. Jahrhunderts haben sich in Wasserburg so gut wie gar nicht ausgewirkt. Die Stadt ist geblieben, was sie war und heute, glanzvoll restauriert, eines der schönsten Beispiele alter Kleinstadtkultur – und in der merkwürdigen bayerischen Helligkeit, von der niemand so recht sagen kann, wo sie herkommt.

Zons

Kurkölnische Zollstation

Der Kurfürst und Erzbischof von Köln, Siegfried von Westerburg, baute das Hofgut Zons am Rhein in den Jahren um 1275 zu einer kleinen, festen Burg aus. Sie, die den schönen Namen Friedestrom bekommen hatte, blieb nicht lang unbehelligt. Ihr Gründer mischte sich in die Auseinandersetzung des Grafen von Geldern mit dem Herzog von Brabant, verlor die Schlacht bei Worringen (1288) und wurde vom Grafen von Berg für ein Jahr gefangengehalten. Die halb zerstörte Burg wurde wieder aufgebaut. Sie stand nicht lang. Während einer Vakanz auf dem Kölner Erzstuhl wurde sie vom Herzog von Jülich überfallen, geplündert und angezündet. Danach wurde Zons ein offenes, unbefestigtes Dorf genannt.

Bild linke Seite: Die Stadt Wasserburg ist malerisch von einer Innschleife umgeben. Die beiden Kirchen sind die gotische Stadtpfarrkirche St. Jakob mit dem stumpfen Turm und die Frauenkirche am Marienplatz mit dem langen spitzen Turm.
Bild oben links: Die einmalig schöne Rokokofassade des Kernhauses am Marienplatz in Wasserburg stammt von dem bedeutenden Wessobrunner Maler und Stukkateur Johann Baptist Zimmermann.
Bild unten links: »Zeus auf dem Adler« zwischen zwei Rittern, ein Fresko (1568) am Brucktor in Wasserburg am Inn.

Zons, der Name des alten Hofguts, ist seit dem 11. Jahrhundert urkundlich in verschiedenen Schreibweisen: Zouns, Zunce, Zunß. Vielleicht ist es die Verstümmelung eines mehrsilbigen Namens, dessen Herkunft und Bedeutung nicht zu ergründen ist.

Der Verlust der Burg Friedestrom war für das Erzstift Köln das, was man heute ein Sicherheitsrisiko nennt. Die Notwendigkeit, sie wieder aufzubauen, wurde bald noch dringlicher durch große Überschwemmungen am Niederrhein, die Veränderungen des Flußbetts zur Folge hatten. Im sogenannten kurkölnischen Niederstift war der Flußlauf so weit nach Osten verlagert, daß der Schiffsverkehr von der erzbischöflichen Zollfestung Neuß nicht mehr überwacht werden konnte. Friedrich von Saarwerden, seit 1370 auf dem Kölner Erzstuhl, entschloß sich, Zons und die Burg Friedestrom zur Zollfestung auszubauen. Es gab damals am Niederrhein schon leistungsfähige Ziegeleien, und so ging der Bau schneller voran, als es mit Bruchsteinen möglich gewesen wäre. Im Anschluß an die Burg entstanden um das Dorf herum Mauern und Gräben, nicht rund, wie meist üblich, sondern als ein nicht ganz regelmäßiges Viereck. Die noch recht bäuerliche Siedlung wurde schon 1373 zur Stadt erhoben, bekam einen vom Erzbischof ernannten Schultheiß, dazu das Recht zur Wahl eines Bürgermeisters, der auf der Städtebank des Landtags zu Bonn Sitz und Stimme hatte, wie auch das Domkapitel, die verwaltende Instanz des Erzstuhls.

Der Entwicklung der Stadt war eine natürliche Grenze gesetzt. Zons war hochwassergefährdet. Die mit Datum versehenen Marken an den Mauern erinnern daran. Zons blieb klein. Durch die Nähe der Städte Köln und Neuß war überdies die Aussicht verstellt, ein, wenn auch nur bescheidener, Handelsplatz zu werden.

Auf dem Erzstuhl zu Köln saß oft ein verschwenderischer Bischof. Das Domkapitel mußte Schulden bezahlen, und so wurde Zons mit seinen Zolleinkünften des Domkapitels ständiger Pfandbesitz.

Mehrmals kamen die Erzbischöfe nach Zons, um ihre eigene Burg sozusagen im Handstreich zu erobern. Aber der Amtmann des Domkapitels war jedesmal gewarnt worden. Im 16. Jahrhundert, in der Zeit der Auseinandersetzungen zwischen dem alten und dem neuen Glauben, stieg die Spannung zwischen den Erzbischöfen und dem Domkapitel gefährlich hoch. Erzbischof Salentin war 1577 der Gängelei durch das Domkapitel müde. Er verzichtete auf seine hohe Würde, zog sich in seine Grafschaft Isenburg zurück und in den weltlichen Stand.

Nach ihm kam Gebhard Truchseß von Waldburg auf den Erzstuhl. Er trat, um die liebliche Stiftsdame Agnes von Mansfeld heiraten zu können, zum lutherischen Glauben über, dachte aber nicht daran, vom Erzstuhl zu steigen. Im Truchsessischen Krieg, der durch ihn entbrannte, spielte Zons eine schöne Rolle. Amtmann des Domkapitels war der Chorbischof Friedrich von Sachsen-Lauenburg. Der ließ seine Späher bei Zons am Rhein nach einem Küchenschiff Ausschau halten, das, von Kaiserswerth stromaufwärts getreidelt, dem Truchseß Proviant und Pulver und ein paar Kanonen bringen sollte. Der Lauenburger ließ den Treideltrupp, Pferde und Knechte, abfangen. Die Zonser durften das Schiff entladen, und deren Kinder liefen danach tagelang mit Wurstkränzen um den Hals herum. Der Waldenburger schickte wütende Drohbriefe, kam aber nicht, um, wie er geschworen, Zons einzuäschern.

In dem Krieg, der sieben Jahre gedauert hatte, siegten die Katholiken. Das war 1589. Im November 1620 brannte Zons; aber daran war nicht der neue, der Dreißigjährige Krieg schuld, der am Rhein noch nicht zu spüren war. Die Zonser feierten mit dem Martinsritt und einem Fackelzug den Schutzherrn ihrer Kirche. Was in der Stadt aus Holz war, brannte nieder. Ein Handschuhmacher, der nicht ganz richtig im Kopf war, soll der Brandstifter gewesen sein. Ein paar Jahre darauf kamen Pest und Hungersnot über die Stadt. 1642 überschritten hessisch-weimarische Truppen den Rhein. Neuß kapitulierte nach drei Tagen. Zons ergab sich nicht, überstand diese erste Belagerung und die zweite 1646.

Die Zonser Chronik ist reich verziert mit seltsamen traurigen und lustigen Begebenheiten aus der Zeit der französischen Besatzungen. Durch die Franzosenliebe der Erzbischöfe waren die Kriege nicht gar zu hart zu spüren. 1767 wurde der Rheinzoll aufgehoben. Damals hatte Zons 900 Einwohner, nicht viel weniger als zu Anfang des 17. Jahrhunderts.

Die Festung von Zons am Niederrhein diente zur Überwachung des Verkehrs auf dem Rhein und war eine Zollfestung. Sie wurde im 14. Jahrhundert gebaut und ist vollständig erhalten geblieben, 1908 restauriert. Sie umschließt ein Rechteck mit den Ausmaßen 300 x 250 m und ist bewußt auf architektonische Wirkung hin angelegt.

Die Franzosen, die gegen Ende des 18. Jahrhunderts kamen, brachten nie gehörte Parolen mit: »Liberté, égalité!«. Die Zonser dachten, das ginge auch sie an und empfingen die Soldaten mit Wimpeln und Blumen.

Solange Napoleon siegreich war, nistete sich im Linksrheinischen ein oberflächlicher Franzosenkult ein. Aber nach den Ostertagen 1814 war alles schon wieder ganz anders: »A bas l'empereur!«

Dann wurde es still in Zons. 1833 ließ ein Bürgermeister das Feldtor niederreißen, auch einen Teil der Stadtmauer. Nach 1900 gingen die Konservatoren daran, den Bestand zu sichern, die eingestürzten Mauern wieder aufzubauen, die Burg und das Herrenhaus zu restaurieren. Was Zons seit der Gebietsreform verloren hat, ist sein Stadtrecht. Zons ist jetzt Ortsteil von Dormagen; eine Degradierung, die den Gast nicht bekümmern sollte.

Es ist alles noch da, was den stillen Zauber der Kleinstadt ausmacht, der man nicht ansieht, wie tapfer sie war: Friedestrom und die Mauern, der Rhein- oder Westturm, von dem aus den Schiffern der Zoll abverlangt wurde; der Juddeturm für den Blick in die feindliche Weite, der Mühlenturm, in dem das Korn gemahlen wurde, und der oder die Krötsch für die Missetäter.

Ansicht von Zons aus dem Jahre 1646

Die Stadt an der Straße

Die Schicksale der großen Städte, der fürstlichen Hochsitze und Erzstifte dürfen hier, wo es um Kleinstädte geht, nur beiläufig und zu Vergleichszwecken interessieren. Ein Rastplatz, eine Siedlung am alten Hellweg von der Weser zum Rhein, an einer Salzstraße oder an der fränkischen Heer- und Handelsstraße vom Rhein zur Elbe hatte es leicht. Marktrecht, Zollprivileg, Stapelgeld, Stadtrecht, Münzrecht sogar kamen früh und wie von selbst.

An den stillen Straßen rannte die Zeit nicht mit Siebenmeilenstiefeln, und auch das Geld lief nicht so schnell von Hand zu Hand. Wenn aber einmal der Markt anerkannt und eingerichtet war mit Ballenhaus, Zollschranke, Stallungen für die Pferde und Herbergen für »Fuhrleut' und Landkutscher«, bedurfte es keiner Bittschriften, keiner kostspieligen Huldigung. Es gab Zeiten, da waren die kleinen Fürsten oder die Adelsherren, die es werden wollten, geradezu auf der Suche nach einem Markt, wo noch irgendein Zoll einzurichten war oder die Auflage bestand, daß jede durchkommende Ware drei Tage lang feilgeboten werden mußte.

Die kleinen Handelsstädte hatten es, wenn nur die Zeit einigermaßen friedlich war, ganz gut; denn klein und gesund, was die Finanzen betraf, war besser als groß und auf wackeligen Beinen.

Im Bild links Schongau.

Alsfeld

in Oberhessen

Wo der Krebsbach in die Schwalm mündet, führte schon um 700 ein Weg über den feuchten Talgrund. Abseits im Trockenen war eine kleine Siedlung. Sturm, der Lieblingsschüler des angelsächsischen Mönchs Winfrid (des späteren Bischofs Bonifatius) hat, von Amöneburg hergekommen, hier bei den Talbauern Rast gemacht, bevor er nach Osten weitergezogen war auf der Suche nach einem guten Ort für die Einsiedelei, die er gründen wollte.

Wie die Siedlung an der Schwalm damals geheißen hat, ist nicht überliefert. Alsfeld wird erst urkundlich nach der Verleihung des Stadtrechts um 1180 unter dem Protektorat thüringischer Landgrafen, die der Stadt wenig Nutzen brachten. Vordem muß der Ort schon ein ansehnlicher Markt gewesen sein, denn zu ihm führte außer dem Fuhrweg nach Hersfeld eine Straße das Schwalmtal aufwärts, die sich am Marktplatz gabelte: nach Fulda am Vogelsberg vorbei und südwestwärts in Richtung Gießen und Frankfurt.

Die Baulinien der Hauptstraßenzüge vom Markt aus standen sicher schon vor 1200 fest. So ist zu erklären, daß der Chor der ersten Pfarrkirche, einer romanischen Basilika, nicht den alten frommen Vorstellungen gemäß nach Osten ausgerichtet war; denn einem aus dem Frühmittelalter stammenden Glauben entsprechend kommen aus dem Westen die bösen Geister. So sollte das Westwerk, der Turm und die starken Mauern der Westfront, die Kirche vor ihnen schützen. Die Achse der Basilika, auch die der späteren gotischen Kirche auf dem alten Grund, weicht um immerhin 45 Grad von der Idealrichtung ab.

Vom Mauerring, der zu Alsfelds erster Blütezeit im 14. Jahrhundert vollendet war, sind nur Reste erhalten. Wie er geführt war, ist an den heutigen Straßen- und Wegenamen abzulesen. Auf der Westseite wird sein Verlauf durch die Straße »Schnepfenhain« und den ihren Bogen mitmachenden Weg »Hinter der Mauer« eindeutig bezeichnet und fortgeführt im Norden der Linie Hofstatt und Hersfelder Straße entlang. An der Nordostecke der Altstadt führt der Burgmauerweg im rechten Winkel zum einzig noch stehenden Teil der Mauer mit dem Leonhardsturm. Die Burg, die am Ostrand der Stadt stand, war um 1400 Residenz der Landgrafen von Hessen. Stadtgrenze im Süden war der Klostermauerweg, benannt nach dem ehemaligen Kloster der Augustinereremiten.

Auf dem Grund der romanischen Basilika wurde schon um 1230 der Bau der gotischen Pfarrkirche St. Walpurgis begonnen, wie so oft mit dem Chor, in dem, sobald er geweiht war, Messen gelesen werden konnten, ohne daß die Fertigstellung des Langhauses abgewartet werden mußte. Der Bau war großzügig geplant, verzögerte sich durch den Einsturz des Turms und wurde erst 1500 vollendet. Das achteckige oberste Geschoß des Turms ist gleichzeitig mit dem Weinhaus am Markt um 1540 errichtet worden. Die anderen Steinhäuser des alten Alsfeld, das Hochzeitshaus am Markt, die Häuser Neurath und Minnigerode in der Rittergasse, sind schöne Kontraste zu den zahlreichen Fachwerkbauten, die Alsfeld zur berühmtesten unter den hessischen Fachwerkstädten gemacht haben. Nicht ihre Zahl, vielmehr der hervorragende Zustand der Häuser und

der denkmalspflegerische Rang waren der Anlaß, daß Alsfeld mit der Wahl zur »Europäischen Modellstadt« im Denkmalschutzjahr 1975 geehrt wurde.

Fachwerk ist das Konstruktionsprinzip einer Urform des Bauens mit Holz, abgeleitet vom Vier-Ständer-Haus mit dem Satteldach. Es ist nicht nur in Mitteleuropa verbreitet, sondern in vielen Ländern, überall dort, wo Holz als Baumaterial verfügbar ist, und es hat im Vergleich zur anderen Urform, dem Blockhaus, einen wesentlich geringeren Holzbedarf. Der Fachwerkbau an sich ist kein Ausdruck eines Stils. Daher gelingt es so leicht, ihn dem Stil der Epoche anzupassen. Er hat von der Romanik bis zum Barock mit schöner Selbstverständlichkeit alles mitgemacht, was der Zeitgeschmack von ihm verlangt hat, und er blühte im Historismus noch einmal auf, besonders in Landhäusern

---

Das Rathaus in Alsfeld zeigt die Wandlung des Fachwerkbaues von der Gotik zur Renaissance, wobei die Merkmale dieser Epoche eher in technischen Einzelheiten zu finden sind, während das Äußere noch gotisch anmutet.

---

um die Jahrhundertwende. Sogar der Jugendstil konnte etwas mit ihm anfangen. Zu manchen Zeiten galt Fachwerk als billig, für höhere Repräsentation nicht geeignet, dem Stadtpalais eines Oberen nicht angemessen. Zahlreiche Beispiele beweisen, daß diese Meinung in Voreingenommenheiten ihre Ursache hat und weder sachlich noch stilistisch zu begründen ist.

In den Straßen der Altstadt Alsfelds erwartet den Gast eine unvergleichliche Beispielsammlung einfacher und aufwendiger Fachwerkhäuser. Zuerst ist das Rathaus zu nennen, 1512–1516 erbaut. An ihm ist zu erkennen, wieviel Eigenart, Eigenwilligkeit und wieviel Witz der Fachwerkbau gestattet. Auf einer dreibogigen steinernen Laube ruhen zwei leicht vorkragende Geschosse. Die beiden Erker an der Marktfront setzen sich über die Traufkante hinaus fort und beleben das steile Dach durch achtkantige Turmspitzen, die der Meister Johann wohlüberlegt so hochgezogen hat, daß sie, vom Platz aus gesehen, die sonst monotone obere Kante des Dachs überschneiden.

In Alsfeld stehen noch heute mehr als zwanzig gotische Fachwerkhäuser, weit mehr noch aus dem 16. und 17. Jahrhundert, obwohl bei der Beschießung der Stadt 1646 außer der Burg viele Häuser zugrundegegangen sind und später verändert wieder aufgebaut wurden.

Der aufmerksame Gast wird bald einen Blick dafür bekommen, welches Haus gotisch ist, welches schon mehr im Sinne oder im Stil der Renaissance.

In der Hersfelder Straße 10–12 steht das älteste erhaltene Haus der Stadt. Ob es älter ist als das Haus Römer 1 in Limburg aus dem 13. Jahrhundert, soll ein Disput unter Fachgelehrten bleiben. Daß es gotisch ist, kann nicht zweifelhaft sein. Die Ständer (die senkrechten Eckpfosten) gehen durch mehrere Stockwerke. Die konstruktiv unwichtigen Zierhölzer in den Gefachen (den verputzten Flächen) sind sparsam verwendet. Der Bau sieht im Vergleich zu späteren Häusern schlicht aus.

In der Renaissance beschönigen dekorative Zierformen die konstruktiven Elemente. Giebel mit bogigem oder S-förmigem Umriß werden beliebt. Das Fachwerkhaus wird repräsentabel. Es sind auch Muster aus sich kreuzenden Hölzern zahlreich, schräge Streben machen sich wichtig (um 1460, Obergasse 11 und Kirchplatz 10).

Das 16. Jahrhundert war für Alsfeld eine gute Zeit. Fragen des Glaubens brachten Unruhe, auch Aufregung, aber keine grimmigen Auseinandersetzungen. Im Jahr 1525 bekannte sich die Stadt zum neuen Glauben, mehr angeregt als gezwungen durch den Landesherrn Philipp den Großmütigen. Der junge Landgraf war ein Gegner des Reichsritters Franz von Sickingen und einer der tätigsten Fürsten im Schmalkaldischen Bund gegen die Politik Karls V. Nach dem Ende des Konflikts, 1547, wurde er vom Kaiser fünf Jahre lang gefangengehalten. Philipp, der Gründer der ersten protestantischen Universität in Marburg, war ein mit Problemen beladener Herr. Im Geheimen hatte er von Luther und Melanchthon seine Doppelehe sanktionieren lassen. Er wollte Lutherische und calvinistisch Reformierte wieder zusammenbringen; doch das gelang ihm nicht. Er

Bild linke Seite: Im Hochzeitshaus in Alsfeld fanden früher die Hochzeitsfeierlichkeiten der Zunftleute statt. Heute befindet sich darin das reichhaltige Heimatmuseum: Im Bild die nachgebaute Feuerstelle in der Küche eines reichen Bürgerhauses aus dem 18./19. Jahrhundert.
Bild oben links: Alte, mit Schnitzereien verzierte Holztür (um 1600) in Alsfeld.
Bild oben rechts: An der Rittergasse in Alsfeld lohnen zwei Wohnbauten eine Besichtigung: im Bild rechts das Haus Neurath, ein Fachwerkbau mit schönen Schnitzereien an den Eckständern; im Bild links: der reichverzierte Portalerker des Hauses Minnigerode, eines barocken Steinhauses.

starb 1567, konnte demnach den Augsburger Religionsfrieden und die Abdankung Karls V. noch miterleben.
In den verhältnismäßig friedlichen Jahren bis in die ersten Jahrzehnte des 17. Jahrhunderts hinein ging es den Alsfeldern, den Ackerbürgern und den Handelsleuten, gut. Die Freude am Bauen war groß. Der Walpurgisturm hatte endlich seine schöne welsche Haube bekommen. Im Ratssaal, in der Gerichtsstube und an der mit Intarsien geschmückten »Prunktür« hatten die Ratsherren gezeigt, was eine Stadt wie die ihre sich leisten konnte. Am reich mit Schnitzwerk verzierten Eckhaus Markt 6 hat sich der Bauherr, der Bürgermeister Stumpf, in ganzer Figur darstellen lassen.

Die Berichte über den Dreißigjährigen Krieg und die Zeit danach in beinahe allen Städten, den großen wie den kleinen, klingen in distanziertem Bedauern aus. Kurz gefaßt ist vom Niedergang die Rede, und es ist zu entnehmen, daß die Stadt in ihrer Entwicklung steckengeblieben, sich nur mühsam erholt hat und nicht mehr gewachsen ist. Auch vom Elend des bäuerlichen Umlands bis an den Rand der Verzweiflung ist viel aufgeschrieben.
Die Stadt Alsfeld hat, klug bedacht, sich entschlossen, klein zu bleiben. Wichtig war, daß einer dem anderen half, die Handelsherren mit Aufträgen ans Handwerk, die Ackerbürger mit der Versorgung. Durch die den Schwälmern eigene Heimatliebe wurde wiederbelebt, was an Altem, an Volksgut, an Traditionen noch da war, und es wandelte sich zu bäuerisch-barocken Formen. Die Tracht wurde farbig: blaues und rotes Tuch und viel helles Leinen; und die Mädchen nähten sich kleine Körbe mit Blumen auf die Haube. Stattliche neue Häuser wurden gebaut, Minnigerode und Neurath und andere, die meist schon vor 1690 vollendet wurden. Die Ausstattung der Kirchen wurde erneuert.
Alsfeld ist langsam und in sehr offener Bebauung über seine alten Grenzen hinausgewachsen. Im Unterschied zu früheren Zeiten ist die Stadt seit dem 19. Jahrhundert ein Handelszentrum für die Schwälmer geworden, eine überschaubare Einkaufsstadt für Bauern des Umlands.
Die große heutige Bedeutung der Stadt rührt von der so außerordentlich gelungenen Sanierung des historischen Kerns her, der liebevollen Denkmalpflege, die beispielhaft für andere Städte ist, die es noch nicht so weit gebracht haben.
Die Stadt ist vom Durchgangsverkehr verschont. Für die Eiligen führt die Autobahn Frankfurt-Kassel am Südrand der Stadt vorbei. Die Straße durchs Schwalmtal ist ans rechte Flußufer verlegt worden. Sie hat den schönen Namen »Deutsche Ferienstraße Alpen-Ostsee.«

Amberg

Gold aus Eisen

Siedlungen an Straßen und Flußübergängen entstehen meist in der Stille. Die Geschichte nennt sie erst, wenn sie nennenswert sind, das heißt habenswert, ein Objekt, lohnend, es zu besitzen oder politisch auszuwerten.

Amberg erscheint zum ersten Mal in einer kaiserlichen Urkunde aus dem Jahr 1034. Der Name ist auf den Berg bezogen, nicht auf das Tal, die Furt, die Bruck, auf eine Au oder ein Heim. Der fränkisch-salische Kaiser Konrad II. belehnte das Bistum Bamberg mit den Rechten des Marktes, des Zolls und der Schiffahrt an der Siedlung am Berg. Vom Eisen, das der Berg birgt, ist nicht die Rede, obwohl damals wahrscheinlich, wenn auch in kleinem Umfang, schon nach Erz gegraben wurde. Sicher aber war Amberg ein Handelsplatz, ein ertragreiches Lehen, das den Bischof an den Kaiser binden sollte.

Wo die Böhmische Straße die Vils überquert, waren zwei Siedlungen, hüben und drüben am Fluß, durch gemeinsame Interessen verbunden, nicht zuletzt durch die schiffbare Vils; und so sollte es bleiben.

Als bischöfliches Lehen kam Amberg an die Sulzbacher Grafen. Nach deren Aussterben nahmen sich die Staufer der hoffnungsfrohen Gemeinde an, die 1242 erstmals Stadt genannt wurde.

Die Bedeutung der Amberger Kaufleute war um die Zeit schon am Ruf der Nürnberger gemessen worden. Diese Bewertung kam zweifellos vom Erzbergbau, der dann, als Amberg 1268 an die Wittelsbacher kam, Förderung durch die Landesfürsten erfuhr.

Herzog Ludwig (der spätere Kaiser Ludwig der Bayer) verfügte für Amberg den Holzbann, der hieß: Niemand im Umkreis einer Meile darf Holz, das für den Bergbau und für die Erzschmelze gebraucht wird, an Ortsfremde verkaufen.

Ludwig verzichtete auf den Erzzoll für zehn Jahre »pro reformatione civitatis«, für die Erneuerung der Stadt, eine Gunst, die Ruprecht von der Pfalz später »auf ewig« gewährte. Am Anfang des 14. Jahrhunderts arbeiteten an die tausend Bergleute in den Erzbergwerken. Es ist heute schwer vorstellbar, daß einige der mittelalterlichen Eisenhütten und Hammerwerke innerhalb der Stadt gelegen hatten und daß die Bürger erst allmählich nach der Gründung der Berggesellschaft mit Sulzbach von ihnen befreit wurden, als neue Hütten im Vilstal eingerichtet waren. Auf den eingestampften Schlackenhalden der alten Schmelzwerke bauten die Amberger Wohnhäuser.

Aus dem Zusammenschluß mit den Werken in Sulzbach (10 km nordwestlich von Amberg) entstand eine Wirtschaftsorganisation, die man heute als Kartell bezeichnen würde. Achtzig Hammerbesitzer traten bei und beschworen die Satzungen, von denen es hieß, sie seien weise durchdacht. Bemerkenswert ist, daß es in Amberg kein eigenes Berggericht gab. Recht zu sprechen, Streit zu schlichten war Sache der Amberger Ratsherren. Auch waren die Bergarbeiter in keiner Zunft zusammengeschlossen. Das kam wohl daher, daß viele Männer keine Bürger waren, sondern aus den Dörfern kamen und auch nicht ständig im Bergwerk arbeiteten.

Amberg wurde reich. Aus eigenen Mitteln baute die Stadt ihren Mauergürtel. Für die erste Anlage ist die westliche Begrenzung zwischen Vilstor und Schloßgraben zu denken, die östliche entlang dem Spitalgraben. Das von Ludwig dem Bayern gestiftete Spital lag noch außerhalb der Stadtmauer.

Die Erweiterung nach West und Ost war schon im 14. Jahrhundert notwendig. Aus dem unregelmäßigen Viereck wurde ein Oval, ein Schiff, eine Galeere, wie sie ein Chronist des 16. Jahrhunderts genannt hat. Ihm war Amberg die »festeste aller Städte« mit fünf Toren und 27 Wehrtürmen.

1329 kam Amberg an die pfälzische Linie der Wittelsbacher und wurde nach Heidelberg die zweite Hauptstadt der Kurpfalz, Wartesitz der Kurprinzen, die gleichzeitig Statthalter waren. Sie residierten bis zum Bau des neuen Schlosses um 1420 in der kleinen Veste Aichenforst am rechten Vilsufer, die später den Beinamen »Klösterl« bekam. In ihr ist heute das Heimatmuseum eingerichtet.

Das oberpfälzische Amberg macht noch heute den Eindruck einer wehrhaften Stadt. Im 18. und 19. Jahrhundert wurden Teile der Stadtbefestigung geschleift, doch erhielten sich von den fünf Stadttoren vier. Der Schloßbau überquert mit zwei Bogen die Vils. Da sich die beiden Brückenbogen im Wasser spiegeln und sich zu vollen Kreisen ergänzen, spricht der Volksmund von der »Stadtbrille«.

1356 wütete ein Brand, der viele Häuser und die Kirchen St. Martin und St. Georg, die erste Pfarrkirche aus dem 11. Jahrhundert, zerstörte. Die Zeit danach scheint für Amberg nicht gut gewesen zu sein. Die Neubauten zogen sich lang hin, mußten warten, bis es wieder aufwärts ging. Dann aber, am Beginn des 15. Jahrhunderts, war die Baufreude groß. Der hohe Giebelbau des Rathauses wurde aufgeführt, das neue Schloß am Südrand der Stadt an der Vils begonnen und St. Martin als neue Pfarrkirche geplant. Drei Baumeister waren nacheinander tätig, der letzte, Hans Flurschütz, vollendete die Wölbung der klar durchdachten gotischen Halle. An St. Martin ist die außen wie innen entschiedene Teilung in zwei Geschosse auffällig, die nur im Mittelschiff durch die glatten runden Gewölbestützen gemildert wird, die sich wie gewachsen in die Kreuzrippen des Gewölbes verzweigen.

Mit dem marmornen Grabmal hinter dem Hochaltar wird der Sohn Ruprechts von der Pfalz geehrt, Rupert, genannt Pippan, der nach Ungarn gezogen war, um gegen die Türken zu kämpfen, krank heimkehrte und in Amberg starb. An der Südmauer von St. Martin steht ein rotmarmornes Ehrenmal von schöner Eigenart zum Gedenken an Martin Merz, den Büchsenmeister und Geschützgießer zweier Kurfürsten, auf einem Kanonenrohr sitzend dargestellt, »in der Kunst Mathematica Büchsenschießen vor andern berümbt«. Seine Kanonen Ballauf, Neidhart, Baslerin, Löw und Narr haben sicher ganz wesentlich zur Unbesiegbarkeit Ambergs beigetragen.

Kurfürst Ottheinrich, Resident in Neuburg an der Donau, führte 1538 in seinen Territorien die Reformation ein. In Amberg war dafür der Boden gut vorbereitet; denn einige Patriziersöhne, die auf der Bergakademie in Wittenberg studierten, hatten die Verkünder des neuen Glaubens dort predigen gehört. Michael Schwaiger unter ihnen, der Sohn des Stadtkämmerers, hatte sich mit Melanchthon angefreundet. Sein Einfluß in Amberg scheint schwerer gewo-

gen zu haben als die Verfügung des Fürsten. Aus seiner Chronik, die er später als Bürgermeister schrieb, erfährt die Nachwelt über die sozialen Einrichtungen der Stadt, deren Rat das bettelnde »Umsingen« der Franziskaner verboten und dafür einen »gemeinsamen Kasten« gestiftet hatte, aus dem jeden Sonntag Brot und Fleisch an die Armen verteilt wurde. Weil das von Ludwig dem Bayern gestiftete Spital nicht alle Kranken und Notleidenden aufnehmen konnte, hatte der Rat am Nabburger Tor das »Sondersiechenhaus« einrichten lassen. Und überdies: Fünf Schulen wurden von den reichen Bürgern finanziert, zwei für Buben, zwei für Mädchen und die Lateinschule, in der Platz für 350 Schüler war. So viel konnte eine Stadt, die es verstand, aus Eisen Gold zu machen, für ihre Bürger tun.

Ottheinrichs Nachfolger Friedrich III. wollte den Calvinismus einführen. Den Ambergern war die Lehre zu spröde, zu prüde. Sie widersetzten sich mit Erfolg.

Der Dreißigjährige Krieg ging an Amberg ohne Gewalttaten vorbei. Nur die Erzförderung wurde um 1620 eingestellt. 1628 wurde die Oberpfalz kurfürstlich bayerisch. Amberg sollte wieder katholisch werden. 1635 brach die Pest aus. Nach ihrem Abklingen wurden die leeren Häuser der Umgekommenen abgerissen, die Grundstücke wurden zu Gärten. 1650 erwarb der Kurfürst die Rechte am Erzbergbau. Die seit alters gut und zum Gedeihen der Stadt genutzte Handlungsfreiheit des Rates wurde dadurch erheblich eingeschränkt. 1652 zogen Jesuiten in die Kirche St. Georg und gründeten, vom Kurfürsten gefördert, ein Kolleg, dem sich später Malteser zugesellten.

Die Kriege des 18. Jahrhunderts beunruhigten Stadt und Land und schwächten die Wirtschaftskraft. Amberg mußte seine Tore öffnen: den Österreichern, den Preußen, zuletzt, 1796, den Franzosen. Seit 1808 ist nicht mehr Amberg, sondern Regensburg Hauptstadt der Oberpfalz.

Um die Mitte des 19. Jahrhunderts stellten viele der kleinen Hütten und Hammerwerke im Vilstal den Betrieb ein; sie waren nicht mehr rentabel. Danach arbeiteten nur noch die Maxhütte und die Luitpoldhütte.

Das Ende der Amberger »Eisenzeit« kam nach dem zweiten Weltkrieg. Die Wirtschaft und mit ihr die alte Industrie wurden sinnvoll und mit Erfolg umstrukturiert. Die seit langem kalten Hochöfen wurden abgebrochen, alle Stollen der Schachtanlagen zugemauert.

Von den technischen Bauten des 16. und 17. Jahrhunderts, den Zeugen einer Schwerindustrie aus vorindustrieller Zeit, steht zum Bedauern der Historiker nichts mehr.

71

Dinkelsbühl

altfränkisch liebenswürdig

Eine Empfehlung: Der Gast läßt sein Auto vor der Stadt stehen, gleichgültig wo, und spaziert zum ersten Kennenlernen einmal um Dinkelsbühl herum. Das dauert eine knappe Stunde. So klein ist die Stadt, die in unruhigen Zeiten froh war, aus ihrem Mauerring nicht hinausgewachsen zu sein. Die Mauer mit den vier Toren und sechzehn Türmen ist beispielhaft gut erhalten. An der Ostseite führt der Graben sogar noch Wasser.

Die Furt über die Wörnitz und die Kreuzung der Straße von Würzburg nach Donauwörth mit dem im Vergleich zu ihr stillen Fuhrweg von Franken ins Schwäbische waren verlockend für die Gründung einer Siedlung, die schon zur Stauferzeit mit einer Mauer umfriedet war. Wie es damals mit dem Stadtrecht stand, war nicht ganz klar. Konrad IV. verpfändete 1250 Dinkelsbühl an die Grafen von Oettingen, die von ihrem Stammsitz im Ries so gern auf Landjagd gingen. Dinkelsbühl war damals schon so reich, sich loszukaufen. 1305 wurde die Stadt durch kaiserliches Privileg des Habsburgers Albrecht I. der Stadt Ulm gleichgestellt; die aber war schon seit 1274 reichsunmittelbar.

Das Städtchen Dinkelsbühl konnte seine mittelalterliche Gestalt ähnlich wie Rothenburg ob der Tauber fast vollständig in unsere Zeit retten. In unserem Bild steht die Stadtpfarrkirche St. Georg beherrschend da.

Die Oettinger probierten es trotzdem noch einmal. Karl IV. verpfändete ihnen die Stadt, die alles daransetzte, sich abermals loszukaufen. Im Jahr 1398 endlich war es so weit. Mit dem Blutbann, dem Privileg der Rechtsprechung über Tod und Leben, hatte Dinkelsbühl endlich alles, was einer reichsunmittelbaren Stadt zusteht. Zuvor schon war es zu einer Einigung über die Zusammensetzung des Rates der Stadt zu gleichen Teilen zwischen Patriziern und Zünften gekommen, eine gesunde Situation, zudem sicher, denn der endgültige Mauerring war um 1380 geschlossen. Dinkelsbühl wirtschaftete sparsam. Es gab keine krassen Unterschiede zwischen reich und arm. Der Gast wird, wenn er seinen Rundgang beendet hat, eine altfränkische Bürgerstadt kennenlernen, die für prunkende Architektur wenig oder nichts übrig hatte. Die Patrizierhäuser sind zwar groß, aber einfach; Fachwerk in allen Gassen, wenige Steinhäuser und nur ein einziges, das »Deutschordenshaus«, das wie ein Palais aussieht.

Im Jahr 1448 wurde der Bau der Pfarrkirche St. Georg begonnen. Planender Meister war Nikolaus Eseler, der gleichzeitig in Nördlingen tätig war. Sein Sohn löste ihn ab, ohne das Konzept zu ändern. Zwanzig Jahre nach Baubeginn stand der Außenbau aus Sandstein mit den bis zur größtmöglichen Höhe aufsteigenden Streben. Die Pfeiler des Mittelschiffs gehen ohne Sims oder Kapitell in den Kreuzrippen des etwas gedrückt wirkenden Gewölbes auf, das 1499 vollendet war. Die Halle wirkt außerordentlich edel durch ihre schönen Maße. Unerfindlich, warum der Turm aus der Mittelachse nach rechts verschoben ist. Obendrein ist er einfallslos und im Verhältnis zum riesigen Dach der Halle zu kurz geraten. Das hat der Gast von außerhalb der Stadt längst festgestellt. Er wird jedoch ver-

söhnt sein durch die monumentale Schlichtheit des Innenraums.

Dinkelsbühl, frei und ohne von irgendeinem weltlichen Herrn, es sei denn vom Kaiser, gegängelt zu sein, hat sich 1534 schnell entschlossen zum Luthertum bekannt. Ein Barfüßermönch predigte in St. Georg den neuen Glauben und heiratete noch vor Luthers Eheschließung. St. Georg mußte sich noch viermal den Wechsel der Dinkelsbühler im Glauben gefallen lassen, bis die Kirche nach dem Westfälischen Frieden katholisch bleiben sollte.

Im Dreißigjährigen Krieg war Dinkelsbühl wechselnd von Schweden und Kaiserlichen besetzt. Von beiden wurde die Stadt ausgesogen, besonders hart nach der von Schweden verlorenen Schlacht bei Nördlingen. Die Reichen waren so arm geworden, daß es den ohnehin Armen ganz selbstver-

ständlich war, sich mit ihnen zu vertragen. Aber die Verluste an Bausubstanz waren gering, Schäden, abgedeckte Dächer gab es natürlich. Wo es galt, die zu beheben, blieb keine Zeit zum Jammern.

Der Gast begegnet heute in Dinkelsbühl einer altfränkischen Stadt, einer Stadt ohne Prachtbauten, aber mit sehr vielen kleinen Schönheiten. Wenn er nach dem Abendschoppen noch einen Spaziergang durch die stillen Gassen macht, kann es sein, daß er einem Nachtwächter begegnet, angetan mit schwarzem Cape, Hut, Spieß und Laterne ...

Goslar

und seine Kaiserpfalz

Goslar, das ist eine Stadt, einladend nicht nur zu einem kurzen Spaziergang, sondern zum Verweilen für ein paar Tage; denn mit dem Besuch der eindrucksvollen Kaiserpfalz, des Hauses »Brusttuch« und des »Dukatenscheißerlein« sollte man es nicht bewenden lassen. Überdies braucht der Gast auch Zeit zum Nachdenken über diese Durch-und-durch-Bürgerstadt, die Goslar geworden ist, obwohl sie kaiserlicher Neugier und auch kaiserlichem Geschäftssinn ihre Entstehung verdankt.
Die Gegend muß damals, vor dem Jahr 1000, noch das gewesen sein, was man unwirtlich nennen könnte. Der Oberharz war ein uriges Waldgebirge, der Rammelsberg zwar

---

Bild linke Seite: Stift zum Großen Heiligen Kreuz in Goslar, ein gotischer Bau aus dem 13. Jahrhundert.
Bild oben links: Fachwerkhäuser am Marktkirchhof in Goslar.
Bild oben rechts: Die 1494 errichtete Kaiserworth war das Gildehaus der Goslarer Tuchhändler. Der Name Kaiserworth rührt von den barocken Kaiserfiguren her, die in den schmalen spätgotischen Nischen stehen. Die Konsolen, auf denen die Kaiserfiguren stehen, sind plastisch verziert und zeigen unter anderem das volkstümliche Dukatenmännchen oder Dukatenscheißerlein.

---

kein Hexentanzplatz wie der windige Brocken, aber doch nicht ganz geheuer, und die Leute aus einem längst verfallenen Bergdorf, die hier nach Kupfer, Blei und Silber gruben, könnten ein bißchen zum Fürchten ausgesehen haben. Glaubhafte Schandtaten aber sind nicht überliefert. Der alte Handelsweg, der von Osterode über den Harz nach Hildesheim führt, trifft jenseits der Gose auf eine Straße, die aus Osten von Halberstadt und Quedlinburg herkommt. Die Siedlung, die da im 10. Jahrhundert entstanden war, bekam 922 von Heinrich I. das Marktrecht verliehen. So klein hat Goslar angefangen. Aber das sollte anders werden. 1050 war Goslar nicht welt-, aber immerhin reichsberühmt. Heinrich III. hatte den von Heinrich II.

und Konrad II. errichteten Pfalzbau neu und größer als vordem geplant aufführen lassen, ein wahrhaft kaiserliches Haus mit einem 47 Meter langen und 7 Meter hohen Saal im Obergeschoß, kein Haus zum Wohnen, aber wie alle Pfalzen ein Szenarium zum zeitweiligen Residieren, zum Rasten beim Umritt des Kaisers durch sein Reich. Zum Rasten war Heinrichs Lebenszeit zu kurz bemessen. Er starb 39jährig 1056 und hinterließ sein zum Nachfolger prädestiniertes sechsjähriges Kind Heinrich, den späteren Vierten. Des Kaisers Herz ist in der Pfalzkapelle St. Ulrich bestattet, sein Leib in Speyer.
Das Schicksal der Pfalz verlief nicht so, wie sich's der Gründer gedacht hatte. 1132 stürzte der Saalbau während eines Hoftages ein. Unter den Staufern verödete die Pfalz. Immerhin hat Barbarossa die ärgsten Schäden beheben und das Dach neu decken lassen. Der letzte in der Pfalz Goslar tagende Fürst war Wilhelm von Holland (1252), Gegenkönig Friedrichs II. und Konrad IV. Danach war die Pfalz herrenlos; und für die stetig wachsende Bürgerstadt lag sie nicht nur räumlich im Abseits. Warum sollte sie den kalten, alten Bau mit der schönen offenen Fensterfront pflegen, wenn kein Kaiser, kein König mehr angeritten kam?
Der Bau verfiel. Erst die denkmalspflegerischen Impulse im 19. Jahrhundert brachten ins Bewußtsein, daß hier ein historisches Monument zu retten sei. Die Restaurierung konnte nicht anders als wilhelminisch ausfallen. Die Historiengemälde, mit denen man glaubte, den Saal schmücken zu müssen, sind gar nicht gut, auch nicht kunstgeschichtlich bedeutsam. Aber das ist ein Mangel, der übersehen werden sollte. Wichtig war ja, die Bausubstanz zu erhalten. Das Schicksal der Bürgerstadt in der langen Zeit war wechselnd. Im 13. Jahrhundert verlor sie ihren hohen Rang unter den deutschen Städten. Doch das machte sie vor ihren Bürgern nicht kleiner. Goslar hatte damals längst, wie keine zweite Stadt, außer dem Dom fünf große Pfarrkirchen, einen geräumig geplanten, den Hügel, auf dem die Pfalz steht, mit einschließenden Mauerring mit vier Toren und ein würdiges erstes Rathaus.

Bild linke Seite: An der Abzucht in Goslar. Die Abzucht ist ein Stadt-bach.
Bild oben: Die Peterstraße in Goslar mit ihren verwinkelten Fachwerk-häusern. Beim niedersächsischen Fachwerkbaustil sind wie beim frän-kischen Stil die Ständer, die senkrechten Holzpfeiler, nahe aneinan-dergerückt. Auf dem Bild sind die Häuser schlicht und nahezu schmucklos. Andere Goslarer Fachwerkbauten weisen an den Holztei-len reiche Schnitzereien auf, so das Haus »Brusttuch«, das vom bekannten Braunschweiger Künstler Simon Stappen verziert wurde.

Der Silberbergbau machte die Stadt reich; alles ging gut bis zum Jahr 1527, als Herzog Heinrich d.J. von Braunschweig-Wolfenbüttel alten Pfandbesitz vom Rammelsberg einzu-lösen begann. Das war für Goslar nicht lebensgefährlich, nur eben beunruhigend. Aber Unruhe war damals durch Bauernaufstände und Religionsstreit überall im Land und mancherorts besonders schlimm. In Goslar wurden nur zwei Klöster zerstört. Die Denkmäler bürgerlichen Wohl-stands, Wohnhäuser, Zunfthäuser, Spitäler standen da wie eh und je. Die Stadt war in Ordnung.

Im Dreißigjährigen Krieg hatte Goslar zu leiden, denn die Stadt war kaiserlich geblieben.

Im 18. Jahrhundert richteten zwei Brände großen Schaden an. Was danach wieder aufgebaut wurde – dezenter Barock neben traditionellem Fachwerk –, machte die Stadt nur noch schöner.

Und so ist sie geblieben bis heute, obwohl sie schon lange keine Kleinstadt mehr ist. 1940 war sie es gerade noch. Damals hatte sie 25000 Einwohner; heute sind es mehr als 50000. Aber dem alten Stadtkern merkt man den Zuwachs nicht an.

Mindelheim

und die Burg des Ritters Georg

Die Entstehungsgeschichte der Stadt am Übergang der Salzstraße über das Flußtal der Mindel ist lückenhaft überliefert. Freigelegte Gräber aus dem 7. Jahrhundert berichten stumm, daß Alemannen die ersten Siedler waren. Ein fränkischer Königshof ist 1046 anläßlich einer Schenkung Kaiser Heinrichs III. genannt. Im 13. Jahrhundert traten Ministeriale, das heißt Gefolgsleute der Staufer, auf, die sich Herren von Mindelberg nannten. Urkundlich bezeugt waren sie 1256 die Gründer der Stadt und die Erbauer der Mindelburg zur Aufsicht über die Salzstraße. Die Förderer Mindelheims waren erst hundert Jahre danach die Herzöge von Teck. Sie bauten das Mauer-Viereck, dessen ostwestliche Längsachse durch die Salzstraße (die heutige Maximilianstraße) bestimmt und durch die beiden erhaltenen Tore begrenzt ist.

Die erste Kirche von Mindelheim stand außerhalb der Mauer. Um 1420 wurde nördlich vom Oberen Tor die Pfarrkirche St. Stephan gebaut. Nur der mittelalterliche Turm steht noch. Das Kirchenhaus wurde 1712 neu aufgeführt. An die Zeit der Teck erinnern hier nur noch das Doppelgrabmal des Herzogs Ulrich und seiner zweiten Gemahlin Ursula von Baden und die Grabplatte seiner ersten Frau Anna von Polen, Hochreliefs von großer Ausdruckskraft. Von den Bauwerken aus dem 15. Jahrhundert ist kaum eines in der ursprünglichen Form erhalten. Das Spital zum

---

Der freistehende Glockenturm in der Bildmitte wurde 1419 erbaut; die Obergeschosse sind allerdings barock, und der Helm stammt sogar aus dem vorigen Jahrhundert. Der Glockenturm gehört zur Pfarrkirche St. Stephan in Mindelheim, die 1712 errichtet wurde. Im Jahre 1933 erhielt die Kirche einige Einrichtungsstücke aus anderen Kirchen. Das bedeutendste ist die spätgotische Grabplatte des Herzogs Ulrich von Teck und seiner Gemahlin Ursula. Im Vordergrund ist das obere Tor der Stadtbefestigung zu sehen. Es wurde 1337 erstmals erwähnt. Heute ist es mit dem zurückgesetzten Bau der Sparkasse verbunden.

Heiligen Geist in der Maximilianstraße ist zum Altersheim umgebaut. Die Liebfrauenkapelle an der Memminger Straße, im Westen vor der Stadt, um 1455 gestiftet, gehörte zum Sondersiechenhaus (für die Aussätzigen) aus dem 14. Jahrhundert. Nach dem Brand 1725 ist die Kapelle erneuert worden. Ihr kostbarster Schatz ist das um 1515 von unbekannter Hand geschaffene Schnitzwerk »St. Anna Geschlecht«, das dem Nichtkatholiken Rätsel aufgibt. Dargestellt ist die Mutter Anna, die drei Ehemänner überlebt und jeder ihrer Töchter den Namen Maria gegeben hat. Im Vordergrund sitzen die drei Marien mit all ihren Kindern, das Jesuskind und die anderen Kleinsten nackt und mit strampelnden Beinchen, die schon ein paar Jahre älteren ein bißchen sittsamer, aber auch fröhlich, sieben Enkel der Anna, unter ihnen Johannes, der Evangelist.

Im Jahre 1456, als Mindelheim schon an die Grafen von Rechberg übergegangen war, beschlossen vier Bürgersfrauen, in klösterlicher Gemeinschaft zu leben. Es entstand das Kloster der Franziskanerinnen nahe der Pfarrkirche. Das Große Bauwerk zwischen Hauber- und Kleinhannsstraße stammt aus den Jahren um 1740. Im Südtrakt ist seit 1950 eines der schönsten Provinzmuseen eingerichtet.

Die Grafen von Rechberg waren tatkräftige Herren. Doch waren sie bald so arg verschuldet, daß sie 1467 ihren Besitz verkaufen mußten. Die neuen Herren wurden die aus Tirol gebürtigen Brüder Hans und Ulrich von Frundsberg. Der im Heiligen Römischen Reich weitberühmte Ritter Georg von Frundsberg (geboren 1473) wuchs auf der Mindelburg auf, trat jung dem Schwäbischen Bund bei, bewies sich dort und später unter den Kaisern Maximilian I. und Karl V. als begabter Soldatenführer und war Sieger in zwanzig Schlachten. Die Chronik nennt ihn den »lieben Vater der Landsknechte«. Er hat sich nicht nur zwei Kaisern, sondern auch um Mindelheim verdient gemacht, denn er hat es verstanden, 1524 mit den Anführern der aufständischen Bauern zu verhandeln. Weder Mindelheim noch seine Burg wurden geplündert. Aus seiner Burg wäre nicht viel zu holen gewesen. Der Ritter Georg war arm. Es fehlte am Ende seines Lebens am Nötigsten. Vom Kaiser, für den er zuletzt 1525 die Schlacht bei Pavia erfolgreich geschlagen hatte, wurde er nicht entschädigt. Er starb 1528, verbittert, da seine Briefe an den Kaiser nicht einmal beantwortet worden waren.

Mit Georg II. starb 1585 das Geschlecht der Frundsberg aus. Mindelburg und Mindelheim kamen 1616 an den Herzog Maximilian I. von Bayern.

1646 überfielen die Schweden die Stadt und die Burg. Die Stadt erholte sich langsam. Die Schäden auf der zum Teil niedergebrannten Burg waren erst 1680 einigermaßen behoben.

Um 1700 stand die Burg leer. Als erledigtes Lehen fiel sie an den Kaiser, und dieser, Joseph I. von Habsburg, trug mit ihr eine Dankesschuld ab. Er verlieh sie 1705 dem John

Bild oben links: Der kostbarste Besitz der Liebfrauenkirche, die außerhalb der Altstadt von Mindelheim liegt, ist das im Bild oben rechts wiedergegebene Schnitzwerk.
Bild oben rechts: Der Künstler, der die »Mindelheimer Sippe« geschaffen hat, ist namentlich nicht bekannt. Das Schnitzwerk stammt von 1510 bis 1520 und zeigt die Heilige Sippe mit porträthaften Zügen der Stifter.
Bild rechte Seite: Südlich der Stadt Mindelheim liegt die Mindelburg, eine Gründung der Herzöge von Teck um 1370. Das Gebäude hat leider unter den zahlreichen Erneuerungen stark gelitten und ist entstellt.

Churchill, Duke of Marlborough, der für ihn im Krieg um die spanische Erbfolge gemeinsam mit dem Prinzen Eugen von Savoyen die bayerisch-französische Armee geschlagen hatte. Zwei Jahrzehnte lang war ein Brite deutscher Reichsfürst. Der Herzog von Marlborough besuchte sein Lehen nur einmal und wurde von der Bürgerschaft mit Huldigungen empfangen. Seiner Anregung ist der Neubau der Pfarrkirche zu danken.

Mindelheim blieb in den unruhigen Zeiten, was es war, eine ländliche Bürgerstadt. Sie ist es geblieben, gar nicht sensationell, aber besuchenswert, verweilenswert durch die Anmut seiner Häuserzeilen, die zwischen gut restaurierten alten Bauten auch beachtenswerte, höflich der Nachbarschaft angepaßte Häuser aus neuester Zeit aufzuweisen hat. Die Pfarrkirche ist, obwohl die ärgsten Mißgriffe des 19. Jahrhunderts beseitigt sind, ein befremdend kühler Raum. Umso festlicher ist die Kirche Mariae Verkündigung beim Unteren Tor, ein Werk der Jesuiten, begonnen 1625 und hundert Jahre später in barocker Pracht vollendet.

Mittenwald

Geigenbau und Lüftlmalerei

Die Venezianer, mächtige und wohl auch anspruchsvolle Handelsherren, hatten um das Jahr 1485 unangenehme und kostspielige Auseinandersetzungen mit Bozen, dem Umschlagplatz für den Warenverkehr mit ihren deutschen Partnern in Augsburg, Nürnberg, München und Regensburg. Sie lösten ihre Bozener Niederlassung auf und gründeten eine neue in Mittenwald an der alten Straße zwischen dem Inn- und dem Isartal.

Mittenwald war seit der Verleihung des Marktrechts durch Karl IV. (1361) im Wachsen und sah die Zukunft in rosigem Licht. Alles ging gut über beinahe zweihundert Jahre. Am Ende des 17. Jahrhunderts, als nach dem langen Krieg der

Bild linke Seite: Mittenwald ist heute ein bedeutender Kur- und Wintersportort. Fast ein Wahrzeichen des Ortes ist der fröhlich bemalte Turm der Kirche St. Peter und Paul.
Bild oben links: Ein Geigenbauerschild in Mittenwald.
Bild oben rechts: Im Geigenbaumuseum in Mittenwald sind nicht nur Geigen, sondern auch andere Musikinstrumente sowie Gegenstände aus der bäuerlichen Wohnkultur zu sehen.

Handel allmählich wieder in Schwung kam, hatten die Venezianer sich erneut in Bozen niedergelassen. Den Mittenwaldern ging es danach nicht mehr so gut. Sie verarmten zwar nicht, litten auch keinen Hunger. Sie hatten immerhin noch den Frächterdienst nach Tirol, Holz- und Viehwirtschaft und die Flößerei.

Sie hatten auch Glück, und das kam wieder aus Italien. Im Jahr 1680 war der Schreiner Matthias Klotz nach langen Jahren heimgekehrt und hatte etwas mitgebracht, eine Geige. Seine Leute wußten, wozu die gut war. Tanzmeistergeigen und Scheithölzer mit Saiten gab es ja in jedem Alpental. Aber was waren das für Töne, die aus diesem leichten, schön geschwungenen Instrument kamen; weich, zart und vollklingend, wie man es haben wollte. Matthias Klotz hatte in Cremona beim berühmten Nicola Amati, der auch

der Lehrer des Stradivari war, Geigenbauen gelernt. Und wenn es gelingen sollte, hier, zu Hause, einige geschickte Leute auszubilden, dann konnte das doch ein Handwerk mit Zukunft sein. Holz war den Mittenwaldern zudem ein vertrauter Werkstoff.

Matthias war ein guter Lehrer, verstand zu erklären, wie man Holz auf seine gerade richtige Trockenheit prüft, wie man beim Hobeln die Dicke mißt und wie man nach dem »Goldenen Schnitt« dem Resonanzkörper die richtigen Proportionen gibt, wie man mit Kaltleim umgeht und mit nicht zu hartem Lack.

Holz war ja da, Fichte für den Deckel, die obere Seite, und Ahorn für den Boden und die geschwungenen Zargen.

Die ganze Familie Klotz begann zu lernen. Bald kamen andere dazu, die Karner, die Neuner, Hornsteiner, Schandl und Kriner. Daraus wurden, was man heute Familienbetriebe nennt.

Sie bauten nicht nur Geigen, sondern auch Celli, Bratschen, Gamben, Brummbässe, auch Zithern, die waren in den Alpenländern ja schon vordem bekannt. Den Mittenwaldern gelang es, auch ihren Klang ins warme, gemütliche Schwingen zu veredeln.

Ein Neunersohn ging 1730 auf Reisen und knüpfte Beziehungen in Holland und England. Bald war das gar nicht mehr nötig. Alle Welt bewunderte den Mittenwalder Klang, der dem italienischen am nächsten kam. Nur der Tiroler Geigenbauer Jakob Stainer wunderte sich nicht; er hatte auch in Cremona gelernt. War es ein ängstlich gehütetes Geheimnis, das die Geigen so tönen ließ? Die Mittenwalder sagten nur, sie könnten es eben besser, aber ganz so gut wie die Cremoneser leider doch nicht.

Auf die Frage nach der Ursache des Unterschieds in der Klangqualität der alten Cremoneser Geigen von Amati, Stradivari oder Guarneri zu Geigen von heute gibt es, wenn überhaupt, nur die Antwort, es könnte am Holz der Apenninenfichte liegen.

Die Mittenwalder gelangten durch ihren Geigenbau zu bescheidenem Wohlstand. Im Jahr 1738 erteilten sie dem Meister Joseph Schmuzer aus Wessobrunn den Auftrag

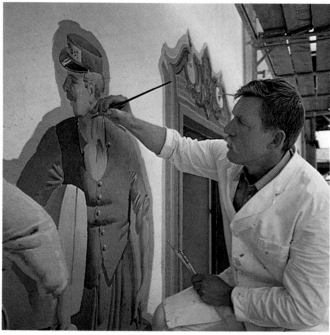

zum Bau einer neuen Pfarrkirche. Mit kleinen Einschränkungen durch das, was von der alten gotischen Kirche noch stand, ist der neue barocke Bau wohlgeraten, der Turm von besonderer Originalität. Gutmütig hat er seine glatte Vierkantigkeit bis in halbe Höhe bunt mit Scheinarchitektur bemalen lassen: Pilaster, in ihrer Farbigkeit Marmor darstellend, dazwischen Nischen mit Figuren, alles gemalt. Vom mittleren Sims nach oben ist die Malerei plastisch fortgesetzt und in der Farbigkeit dem Unterbau angeglichen. Der Turm beeindruckt nicht durch Erhabenheit, er lockt, weil er fröhlich ist.

Bild vorhergehende Doppelseite: Die Pfarrkirche St. Peter und Paul von Mittenwald, erbaut 1738 bis 1740, ist besonders wegen ihres wundervollen Stucks bekannt. Der Baumeister J. Schmuzer betätigte sich hier auch als Stukkateur.
Bild oben: Ein Lüftlmaler am Werk.
Bild rechts: Das Schlipferhaus in Mittenwald zeigt eine wundervolle barocke Lüftlmalerei mit religiösen Motiven. Ebenso schöne Lüftlmalereien wie in Mittenwald findet man in Oberammergau.

Die Ausstattung der Kirche ist sehenswert: dezenter Stuck; das Deckengemälde in der flach kuppeligen Wölbung vom vielbeschäftigten prominenten Matthäus Günther, Martyrium und Verklärung der beiden Kirchenpatrone Petrus und Paulus darstellend.
Eine eigenartige Stimmung geht von der Kreuzkapelle aus im stehengebliebenen Stumpf des abgetragenen alten Kirchturms: ein hoher barocker Altar, braun-golden mit metallisch-blau glänzenden Säulen; in der Mitte zwei Strahlenkränze übereinander, im unteren die schmerzhafte Gottesmutter, darüber der Kruzifixus aus der alten gotischen Kirche, ein ergreifender stilistischer Widerspruch.
Das andere fröhliche Charakteristikum Mittenwalds ist die Lüftlmalerei, die zur Zeit des Kirchenbaus begonnen hatte: Fensterumrandungen, Scheinarchitekturen, aber auch Figurengruppen, Legenden und weltliche Szenen. Die ersten Meister: der Mittenwalder Franz Karner und der Oberammergauer Franz Zwinck. Das Wort Lüftlmalerei kommt nicht von der frischen, freien Luft, sondern vom »Lüftlhaus«, dem Wohnhaus des Malers Zwinck.

Nördlingen

Suevit = Schwabenstein

Das Ries, in dem die Stadt Nördlingen liegt, ist eine Mulde am Nordostende der Schwäbischen Alb, rundlich, 25 km im Durchmesser und flach wie eine Pfanne mit einem sehr deutlichen Rand, der nur im Süden, wo die Wörnitz der Donau zufließt, eine Scharte bekommen hat. Über die Entstehung des Ries' mußten die Lehrer schon zweimal umlernen, damit sie ihren Schülern das Richtige erzählen. Das Ries ist kein ausgetrockneter See vom Ende der letzten Eiszeit, auch kein Vulkankrater. Das Ries ist das Werk einer Sekunde vor 15 Millionen Jahren, in der ein Meteorit, ein glühender Stein von 1200 Meter Durchmesser, oder der Steinkern eines Kometen nahezu ungebremst mit 100 000 km Stundengeschwindigkeit auf die Erde zuschoß, sich beim Aufprall kilometertief in den Boden bohrte, durch die Reibungs- und Druckhitze (30000° C) augenblicklich verdampfte und geschmolzenes Urgestein explodierend nach oben trieb, das dann erkaltend wieder herabrieselte. Das aus tiefen Schichten hochgeschleuderte Urgestein, hart und von glasigen Einschlüssen durchzogen, liegt seitdem im Ries zuoberst, nur bedeckt von späteren Kalksedimenten.

Suevit (Schwabenstein) nennen die Geologen den Stein, den die Leute im Ries seit altersher kennen und als Baustein hoch schätzen. Aus ihm erbauten die Nördlinger im 15. Jahrhundert ihre Pfarrkirche und den stolzen Turm »Daniel«.

Das Ries ist altalemannisches Siedlungsland. Im Jahr 898 wird das karolingische Hofgut Nurtlinga, an der Straße von Würzburg nach Augsburg, urkundlich, das Kaiser Arnulf der Frau von Winpurc, der Mutter seines Sohnes Zwentibold, zur Wohnstatt gegeben hatte und das diese dem Bischof von Regensburg vermachte.

Bild rechts: Das Luftbild zeigt deutlich, wie die Stadt Nördlingen gewachsen ist. Der äußerste Mauerring stammt aus den zwanziger Jahren des 14. Jahrhunderts und ist vollständig erhalten geblieben.
Bild folgende Doppelseite: Die weit auseinanderstehenden Ständer dieses Fachwerkhauses in Nördlingen deuten auf den alemannischen Stil. Rechts außen das Klösterle, ursprünglich Sitz des Franziskanerordens, nach der Reformation Kornspeicher, heute städtischer Saalbau.

Die Bauern- und Gerbersiedlung entwickelte sich so gut, daß Friedrich II. sie 1215 in einem Tauschhandel dem Bistum ablöste, um eine Stadt aus ihr zu machen. Das mag den Nördlingern recht gewesen sein; denn um sie herum saßen mehr als ein Dutzend Grundherren, die den Ort gern nutzbringend »beschützt« hätten; und da war ihnen ein Kaiser lieber, denn der war nicht immer da.

Der Rat war klug genug, die Reichsunmittelbarkeit durch neue Privilegien von Ludwig dem Bayern (1320) und Karl IV. (1360) bestätigen zu lassen.

Um 1240 bauten Franziskaner ihr Kloster und, wie es ihr Orden aufgab, eine erste schmucklose Kirche. Sie wurde nach der Reformation zum Kornspeicher mit hohem Satteldach und dreigeschossigem Giebel ausgebaut.

Schon vor der Mitte des 14. Jahrhunderts war der eirunde Mauerring geschlossen. Bis ins 17. Jahrhundert wurde er durch Basteien und Vorwerke verstärkt. 16 Türme, davon fünf Tortürme, sind erhalten, dazu lange Teile des Wehr-

gangs und an der Berger Mauer die Kasarmen, Kleinbürgerhäuschen, die in Kriegszeiten für die Stadtsoldaten geräumt werden mußten.

Die Pestjahre 1348 und 1384 trafen die Nördlinger hart; und wie in vielen anderen Städten wuchs mit der Zahl der Toten die grauenhafte Erregung über die vermeintlichen Urheber, die Juden. Verhetzt, von Sinnen trieben Menschen, die sich für Christen hielten, die Juden aus der Stadt, erschlugen sie, wenn es nicht schnell genug ging; und die Ratsherren schauten zu, bis der »Volkszorn« in dumpfer Müdigkeit verraucht war.

Um 1400 ließen sich Karmeliter in der Nähe einer alten Wallfahrtskirche nieder, bauten an ihrer Stelle die gotische Halle St. Salvator, einfach und ohne Turm. 1422 wurde sie geweiht. Hundert Jahre danach bekannte sich der Konvent zur Lehre Luthers. Der Ordensprinzipal Stoß, ein Sohn des großen Bildschnitzers Veit Stoß, mußte die Kirche verloren geben.

Im Jahr 1427 hatten die Nördlinger den Bau einer neuen Stadtpfarrkirche St. Georg beschlossen. Von dem Ulmer Meister Hans Kun stammt der Plan zu der 93 Meter langen, größten Halle der deutschen Spätgotik. Baustein war der Suevit aus den Rieser Steinbrüchen. Sieben Bauhüttenmeister lösten in der hundertjährigen Bauzeit einander ab. Der letzte, Stephan Weyerer d. Ä., wölbte das Langhaus. Sein Sohn vollendete 1538 den Turm so hoch, wie die Kirche lang ist. Damals waren bereits einige Altäre, die den Lutherischen nicht recht waren, entfernt worden. Sie sind zu größeren Teilen erhalten. Die bewundernswerten Tafeln des Friedrich Herlin (1465) von den Flügeln des Hochaltars sind im Museum der Stadt im Gerberviertel.

Der Turm von St. Georg mit dem wohlgelungenen Übergang vom quadratischen Grundbau zum Oktogon heißt im Volksmund »Daniel«; so nach dem Propheten, neben Noah und Hiob der Gerechtesten einer, von dem Luther in seiner Vorrede sagt, er sei »nichts anders denn ein feiner Spiegel darin man sihet des glaubens kampff und Sieg wider alle Teufel und Menschen«.

Es gab Zeiten, da war die Gerechtigkeit wer weiß wohin verschwunden. Um Teufel und Menschen ging es und darum, wie denen, die zu Teufeln und Hexen verschrien waren und auf Gerechtigkeit hofften, die Gerechtigkeit dann doch nicht widerfuhr, weil die Menschen, die Recht zu sprechen hatten, zu Teufeln geworden waren.

Um das Jahr 1588 fing es an, und niemand wußte später, wer es aufgebracht hatte. Da hieß es, am Weinmarkt trieben's die Hexen ganz gottlos und mit dem Teufel im Bund und in Buhlschaft.

Der Bürgermeister Pferinger ließ gleich seinen Rat beschließen, man müsse die Hexen mit Stumpf und Stiel ausrotten; und der Doktor beider Rechte Röttinger gab dazu, daß man auch auf ein allgemeines Gerücht hin die Tortur anwenden dürfe. Er hatte den hundert Jahre alten »Hexenbanner« gelesen, in dem sich die dominikanischen Autoren auf Thomas von Aquin und auf den Papst Innozenz VIII. berufen, der erklärt hatte, Hexen seien den Ketzern gleichzusetzen, und die Inquisition solle sich ihrer annehmen.

Seltsam; daß dies alles papistisch war, kümmerte die Ratsherren der lutherischen Stadt nicht, und die Prediger konnten es ihnen nicht austreiben. Es war wie ein schnelles Gift. Kaum war es in den Ohren, kam es aus Augen, Mund und

allen Gliedern viehisch wieder heraus. Die ersten Verdächtigen kamen noch davon, beteuerten ihre Unschuld, wurden verwarnt und verpflichtet, über die Daumen- und Beinschrauben zu schweigen und wurden entlassen. Aber als die Hexenjäger merkten, daß man die Tortur nur geduldig mehrmals und schärfer machen mußte, kam keine mehr davon, sagte, was der Untersuchungsrichter hören wollte, nannte Namen, die ihr wahllos einfielen, widerrief, sagte in der nächsten Qual neue noch dazu – und gab auf.

Als gemunkelt wurde, es kämen nur hilflose Witwen und arme junge Mädchen vors Gericht, wurde Rebekka, die Frau des Zahlmeisters Lemp, aufgegriffen. Sie war rothaarig, und das war doch schon eine Teufelsfarbe. Lange blieb sie standhaft. Der Prediger Lutz stritt für sie von der Kanzel und wurde verwarnt; es sei nicht Sache der Prediger, zu Rechtsfällen Stellung zu nehmen. Selbst Bittschriften ihres Mannes konnten nichts abwenden. Nach monatelangen Qualen wurde Rebekka verbrannt, eine von 35 Gemordeten in fünf Jahren. Auch eine Bürgermeisterswitwe war darunter.

Von dem neunzig Meter hohen Turm der St. Georgskirche, »Daniel« genannt, sieht das Rathaus von Nördlingen geradezu winzig aus. Es stammt aus dem 14. Jahrhundert und ist somit im wesentlichen gotisch. Um 1500 wurden das dritte Geschoß und der Erker der Südseite gebaut. Der hohe Schatzturm an der Ostseite stammt von 1509. Er wurde 1563 erhöht. Auf dieser Gebäudeseite – auf unserem Bild verdeckt – befindet sich die noch gotisch anmutende Freitreppe von 1618.

Maria Holl, Kronenwirtin, aus Ulm gebürtig, wurde gefangen auf eine Denunziation hin. An die fünfzig Mal blieb sie standhaft, konnte nicht zugeben, was sie nicht getan hatte und starb nicht. Die Gerichtsherren stellten das Verfahren ein, gaben die Frau aber erst nach einem drohenden Schreiben des Magistrats von Ulm frei. Das war 1594, der letzte Nördlinger Hexenprozeß. Es schien, als seien die Gerichtsherren von ihrem blutigen Wahn befreit. Aber so war es nicht. Nach der Standhaftigkeit der einen Frau wagte sich niemand mehr ans Verschreien. Auf dem Weinmarkt steht ein Denkmal, Maria Holl zu Ehren.

Nördlingen, Kornkammer, reicher Handelsplatz für Leder und Tuch, hatte im Dreißigjährigen Krieg bange Tage im Spätsommer 1634. Die Stadtsoldaten hielten, unterstützt von einer kleinen schwedischen Besatzung, drei Wochen lang der Belagerung der Kaiserlichen Armee stand, die im Juli Regensburg zurückerobert hatte, geführt von Ferdinand, dem König von Ungarn. Die schwedische Armee, unterstützt von den Sachsen, lag auf der Anhöhe Breitwang und mußte sich den Kaiserlichen stellen, 26000 Mann gegen 33000 Mann Kaiserliche. Im Morgengrauen des 5. September begann die Schlacht, am Tag darauf war sie für die Schweden verloren. Der junge König empfing die um ihre Reichsunmittelbarkeit besorgte Nördlinger Stadtregierung und sagte, er sei nicht gekommen, um eine Stadt zu zerstören, sondern um sie dem Kaiser zurückzuerobern. 1647 waren wieder Schweden in Nördlingen. Eine bayerische Armee beschoß die Stadt solange, bis sie sich ergab. 140 Häuser waren zerstört. Die Stadt hatte keine 5000 Einwohner mehr, halb soviel wie am Anfang des 17. Jahrhunderts. Erst im Jahr 1938 war Nördlingen wieder so weit wie vor mehr als 300 Jahren.

Klein ist die Stadt geblieben, heute wie unversehrt in ihren alten Mauern, die jetzt von einem Grüngürtel umgeben sind. Jenseits davon geht es neuzeitlich zu.

Schongau

und Altenstadt

Der Name Scongoe, der erstmals 1080 auftauchte, galt dem Dorf, das heute Altenstadt heißt, eine Gründung welfischer Gefolgsmänner an der von den Römern um 15 v.Chr. angelegten Straße (via Claudia Augusta), die im Lechtal das Gebirge verläßt und über Füssen und Landsberg nach Augsburg führt.

Zwischen Altenstadt und dem Lech auf dem für einen festen Sitz wie geschaffenen Hügel wurde eine dort im 13. Jahrhundert entstandene Siedlung von den Staufern durch einen ovalen Mauerring befestigt, 600 Meter in der langen Nordsüdachse und etwas mehr als halb so breit. Größer ist die von steilen Hängen umgebene Fläche nicht.

Um 1250 war das neue Schongau bereits eine Stadt, die allerdings erst nach dem Ende der Stauferzeit von den Wittelsbachern übernommen, mit den Privilegien des Markt- und Stapelrechts ausgestattet wurde und 1331 durch Ludwig den Bayern ein Rechtsbuch nach Münchner Muster bekam. Dies bedeutete Gerichtsbarkeit, Münzprägung und unbeschränkte Bürgeraufnahme.

Die Floßlände am Lech war förderlich. Das alte Schongau war als Rastplatz bald vergessen und blieb eine stille Bauernsiedlung.

Das neue Schongau gedieh zum ansehnlichen Warenumschlagplatz. Auf dem langen Markt entstand das Ballenhaus, ein stattlicher Bau mit hohem Treppengiebel.

Für die Herzöge wurde die Stadt interessant, als sie einen soliden Wohlstand erreicht hatte. Herzog Christoph, einer der fünf Söhne Albrechts III., weilte gern in Schongau. Das war für die Stadt eine Ehre, denn Christoph mit dem Beinamen »der Starke« war beim Volk beliebter als mancher regierende Herzog.

Im Mai 1493 brannte die Stadt zu drei Vierteln aus. Auch das Schloß an der Westmauer, die gotische Pfarrkirche und das Rathaus fielen dem Feuer zum Opfer. Das 16. Jahrhundert begann unruhig. Aufständische schwäbische Bauern versuchten, das Lechtor zu sprengen. Sie wurden mit Feuer und Pech von oben vertrieben. Die Reformation ging an Schongau vorüber. 1580 wurden Stadt und Gericht Schongau dem Herzog Ferdinand übertragen, für dessen verschwenderisches Leben die Stadt Bürgschaften leisten mußte. Dazu kamen die Bürgschaften für die noch kostspieligere Hofhaltung in München.

1585 brach der Hexenwahn aus, wie in anderen Städten nur einmal. Es war wie mit der Pest; die kam auch, wütete, leerte die Häuser und verzog sich.

80 Frauen, »Hexen und ihre Gespielinnen«, wurden gefangen und mit der Folter geplagt. 63 wurden zum Tod durch das Schwert verurteilt; ihre Leichen wurden verbrannt. Im Bericht des Landrichters heißt es: »Bei 63 Hexen sind in zwei Jahren zu des Herzogs großem Ruhm in und außer Landes zu Schongau hingerichtet worden und viele davon unter lautem Dank zu Gott für eine Obrigkeit, die der geheimen Sünden und Laster so fleißige Nachforschung gehabt.«

Nach dem Regierungsantritt des Herzogs Maximilian I. (1597) hofften die Menschen auf eine bessere Zeit ohne Pest und Hexen und ohne Streit unter den Wittelsbachern.

1609 gründete Maximilian die Katholische Liga und gab den Städten, auch den Ratsherren von Schongau auf, sich gut mit Pulver und Blei zu versorgen. Er ahnte, was bevorstand.

In den ersten 14 Tagen des Dreißigjährigen Krieges war es ruhig. Nur die Teuerung war drückend. 1632 plünderten die Schweden und ihre sächsischen Verbündeten die Dörfer und belagerten Schongau. Fünf Tage lang leistete die Stadt so verbissen Widerstand, daß die Belagerer abzogen.

Die Pest kam dreimal, zuletzt 1642. Vier Jahre danach überrannten Schweden und Franzosen Bayern. Schongau kapitulierte, wurde ausgeplündert und konnte das Lösegeld nicht bezahlen, um die Stadt vor dem Niederbrennen zu bewahren. Die Schweden holten sich ein paar Bürger als Geiseln und schleppten sie ein halbes Jahr mit, ließen sie frei, zündeten die Stadt nicht an, holten sich lieber das Vieh von den Weiden.

Nach dem Westfälischen Friedensschluß rissen die Plagen nicht ab: Krankheiten, Tierseuchen, Mäusefraß, Hagel, Hochwasser, Hungersnot.

1660 wurde an der Hohenfurcher Steige ein Krankenhaus für Leprakranke gebaut. 1667 stürzte der Pfarrkirchturm ein. Die beschädigten Stadttore wurden erneuert, die Felder gesegnet zur Abwendung des Ungeziefers, und der Wessobrunner Johann Schmuzer baute die Heiligkreuz-Kapelle.

Im Krieg um die Erbfolge in der spanischen Monarchie war Bayern mit Frankreich und dem Kurfürstentum Köln verbündet. Die kaiserlichen Österreicher besetzten das Feindesland Bayern. In Schongau löste eine Besatzung die andere ab. Wenn die Stadt nicht hergeben konnte, was verlangt wurde, drohten die Besatzer mit Anzünden. Einmal nahmen sie Ratsherren als Geiseln und verschleppten sie nach Tirol, setzten sie nach sechs Wochen auf ein Floß und schickten sie heim, den Lech hinunter.

Für die Schongauer war das ein Krieg in Oberbayern für eine Sache, die sie nicht das geringste anging; und wer Kenntnisse hatte, konnte sich über den Frieden zu Rastatt nur wundern, wie freundlich die feindlichen Parteien ihn so regelten, daß jeder etwas bekam. Er mußte denken, daß man das auch ohne verbrannte Dörfer und ausgehungerte Städte hätte bewerkstelligen können.

Mit dem Frieden kam die große Baufreude über das Land. Die unbeschuhten Karmeliter begannen 1719, unterstützt vom Kurfürsten Max Emanuel, den Bau ihres Klosters mit dem Spital. Joseph Schmuzer entwarf den Plan für die Spitalkirche Heilig Geist.

Die Türme, Tore und Wehrgänge in Schongau erinnern an frühere Zeiten. Am Maxtor zeigt das ungelenke Gemälde von 1949, wie Kaiser Ludwig der Bayer die Stadtrechte an Schongau verleiht. In anachronistischer Weise sind neben dem Kaiser Bürgermeister und Amtsmänner von 1949 dargestellt. Schongau war früher ein bedeutender Warenumschlagplatz, da es an den Handelswegen zwischen Italien und den damaligen Großstädten Nürnberg und Augsburg lag.

Barock ist der Stil nicht nur des Absolutismus, sondern, gefördert durch Jesuiten und Benediktiner, auch der Stil der Gegenreformation. Die Künstler kamen aus bayerischen Dörfern. Da hatte einer auf Wanderschaften in Lehrzeiten gelernt, wie zu bauen und zu schmücken sei, wie mit der Kunst der Perspektive die gewölbten Decken durch Scheinarchitekturen und malerische Wolken geöffnet werden können, den Himmel in die Kirche zu malen und mit heilig-

Statt Schonga.

Lech

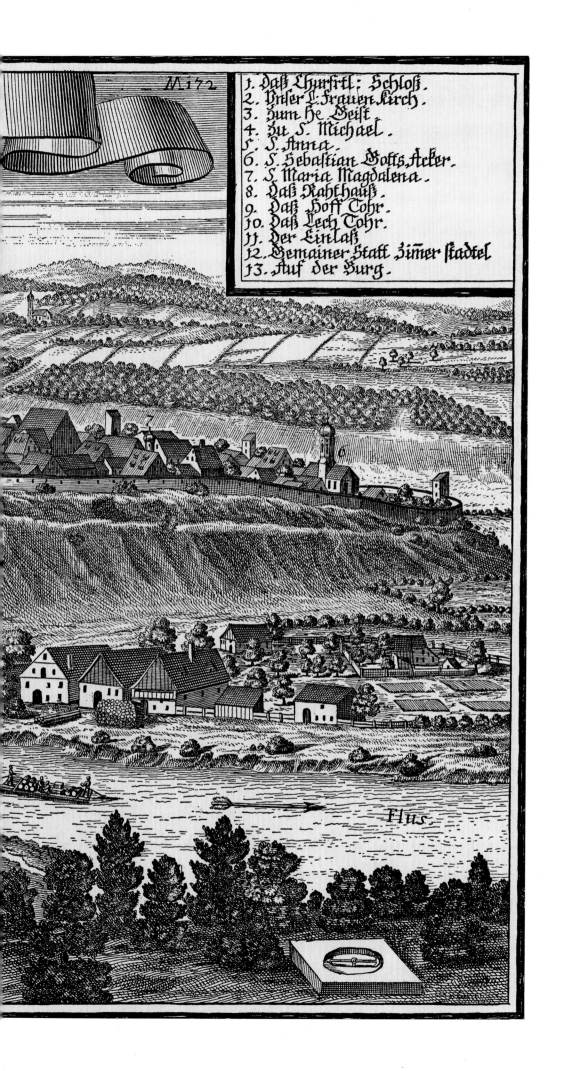

1. Daß Churfrſtl: Schloß.
2. Vnſer L.Frauen Kirch.
3. Zum he: Geiſt.
4. Zu S. Michael.
5. S.Anna.
6. S.Sebaſtian Gotts Acker.
7. S.Maria Magdalena.
8. Daß Rahthauß.
9. Daß Hoff Thor.
10. Daß Lech Thor.
11. Der Einlaß.
12. Gemainer Statt Zimer ſtadel.
13. Auf der Burg.

Fluß

fürstlichen Allegorien zu beleben; und er gab es an Brüder und Söhne weiter.

Die Stadt Schongau bestellte bei Joseph Schmuzer ihre neue Pfarrkirche Mariae Himmelfahrt, wobei die alte noch stehende gotische Bausubstanz zu verwenden war. Dominikus Zimmermann aus Benediktbeuern machte den Stuck, Matthäus Günther vom Peißenberg malte die Chor- und die Langhausdecke. Ignaz Günther aus der Oberpfalz entwarf den Altar. Doch der schien der Pfarrei zu kostspielig. Ein anderer wurde gebaut, kaum weniger aufwendig, nur nicht so genial wie der erste Entwurf.

Der Barock erblühte zum bayerischen Rokoko nicht nur in den Städten. Die Klöster im Land, die Pfarrkirchen in den Dörfern wurden um- oder neugebaut und geschmückt. Die Geistlichkeit, auch der Adel regten an, stifteten, wo es nötig war, Geld. Nichts mußte befohlen werden. Das Volk wollte schöne Kirchen, in denen gut Beten, gut Feiern war.

Auch die Pfarrkirche im stillen Altenstadt bekam einen barocken Altar. Das Dorf im Schatten Schongaus war arm. Es gab Zeiten, da hatte die große Basilika St. Michael keinen Priester. Die alte zweite Kirche im Dorf, St. Lorenz aus dem 12. Jahrhundert, begann zu verfallen. Der Maierbauer kaufte sie und baute seinen Hof ins Langhaus. Die Apsis riß er ab.

Geldmangel und wohl auch Interesselosigkeit am alten Romanischen ließen den dreischiffigen Quaderbau St. Michael das bayerische Rokoko unverändert überleben. Der gefährdete Nordturm wurde gestützt, sonst geschah nichts, bis König Ludwig I. seinen Architekten Friedrich Gärtner beauftragte, die Kirche zu restaurieren. Das Resultat, 1826 fertiggestellt, war unangenehm. Der in seinen Maßen so eindrucksvolle Bau war danach nicht restauriert, sondern mißverstanden hergerichtet. Die kleinen Apsiden zu beiden Seiten des Chors waren sinnlos durch eine Bretterwand zugedeckt, der große Kruzifixus aus dem frühen 13. Jahrhundert war beiseitegestellt. Erst 1960 wurde durch neue denkmalspflegerische Impulse erkannt, daß hier ein in Bayern seltener Bau der Romanik verdorben, aber durchaus zu retten war. Soweit möglich, wurde der alte Zu-

stand wieder hergestellt. Heute ist St. Michael, umgeben vom festlichen Barock des Pfaffenwinkels, das spröde Denkmal einer ferneren Vergangenheit, ernst ins Erhabene gesteigert durch den Kruzifixus, den das Volk den »Großen Gott von Altenstadt« nennt. Christus am Kreuz ist nicht als qualvoll menschlich Sterbender dargestellt, sondern als »Kyrios«, Herr und Sieger über Tod und Hölle.

Bild oben links: Der »Große Gott von Altenstadt«, ein romanischer Kruzifixus aus dem frühen 13. Jahrhundert.
Bild oben rechts: Im Jahre 1938 fand man bei Instandsetzungsarbeiten der Basilika St. Michael in Altenstadt wundervolle zarte Fresken aus dem 14. Jahrhundert. Wen die beiden abgebildeten Bischöfe darstellen, ist nicht ganz sicher. Man deutet sie als St. Ulrich, den Patron des Bistums Augsburg, und St. Konrad, der 934 von Ulrich zum Bischof von Konstanz geweiht wurde.
Bild rechte Seite: Die päpstliche Basilika St. Michael in Altenstadt ist die einzige bayerische Kirche der Hochromanik mit Steingewölben. Sie hat drei Schiffe, drei Apsiden (im Bild), aber kein Querhaus.

Er trägt keine Dornenkrone. Zum Zeichen, daß er »Christkönig« ist, krönt ihn ein goldner Stirnreif. Sein Gesicht ist entspannt, der Todesschmerz überwunden, die Lippen sind fest geschlossen. Für Traurigkeit ist es zu spät, für irgendein Wort zu früh.

Die Kirche St. Michael ist 1966 von Papst Paul VI. zur Päpstlichen Basilika erhoben worden, das heißt, daß sie an besonderer Huld teilhat, daß geistliche Handlungen, auch Gebete dem Gläubigen höhere Wirkung bedeuten dürfen. Die Schrifttafel über dem Portal »Basilika minor« ist nicht als Verkleinerung zu verstehen. Es gibt keine Basilika maior. Es gibt über ihr nur die Kirche des Papstes in Rom, die einzige, die über sie erhoben ist.

Straubing

im niederbayerischen Gäuboden

Beim Ausheben einer Baugrube stießen Arbeiter auf etwas Hartes, Rundes, allem Anschein nach einen Kessel mit dem Bauch nach oben. Was sie unter ihm fanden, war ein vergrabener Schatz. Der Zufall hatte 1950 den Straubinger Schatzfund ans Licht gebracht, der für Beutegut gehalten werden kann, das in der Zeit der Alemanneneinfälle im 3. Jahrhundert von Plünderern, die vielleicht selber hatten fliehen müssen, hier vergraben worden war. Der Schatz ist im Gäubodenmuseum zu bewundern: interessantes Nebensächliches aus der Römerzeit, Nägel, Beschläge, Lanzenspitzen, ein Dolch; aber auch Stücke von großem künstlerischen und materiellen Wert: vergoldete bronzene Gesichtsmasken, versilberte Beinschienen, ein Reiterschwert, Teile des Paradegeschirrs für ein Pferd, Dinge, die zum Imponieren, zum Zeigen von Macht und Reichtum bestimmt waren.

Der Fundort des Schatzes liegt im Bereich des römischen Soldatenlagers Sorviodurum, das sich jedoch mit der offenen bäuerlichen Siedlung in keinen historischen Zusammenhang bringen läßt, deren Name Strupinga um 900 auftaucht und die hundert Jahre später dem Bischof von Augsburg unterstand.

St. Peter auf dem Friedhofshügel (um 1200 erbaut) ist die Nachfolgerin der ersten Kirche der Siedlung, die sich um diese Zeit weiter westlich, vor dem Donauhochwasser sicher, zum typischen bayerischen langen Straßenmarkt zu entwickeln begonnen hatte. Zwischen dem Markt und dem Fluß baute Ludwig der Kelheimer um 1218 eine kleine Burg, erhob den Markt zur Stadt und regte den Bau des ersten Mauerrings an, dessen Verlauf im Süden und Osten heute noch am Straßennamen »Stadtgraben« abzulesen ist. Nach 1255 nahmen sich die niederbayerischen Wittelsbacher der Stadt an und hundert Jahre danach die Zweiglinie Straubing-Holland. Die Burg des Kelheimers war damals schon verlassen. Herzog Albrecht I. hatte mit dem Bau einer neuen, größeren Burg am Donauufer begonnen.

Die Straubinger beobachteten die herzogliche Baustelle mit gemischten Gefühlen. Die Burg konnte ihnen mehr Unruhe als Sicherheit bringen. Nachdem ihre Stadt der Hand des Bischofs von Augsburg entglitten war, hatten sie selbst ja genug zu ihrer Sicherheit getan. Weder Bischof noch Herzog hatten ihnen dabei geholfen. Der Mauerring stand, und in der Mitte des langen Marktes ragte der Stadtturm (1316 begonnen), Straubings Wahrzeichen in guten und schlechten Zeiten bis heute.

Nach dem Ende der Zweiglinie kam die Burg Straubing 1429 an Bayern-München und mit ihr die Stadt. Doch dies wirkte sich erst im 16. Jahrhundert positiv für Straubing aus, das nach der Wiedervereinigung von Ober- und Niederbayern Sitz eines der vier Rentämter wurde.

Herzog Albrechts Burg, düster und schmucklos nach außen, wurde in den Jahren nach 1432 zum Szenarium einer tragischen Liebesgeschichte, die den Adel und das Volk gleichermaßen wild erregte und zu Tränen des Mitleids rührte. Das Drama beginnt in einer Augsburger Faschingsnacht, erreicht seinen Höhepunkt in einem Hexenprozeß und drohendem Vatermord und klingt aus in frommen Handlungen, dem Bau einer Sühnekapelle und der Stiftung eines Klosters; eine Geschichte von böser Schönheit.

Agnes, um die es ging, war die Tochter des Augsburger Barbiers und Badstubenbesitzers Bernauer. Mißgunst und Weiberneid nannten sie eine Badhur, aber das soll glauben, wer mag. Sie war blond und so schön, daß dem einen das Herz heiß wurde, dem andern die Rede im Hals stecken blieb. Der Mann, der ihr zum Schicksal werden sollte, war Albrecht (der spätere III.), einziger Sohn des Herzogs Ernst. Als Agnes und Albrecht aufeinandertrafen, war es um beide geschehen. Man darf sich den Herzog nicht als empfind-

samen Jüngling vorstellen. Empfindsamer als sein Vater war er vielleicht von der Mutter her, einer Visconti aus Mailand. Aber er war, als er sich 1432 heimlich mit Agnes trauen ließ, 36 Jahre alt; und Agnes hatte sich nicht nur als Liebende auf die Burg Straubing führen lassen; sie hatte sich, schlicht gesagt, einfach in den Kopf gesetzt: »Den halt' ich.« Sie hielten beide zueinander. Sie wurden Eltern zweier Kinder.

Für den Herzog Ernst stand die Erbfolge in Frage. Zorniges Zureden half nicht. Er mußte es listig machen, und er nutzte eine Abwesenheit seines Sohnes von Straubing, ließ Agnes gefangennehmen und einem Gericht stellen, vor dem sie die Ehelichkeit mit Albrecht abschwören sollte. Aber um das zu tun, war Agnes zu stark; und so wurde sie als »Hex und Zauberin« in einen Sack gesteckt und in die oktoberkalte Donau geworfen. Das war 1435.

Albrecht wollte seinen Vetter Ludwig den Gebarteten zum Rachefeldzug gegen den Vater überreden. Das wäre beina-

he gelungen – Wittelsbacher waren zu jener Zeit oft gegeneinander in Fehde gezogen. Nur Zuspruch und Machtwort des Kaisers Sigismund konnte die gefährliche Spannung in Versöhnung verwandeln. Herzog Ernst ließ auf dem Friedhof St. Peter eine Sühnekapelle bauen. Albrecht heiratete im Sinne des Vaters Anna von Braunschweig. Die Ehe, von fünf Söhnen und fünf Töchtern gesegnet, soll harmonisch gewesen sein. Auf dem Wallfahrtsberg Andechs stiftete er als guter Landesherr 1451 die Benediktinerabtei. Albrecht der Fromme heißt er seitdem im Stammbaum der Wittelsbacher.

Um die Zeit war Straubing eine blühende Bauernstadt. Längst hatten die Herzöge die Rechte und Einkünfte dem Augsburger Domkapitel abgekauft. Die Karmeliter waren von Regensburg nach Straubing übergesiedelt. In ihrer Kirche wurde Herzog Albrecht 1460 beigesetzt.

Die Pfarrkirche St. Jakob, die gotische Halle, die den ersten romanischen Bau ersetzen sollte, ging langsam ihrer Vollendung entgegen. Die Baulust war nicht sehr groß. Straubing war eine ländliche Stadt. So schnell wie anderswo mußte es hier nicht gehen. Daß die Stadt zeitweilig Residenz war,

Bild linke Seite: Blick auf Straubing an der Donau, Niederbayern.
Bild oben links: Der Straubinger Römerschatz, der 1950 im Westen der Stadt bei Bauarbeiten gefunden wurde, ist im Gäubodenmuseum ausgestellt. Im Bild eine Kopfschutzplatte für Pferde. Auf dem Mittelstück ist Mars, der römische Gott des Krieges, dargestellt, über ihm sitzt ein Adler mit ausgebreiteten Schwingen. Die durchbrochenen Kalotten sind Augenschutzkörbe. Der linke Seitenteil zeigt wiederum Mars, der rechte Victoria, die Göttin des Sieges. Das Stück ist ziemlich beschädigt, weil das Blech nur 0,6 mm dick ist!
Bild oben rechts: Auch aus dem Römerschatz stammt diese Gesichtsmaske einer Paraderüstung.

machte die Bürger nicht städtischer. Aber deren offene Augen und Ohren ließen sie aufmerksam sein für das, was in der katholischen Welt geschah. Am Anfang des 15. Jahrhunderts hatte die Lehre des Jan Hus so zahlreiche Anhänger gefunden, daß die Geistlichkeit ein Interdictum erwirken mußte. Die Straubinger waren nicht leicht zu gängeln. So standen auch in der Reformationszeit viele Familien der Lehre Luthers aufgeschlossen gegenüber. Sie wurden

schließlich vor die Wahl gestellt, sich belehren zu lassen oder in ein lutherisches Land auszuwandern.

Ulrich Schmidl, der dreimal Bürgermeister war, wanderte weit ans andere Ende der Welt. Er schloß sich der Expedition des Spaniers Mendoza zum Rio de la Plata an, reiste 18 Jahre lang in Brasilien und Argentinien, war Mitbegründer der Stadt Buenos Aires, beerbte, mittellos heimgekehrt, seinen guten Onkel, konnte in Straubing nicht bleiben und kaufte für seine alten Tage ein verlassenes altes Judenhaus in der freien Reichsstadt Regensburg, um aufzuschreiben, was er von Südamerika wußte. Ein Waisenmädchen, das er lutherisch hatte erziehen lassen, blieb bei ihm. 1581 starb er, hoch in den siebzig. Ein schöner Lebenslauf.

Straubing mußte sich's gefallen lassen, ein paarmal kräftig gebeutelt zu werden. 1633 standen die Schweden in zehnfacher Übermacht vor der Stadt. Da half kein Heldenmut. Ein Jahr darauf brach die Pest aus und zog im nächsten Jahr weiter. Im Spanischen Erbfolgekrieg kam die Stadt an Österreich. Damals gelobten die Straubinger, wenn die Sache glimpflich ausgehen sollte, ein Dankeszeichen zu setzen, die Dreifaltigkeitssäule, die seit 1709 auf dem langen Markt steht.

Ein großer Brand vernichtete 1780 viele Häuser. Aber in ruhigen Zeiten waren die Bürger immer wieder bemüht, Altes, das zu verfallen drohte, schöner zu machen, im neuen Stil ihre Kirchen zu schmücken. Das Ergebnis war barock dekorierte Gotik, oft ohne Feingefühl und ein bißchen zu viel auf einmal, zuweilen aber von großem Kunstwert, der das nachbarliche weniger Gute vergessen läßt. Im Guten uneinheitlich, das heißt abwechslungsreich, sind die Häuserzeilen. Alles ist da vom Spätmittelalter bis zum Klassizismus.

Merkantil Unvermeidliches stört das Bild. Gemeint sind die Firmenschriften. Sie sollen nicht altertümlich sein, nur besser. Aber das sind Mängel, die anderswo auch zu finden sind.

Die Stadt am Wasser

Wasser ist der billigste Frächter. Flußauf ist es mühsam. Doch wenn die Strömung nicht gar zu ungnädig ist, schafft ein Pferd auf dem Treidelpfad das Sechsfache dessen, was es als Wagen ziehen könnte.

Vom Wasser in dreierlei Form soll die Rede sein, vom schiffbaren Fluß, vom See und vom Meer. Jedes der drei Wasser hat seine bestimmte Wirkung auf die Stadt, die ihm zugewachsen ist; und diese wirkt auf den Menschen, subjektiv, wie sich denken läßt, anders auf den Bürger der Stadt, anders auf den Gast. Wenn er Schiffe auf dem Bodensee oder im Flußhafen zu sehen gewohnt ist, wird ihn der Meerhafen überraschen. Mehr noch wird der Älpler verwundert sein, daß für ihn die wie schwebend ruhenden Schiffe und Boote Teil der Stadtarchitektur sind, so sehr, daß ihm Werte oder Mängel der Bauten zweitrangig scheinen. Nicht die Giebel der Häuserzeilen lassen ihn aufmerken, sondern die Läden und was es da zu kaufen gibt, lauter sehr spezielle Dinge, ohne die Seefahrt schlechterdings unmöglich wäre.

Im Hafen der Weltstadt war ihm zu viel Maschinerie, zu wenig sichtbares Wasser, zuviel Organisation, Schiffe wie Elefanten.

Der Kleinstadthafen, der seiner Stadt beim Wachsen nicht hat helfen können, tut so, als sei er ein ungemein glücklicher Versager.

Im Bild links die Stadt Passau.

Husum

»Am grauen Strand, am grauen Meer«

Novemberstimmung war es, die Theodor Storm das Gedicht hat schreiben lassen, das mit der Zeile »Du graue Stadt am Meer« endet; und zwei Generationen Schullesebücher sind schuld, daß die Stadt dies Attribut hat, das sie verdächtigt, das ganze Jahr über grau zu sein. (Schließlich, was ist schon grau? Regensburg ist oft neblig, und Salzburg ist es manchmal und ist trotzdem unvergleichlich.)

Das Zitat kennzeichnet die Stadt ebensowenig wie ihren berühmten Sohn, der, zugegeben, oft lyrisch verhangen, melancholisch, altersängstlich sich geäußert hat, der gleichermaßen glückhaft und glückswidrig so sorgsam das Idyll seiner Häuslichkeit ausgemalt hat, um Beklemmendes zu verdecken: den nur oberflächlich zivilisierten Wikinger mit seiner das Herz rührenden Leidenschaft für alles, was jung war.

Das hat mit Husum zu tun. Der Dichter spiegelt seine Stadt, die Landschaft, die Marschen, das Wattenmeer und den Sinnenreiz, der von all dem ausgeht, liebevoll sein Leben lang. Das Wort »grau« ist da nur ganz beiläufig brauchbar.

Die Entwicklung des Dorfes Husum zum guten Nordseehafen begann nach dem Untergang von Stadt und Hafen Rungholt im Jahr 1362. Die Katastrophe ist so lang her und in all der vielen Zeit von einer sagenhaften Kruste umgeben worden mit allerhand Spökenkiekereien, so erzählt man sich beispielsweise, daß die Fischer westlich der großen Insel Nordstrand an manchem hellen Tag in der Mittagsflaute tief unten im blaugrünen Dämmer die goldenen Wetterhähne auf den Giebeln und Türmen der untergegangenen Stadt blitzen sähen; und wenn dem Schiffer in seiner Koje die Glocken von Rungholt in den Mittagsschlaf hineinläuten, so heißt es, bedeute das nichts Gutes.

Die Geschichten über den Untergang der reichen Stadt Rungholt, die fromme Chroniken überliefert haben, sind besonders schaurig, wenn die Sturmflut als Gottes Strafgericht dargestellt wird. Sowie er auf Sodom und Gomorrha habe Schwefel und Feuer regnen lassen, so sei die Sturmflut die Strafe gewesen für Übermut und Lasterhaftigkeit der Leute von Rungholt im Reichtum, weil nämlich die Männer den Pfarrer hatten zwingen wollen, einer kranken Sau das Abendmahl zu spenden.

Man kann sich vorstellen, wie grimmig die Geschichte klingt, wenn ein phantasievoller Friese sie in seiner Mundart erzählt; wie denen die Augen aufgegangen sein müssen, weil Gott ihnen den Bierulk – nichts weiter als das war's ja – so übelgenommen hat, daß er alles, was es an Wasser gab, hat kommen lassen, über die Häuser, die Schiffe aus aller Welt im Hafen, die struppigen blauäugigen Seehelden, die kolossalen Kaufherren und ihre burschikos hochragenden Blondinen.

Storm hat in der Novelle »Halligfahrt« über Rungholt geschrieben, kurz allerdings; es ging ihm, dem jungen Rechtsanwalt, mehr um das Mädchen Susanne.

Die Katastrophe von Rungholt und spätere Fluten veränderten die Schiffahrtswege. Im Süden der Insel Nordstrand entstand eine tiefe Rinne, die heute Süderheverstrom heißt, eine gute Zufahrt zur Mündung des Flüßchens

Mühlenau. Ihr ist es zuzuschreiben, daß Husum sich anschicken konnte, wohlhabend zu werden. Im Jahr 1465 erhielt der Flecken Marktrecht, obwohl er erst seit ein paar Jahrzehnten eine eigene Kirche hatte.

In den Jahren 1577–1582 ließ sich der Gottorfer Herzog Adolf am Nordrand Husums ein Schloß bauen, dreiflügelige Renaissance; und um für den ihm freundlich gesinnten nachbarlichen Markt etwas Gutes zu tun, erhob er Husum 1603 zur Stadt.

Das Schloß wurde meist von herzoglichen Witwen bewohnt; zuweilen stand es leer. Um 1750 wurden die Seitenflügel abgetragen; und die Gärtner, die sich um den Schloßpark hätten kümmern sollen, waren wohl manchmal zu eigensinnig deutsch, um herzoglich gottorfisches Eigentum zu pflegen, das letztlich dem dänischen König unterstand.

Am Anfang der Novelle »Aquis submersus« beschreibt Storm den »seit Menschengedenken ganz vernachlässigten Schloßgarten«, wie er ihm seit der Knabenzeit (um 1830) in Erinnerung war: französisch angelegte Hagebuchenhekken, die zu dünnen Alleen ausgewachsen waren, in deren dürftigem Schatten der Weg an einem ausgetrockneten Fischteich vorbei auf den »Berg« führte mit »weitester« Aussicht nach Westen über die Marschen, das Watt bis zum dünnen Schatten von Nordstrand.

Husum ist nicht nur Theodor Storms »graue Stadt am Meer«, sondern auch der Heimatort des nordischen Architekten des Klassizismus. Christian Friedrich Hansen. Er baute in Husum an der Stelle einer bedeutenden spätgotischen Kirche eine klassizistische Predigtkirche.

Was vom Schloß heute noch steht, ist dezent restauriert. Eine Zimmerflucht ist museal eingerichtet; einige Säle und Gänge dienen wechselnden Ausstellungen. Neben dem Eingang zum Park steht an der Schloßstraße das schönste Haus von Husum, das Cornilssche Haus, ehemals zum Schloßkomplex gehörend, ein kühles klares Werk der Spätrenaissance (1612), mit Giebel an allen vier Seiten, innen wie außen in hervorragendem Zustand.

Der Schloßpark ist heute zwar nicht französisch frisiert, aber einladend ordentlich; überraschend die reiche Krokusblüte in der Osterzeit. Selbstverständlich steht im Park das Theodor-Storm-Denkmal.

Wer einmal Storm gelesen hat, muß in Husum oft an ihn denken; denn was sich im Land, in den Häusern, den Menschenschicksalen als Geschichte eingezeichnet hat, spiegelt, verdichtet sich in Storms Dichtung.

Was mit Schleswig geschah, war nicht welterschütternd. Die dänischen Maßnahmen waren erträglich. Immerhin: 1853 verlor der junge Storm sein Anwaltspatent, weil er gegen die Dänen für die Erhebung der Elbherzöge eingetreten war, und mußte ins »preußische Exil« gehen. Als dann (1864) Preußen, unterstützt von 19000 Österreichern, daran ging, die territorialen Verhältnisse endlich zu klären, konnte der Dichter sogleich in seine »graue Stadt« heimkehren, wurde Landvogt, Amtsrichter, zuletzt (1879) Amtsgerichtsrat.

Sein Geburtshaus am Markt ist nicht zu verfehlen; denn am Nachbarn zur Linken steht in albern großen Buchstaben »Storm-Cafe«, darunter »Restaurant, Grill, Tschibo«. Storms Wohnhaus an der Wasserreihe, nahe dem Binnenhafen, macht in dezenter Umgebung ein freundlicheres Gesicht.

Gut erhaltene oder stilsicher restaurierte Bürgerhäuser sind in Husum nicht zahlreich. Ein paar schöne Giebel in der den Markt verlängernden Großstraße verdienen Beachtung, besonders das Haus Nr. 18.

Das Rathaus (Großstraße, Ecke Schloßgang) hat seine alte Fassade von 1601 eingebüßt, und man weiß nicht recht warum. Auch die alte Pfarrkirche ist abgebrochen worden. Der stattliche klassizistische Ersatz (um 1830) ist architekturhistorisch nicht gerade wertvoll, aber doch gut im Vergleich zu späterem Neuen, als besonders um die Jahrhundertwende Backstein und historischer Stuck unsicher durcheinandergemischt wurden. Dazwischen erfreuliche Beispiele, ländliche Bauten, denen anzusehen ist, wie sehr Bauherr und Baumeister bemüht waren, ohne Altertümelei im überkommenen Maßstab zu bleiben. Wie anderswo

auch, gibt es kleine und große Bausünder, und es war in Husum doch nicht ganz so, wie Storms »Knecht Ruprecht« gedacht hat von dieser Stadt, »wo's eitel gute Kinder hat«.

Zur moralisch-ästhetischen Erbauung sei das Freilichtmuseum Ostenfelder Haus (nahe dem Friedhof am Totengang in der alten Neustadt) empfohlen und für denjenigen, der Interesse an der Landschaft und Kultur Nordfrieslands hat, das Nordfriesische Heimatmuseum in der Herzog-Adolf-Straße.

Was die Landschaft angeht, ist man versucht, mit Knecht Ruprecht zu fragen »Sind's gute Kind, sind's böse Kind?«, die mit ihren Deichbauprojekten die Marschen austrocknen wollen und damit die Ökologie der Salzwiesen durcheinanderbringen.

Kappeln

und die kleinste deutsche Stadt Arnis

An der ersten Engstelle der Schlei, fünf Kilometer (oder besser knappe drei Meilen) von der Ostsee her, stand seit dem 14. Jahrhundert zur Rechten (das heißt steuerbords), auf dem Hügel über einem Fischerhafen die Kapelle St. Nikolaus. Sie muß wohl zuerst dagewesen sein, denn die Siedlung, die sich hier langsam, aber stetig entwickelte, hat durch sie den Namen Kappeln bekommen.

Gegen Ende des 18. Jahrhunderts war die Kapelle zu klein geworden, vielleicht auch, mehrmals repariert, baufällig. Der Kammerherr von Rumohr auf Roest ergriff 1774 die Initiative und besprach sich mit dem Schleswiger Landbaumeister Rosenberg, zog den prominenten Altonaer Architekten Ernst Georg Sonnin zu Rate, den Meister der schönen Kirche von Wilster. Sonnin empfahl seinen ehemaligen Schüler, den Landbaumeister Johann Adam Richter. Der 1789 begonnene Bau war nach vier Jahren vollendet, eine Backsteinkirche im abgeklärt nördlichen Barock, der schon an den Klassizismus denken läßt. Der kräftige Turm hat einen schön gegliederten Helm mit offenem Glockenstuhl und einer weithin über Land und Meer sichtbaren Spitze. Der Innenraum, hell und mit viel weißgestrichenem Holz, überrascht durch die protestantisch zivilen Maße der umlaufenden Emporenarkade und durch den Altar. Zwischen den über beide Geschosse gehenden Pilasterpaaren wie in einem Guckkasten eine kleine Abendmahlsszene; darüber das bauchige Schwalbennest für den Prediger und noch einmal darüber, in strenger Symmetrie in die Wölbung der Decke hineinragend, die Orgel, die braun und golden und schwungvoll umrahmt am meisten noch dem Barock zugetan ist.

Bild oben links: Ein Bürgerhaus in Kappeln.
Bild oben rechts: Der Kirchhof von Arnis mit der Fachwerknordwand des Kirchleins.
Bild unten: Die Lindenallee ist die einzige Straße des kleinen Städtchens Arnis.

Die Kirche ist zu Kappelns bester Zeit entstanden. Nicht nur die Fischerei blühte, auch die Handelsschiffahrt brachte Leben und Gewinn in das kleine Gemeinwesen, das sich seit 1870 Stadt nennen darf.

Um die Kirche ist ein alter Stadtkern erhalten. Auch die Schmiedestraße, die sich zur Einkaufsstraße verändert hat, zeigt noch einige alte Gesichter, Fachwerk, eingeschossig mit hohem Giebel. Was dazwischen neu ist, wirkt jugendlich, unbesonnen und vergröbert durch schlechte Ladenschriften. Besuchenswert ist der Friedhof an der Schmiedestraße, von der er durch die Kapelle und die ihr anschließende Tormauer geschieden ist, ein sanft abfallender Hang, baumbestanden und sehr still.

Seit dem Ende des 19. Jahrhunderts entwickelte sich Kappeln mehr als zuvor zum ländlichen Markt, den Blick nicht mehr ausschließlich aufs Wasser gerichtet. Dies war für viele kleine Seehäfen, die an der Handelsschiffahrt nicht mehr so wie früher teilhatten, ein Ausweg. Denn je größer die Schiffe wurden, umso weniger paßten zu ihnen die kleinen Häfen.

Aber Kappeln kam nicht um, dazu war die Verkehrslage zu günstig. Drei Straßen treffen hier aufeinander, die von Schleswig und die um das Bauernland Angeln herumführende Straße nach Flensburg. Und über die Drehbrücke geht es südostwärts nach Eckernförde.

Westlich der Stadt, an der Straße nach Schleswig, liegt das Herrenhaus Roest: das Haupthaus, ein Backstein-Giebelbau von 1590, zur Linken ein neuerer Trakt mit Schweifgiebel; ein malerisches Ensemble.

Auf Roest saß um 1660 ein grimmiger Herr, dem wollten die Arbeiter aus Kappeln den Untertaneneid nicht schwören, und sie baten den Schleswiger Herzog Christian Albrecht, ihnen zu helfen. 64 Familien zogen 1667 auf die ihnen vom Herzog zugewiesene Halbinsel Arnis, bauten ihrem hohen Rücken entlang eine Straße und links und rechts ein Haus ans andere, eingeschossig mit dem Giebel zur Straße, aus der sie eine Lindenallee machten. Ähnlich dem Haus Nr. 13 mögen um 1700 die meisten Häuser ausgesehen haben, Fachwerk, schwarz und weiß, sparsam im Holz und mit nach außen schlagenden Fenstern.

Die Arniser Siedler bekamen bald Zugang, Fischer, Schiffer, auch Handwerker, besonders Schiffszimmerleute waren willkommen. Drei Werften wurden eröffnet. Die Gründung des Herzogs gedieh. Zeitweilig, so heißt es, sei Arnis die reichste der kleinen Gemeinden an der Schlei gewesen. Die ziemlich gerade einzige Straße macht am Südende einen Knick und führt hinauf zur höchsten Stelle der Halbinsel. Hier bauten die Arniser ihre Kirche, halb aus Stein, halb Fachwerk und mit einem hölzernen Turm, sicher vor 1700 vollendet, aber einige Male verändert. In der Nordwand ist der ursprüngliche Zustand erhalten. Die Kanzel ist, ihren Reliefs nach zu schließen, älter als die Kirche. Wo sie herstammt, ist nicht überliefert.

Wie in vielen Seefahrerkirchen hängen auch hier Votivschiffe von der Decke, darunter das Modell des Linienschiffes »Christian VIII.«, das 1848 vor Eckernförde explodierte.

Der Kirchhof auf dem Hügel ist romantisch verwachsen; es ist der stillste Ort im stillen Arnis, in dem manchmal von den Werften das Schlagen auf Eisen zu hören ist. Aber das kann den Sommerfrieden nicht stören.

Arnis mit seiner einzigen, kaum 800 Meter langen Straße ist 1934 zur Stadt »erhöht« worden. Mit 650 Einwohnern ist sie die kleinste unter den deutschen Städten; die eigenartigste ist sie obendrein, ein versonnener Ort zum Ferienmachen, zum Segeln, Windsurfen und Faulenzen.

Wer Arnis kennengelernt hat, wird Mühe haben, sich vorzustellen, wie das im Jahr 1864 gewesen sein mag: ein Ereignis, das ein paar Zeilen in der Kriegschronik ausmacht, als die Preußen, unterstützt von den Österreichern, den Schleswig-Holsteinern zuliebe gegen die Dänen zogen. Die Österreicher marschierten auf das Danewerk westlich von Schleswig zu. Die Preußen versuchten den Übergang bei Missunde an der dritten, westlichsten Engstelle über die Schlei. Dies gelang nicht. Sie bauten danach, ungestört, eine Pontonbrücke vom Ostufer der Arniser Enge über die Schlei ans untere Ende der Halbinsel. 30000 Mann marschierten dann die Lindenallee hinauf und weiter den Dänen entgegen.

Lindau

Inselstadt im Bodensee

Der Stadtplan der Inselstadt stellt den Idealfall eines natürlich gewachsenen Gemeinwesens dar. Alles liegt und steht richtig: die nicht allzusehr dominierende Achse, die heute dem Fußgänger reservierte Hauptstraße und um sie herum die zwanglos recht- und schiefwinklig angelegten Gassen, der kirchliche und ehemals klösterliche Bereich, das alte Rathaus zwischen zwei Plätzen, die Häfen, auch die Einrichtungen der Gegenwart: Kaserne, Bahndamm und Bahnhof, sogar die Spielbank vor dem Wall an der landnächsten Ostecke der Insel.

Rundum Wasser kann Weite bedeuten, Offensein nach allen Seiten oder Schutz in räumlicher Begrenzung, in Distanz zu einer Umgebung, die manchmal wohlgesonnen, gleichgültig, auch feindlich sein kann.

Auf der linden Au siedelten seit alters Fischerbauern. Im 9. Jahrhundert beschlossen fromme Frauen, hier klösterlich nach der Regel des hl. Benedikt zu leben. Bald nach der Gründung wurde das Kloster zur Reichsabtei erhoben und war somit beides, eine geistliche und eine staatspolitische Institution.

Das hochadlige Stift Lindau wirtschaftete gut, zog Siedler an, Bauern und Handwerker, konnte durch Stiftungen Grundbesitz auf dem festen Land erwerben und wurde, gerade weil es nach dem Armutsgebot lebte, reich.

Im 12. Jahrhundert war die Siedlung so angewachsen, daß ihr die Marktrechte des benachbarten Äschach übertragen wurden. Der Wall und die alte »Heidenmauer« an der Ostseite der Insel wurden ausgebaut; und im 13. Jahrhundert erhielt Lindau die Rechte der Freien Stadt.

Dadurch entstanden Spannungen, Streit über die Verfassung, die Bürgerrrechte. Schutz- und Trutzbündnisse gegen mißgünstige Nachbarn mußten geschlossen werden; und in dem dann beruhigenden Gleichgewicht wuchs Lindau als Handelsplatz und wohlhabende Bürgerstadt.

Das alte Rathaus von Lindau fällt durch seinen zierlichen Stufengiebel mit den Voluten auf. Die Inschrift im Zentrum lautet übersetzt: »Nur Gott die Ehre«. Die Inschrift bei der Ratslaube erinnert: »Lasset ab vom Bösen und lernet Gutes tun.«

Es gibt in der Stadt kein Bauwerk, das unverändert die Zeit überstanden hat. Die älteste Stadtkirche St. Peter war schon vor der Erhebung zur Stadt zu klein. Im 14. Jahrhundert wurde der Chor verändert und noch vor 1500 die ganze Kirche umgestaltet. Auch dabei blieb es nicht, nachdem Lindau 1522 evangelisch geworden war. Letzte Veränderungen erfuhr der Innenraum um 1780.

Die Frauenstiftskirche St. Maria, ein Bau aus dem 12. Jahrhundert, wurde nach dem Stadtbrand 1728 von Johann Caspar Bagnano, dem Baumeister des Deutschen Ritterordens, neu errichtet, barock, schlicht und ohne den Ehrgeiz großer Repräsentation. St. Maria ist eine katholische Pfarrkirche, seit evangelische Prediger St. Peter für ihren Glauben beansprucht haben. Die Glaubenskriege wirkten sich für Lindau nicht zerstörerisch aus. Die Stiftsdamen waren wohl verängstigt, sie wurden aber von der evangelischen Stadt respektiert. Einfluß wie früher hatten sie nicht mehr in so hohem Maße.

Der alte Stiftsbau wurde 1736 neu aufgeführt. Heute beherbergt er das Landratsamt und das Amtsgericht.

Lindau hat nah beisammen zwei Rathäuser, das alte, 1436 erbaut, wurde durch die Veränderungen im 16. Jahrhundert ganz besonders reizvoll. Der Stufengiebel ist mit kleinen Voluten verziert. Eine gedeckte Treppe führt zum breiten Erker des Obergeschosses und ist mit Bildern geschmückt, die an die Zehn Gebote erinnern. Eine Inschrift »Lasset ab vom Bösen und lernet Gutes tun« stammt noch aus der Zeit, als im Erdgeschoß die Übeltäter eingesperrt wurden. Das neue Rathaus ist ein breiter Barockbau von 1717, renoviert um 1880.

Am Marktplatz steht das Haus »Zum Cavazzen«, 1729 erbaut und wahrscheinlich nach einem früheren Grundeigentümer benannt. Kenner sagen, es sei das schönste Haus am Bodensee. Es ist aber durchaus wahrscheinlich, daß die barocke Bemalung mit Fabelwesen und Damen, die aus Schnörkeln herauswachsen, nicht jedem gefällt. Aber originell ist das Haus »Zum Cavazzen« allemal. Auf einem Wappen ist ein Maulkorb (italienisch cavazzo) zu sehen, das Zeichen für die lombardischen Pfandleiher.

Die Säkularisation war für die Betroffenen schmerzlich; zerstört wurde nichts. Stift und Stadt kamen 1803 an den Fürsten Karl August von Bretzenheim, und dieser tauschte beides gegen ungarische Güter an Österreich. 1805 kam Lindau an Bayern.

Die letzte Äbtissin des Stifts, Friederike Gräfin von Bretzenheim, säkularisierte sich selbst. Sie heiratete den jungen Grafen von Westerhold und verschwand schließlich aus der Stadt.

Meersburg

Annettes Zuflucht

Wenn der Dagobertsturm seinen Namen zu Recht trägt, dann war einer der »entarteten« Merowinger im 7. Jahrhundert Gründer der Meersburg, die um 730 von Karl Martell bewohnt worden sein soll. Urkundlich ist die Burg seit 988 als Merdesbusch, ein Name, der besser zu einem Fischerdorf paßte.

Ausgewiesen war die Burg seit 1211 als Eigentum des Hochstifts Konstanz. Sie wurde bald zum Marktflecken und erhielt 1299 Stadtrecht. Doch dies wurde nicht so gehandhabt, wie die Meersburger sich's vorgestellt hatten. Sie stritten, sie kämpften gegen die Bischöfe ein und ein halbes Jahrhundert und hatten zum Schluß die Rechte der Versammlung und der Ratswahl verloren. Das wurde erst anders, als die Stadt 1802 an Baden kam.

Die Burg wurde bis ins 18. Jahrhundert hinein umgebaut und erweitert. Es ist alles da, vom gotischen Stufengiebel auf Dagoberts Turm bis zum noblen barocken Treppenhaus und dem Stuck in einigen Wohnräumen. Um 1510 waren Torbau und Bastionen mit Rundtürmen vollendet; eine sichere Burg, ausreichend geräumig, als Bischof Hugo von Hohenlandenburg 1526, von der Reformation aus Konstanz vertrieben, den Sitz des Bistums nach Meersburg verlegen mußte. Nachdem die katholisch gebliebenen Stände die Rückkehr des Bischofs durchgesetzt hatten, blieb Meersburg zweite Residenz.

Die Bürgerschaft fühlte sich nicht frei, und die Stadtverwaltung war in allem ans Domkapitel gebunden. Aber davon abgesehen entwickelte sich die Stadt. Jedes Fleckchen des

steilen Geländes war bald bebaut mit meist kleinen Häusern, die aufs reizvollste verschachtelt, nur winkelige Gassen und Treppchen erlaubten. Viel Fachwerk ist für die Bürgerhäuser heute noch charakteristisch. Am Hafen stand schon 1505 die »Greth«, wie das Speicherhaus im Volksmund heißt; schon durch seine Maße läßt es auf einen regen Warenumschlag vom Wasser aufs Land und umgekehrt schließen. Der Mauerring war geschlossen; von ihm sind der Kugelwehrturm und das Obertor erhalten. Die Pfarrkirche und die Unterstadtkapelle waren um die Zeit noch recht mittelalterlich, und das Rathaus von 1551 war eher behaglich denn repräsentativ.

Bald nach 1700 wurde der Bau des neuen bischöflichen Schlosses begonnen und unter dem Fürstbischof Damian Hugo von Schönborn 1744 vollendet. Das Geschlecht der Grafen und späteren Fürsten Schönborn war, wie die Chronik es ausdrückt, »vom Bauwurmb besessen« und so auch der Bischof, der im evangelischen Konstanz dazu wenig Gelegenheit hatte.

Johann Balthasar Neumann, Artillerie-Ingenieur und Baumeister, war seit 1719 fürstbischöflicher Baudirektor von Würzburg und mehr als drei Jahrzehnte lang entwerfend und beratend bei allen Bauvorhaben der Schönborns, Schlösser, Kirchen und Festungsanlagen.

Auch für Meersburg gab er dem leitenden Architekten Johann Georg Stahl aus Bruchsal Anweisungen für die neue Residenz. Bald nach der Fertigstellung mußte das Treppenhaus abgebrochen und verändert neu gebaut werden. Bemerkenswert ist die dreigeschossige Schloßkapelle im westlichen Eckpavillon. Ihre Ausstattung stammt von dem Wessobrunner Joseph Anton Feichtmayr.

Meersburg und die Residenz haben die Kriege des 18. Jahrhunderts gut überstanden, und auch die Säkularisation hat keinen Schaden angerichtet. 1806 kam Meersburg an Baden. Der Bischofssitz Konstanz wurde nach Freiburg verlegt. Die alte Meersburg, seit 1802 badischer Staatsbesitz, wurde 1838 vom Freiherrn Joseph von Laßberg erworben.

Im Jahr 1841 kam aus dem fernen flachen Münsterland Annette von Droste-Hülshoff, die Schwägerin des Herrn von Laßberg, auf die Meersburg und lebte hier in liebevoll von ihrer Schwester eingerichteten Zimmern mit dem Ausblick in eine Weite, die ihr ganz neue Stimmungen, neue Worte eingab, melancholische Liebeserklärungen an ein Leben in Wind und Erregung, von dem sie ahnte, daß sie es gar nicht ertragen könnte, wenn es ihr so beschieden wäre, wie sie es dichtend erträumte.

Überall ist Bodenseestimmung, Bodenseelandschaft, Wind, auch Sturm. Die Vergleiche stolpern ein bißchen »und laß gleich einer Mänade den Sturm mir wühlen im flatternden Haare!«

Sie will mit ihm, dem Sturm, »auf Tod und Leben dann ringen!« Sie wünscht, ein Jäger zu sein, »ein Stück nur von einem Soldaten«, ach, sie ist sehr durcheinander.

> »Nun muß ich sitzen so fein und klar,
> Gleich einem artigen Kinde,
> Und darf nur heimlich lösen mein Haar
> Und lassen es flattern im Winde!«

Kritiker rümpften die Nase, sagten: Zuviel Spekulation, zu wenig Gedicht. Aber dann gelingen ihr Zeilen wie in dem Gedicht »Durchwachte Nacht« für die Strophe, in der um vier Uhr früh der im Dunst gelb werdende Mond untergeht:

> »Die unerfreulich graue Dämmrung quillt,
> Verloschen ist des Flieders Taugefunkel,
> Verrostet steht des Mondes Silberschild,
> Im Walde gleitet ängstliches Gemunkel,
> Und meine Schwalbe an des Frieses Saum
> zirpt leise, leise auf in schwerem Traum.«

Herr von Laßberg war Germanist. In seinem Dienst stand der junge Bibliothekar Levin Schücking, dem Annette, die um vierzehn Jahre ältere, wehmütige Zeilen gewidmet hat. Sie wäre so gern ganz aus sich herausgegangen.

Man kann für all das selbstverständlich Meersburg verantwortlich machen und sagen, daheim auf dem Witwensitz ihrer Mutter wäre das nicht geschehen; aber dann hätte die Dichterin etwas versäumt. Es komme immer eins zum andern, und es sei eben gefährlich, über den Bodensee zu reiten. Es war Meersburg, die Landschaft im Wind, der See, der die spätsommerliche Sonne reflektierend noch einmal die Rebenhänge bestrahlen läßt und die Dichterin zu diesen Zeilen inspirierte.

Es gibt Leute, die sagen, der Bodenseewein sei zu herb. Zweifellos sind das Weinkenner, aber noch keine Bodenseekenner. Wer den Wein zwei Ferienwochen lang getrunken hat, wird sich aufs bekömmlichste an ihn gewöhnt haben.

Passau

Fürsten- und Bürgerstadt

Die Donau, nicht so blau wie früher einmal, nimmt zu ihrer Rechten das merklich hellere, mehr gleitende als fließende Wasser des Inn auf, zur Linken die dunkelmoorige Ilz aus dem Bayerischen Wald. Donau und Inn sind schiffbar, die Ilz ist immerhin zum Flößen gut. Straßen kommen aus Bayern und Österreich, und der Goldene Steig aus Böhmen. Was für ein Platz für eine Stadt, eine Stadt mit allen Voraussetzungen zum Handelszentrum mit Flußhafen, zur Bürgerstadt, zum weltlichen oder geistlichen Fürstensitz, zur strategisch wichtigen Grenzfestung!

Freie Wahl erlaubt die Geschichte nur selten. Passau konnte nur werden, was das Für- und Gegeneinander von Kräften und Strebungen zugelassen hat.

Als die Welt noch leer war, als die Flüsse noch nicht als Grenzen zwischen Verwaltungsbezirken oder Provinzen gebraucht wurden, saßen auf dem länglichen Urgesteinsklotz zwischen Donau und Inn keltische Bojer. Sie hatten wahrscheinlich nicht den Ehrgeiz zu herrschen oder, was Kelten ohnedies selten taten, einen Staat zu gründen; sie wollten nur sicher sein. Bojotro nannten sie ihre Siedlung.

Im Jahr 15 v. Chr. kamen Römer, vertrieben die Bojer und schleiften das oppidum boiodurum, das dem lateinischen Wortsinn gemäß ein befestigter Platz gewesen sein muß. Ihr erstes Lager schlugen sie aber auf dem rechten Innufer auf, wahrscheinlich weil die Kohorte der Provinz Noricum zugewiesen war.

In dem für die Römer unsicheren 3. Jahrhundert entstand das Lager auf dem sicheren Hügel. Es hieß Castra Batava. Daraus könnte der Name Passau geworden sein; doch ganz schlüssig ist das nicht.

St. Severinus, Bußprediger und Beschützer der römischen Bewohner in den verfallenden Donauprovinzen, baute um 450 beim ersten Römerlager ein Kirchlein und ein Gehäuse, aus dem im 6. Jahrhundert ein Kloster wurde.

Bajuwaren, die Ahnherren der Bayern, kamen ins alte Raetien, siedelten auf der Anhöhe zwischen Donau und Inn, auf der spätestens zu Beginn des 8. Jahrhunderts eine Kirche stand, die 739 von Bonifatius zur Bistumskirche erhoben wurde. Um 770 nahm sich der Herzog Tassilo, der glücklose Rivale Karls des Großen, des Bistums an. Im Schutz der agilolfingischen Niedernburg auf der Landspitze zwischen den beiden großen Flüssen entstand um 800 ein Frauenkloster mit der Kirche Heiligkreuz.

Die Urkunden reihen sich nicht lückenlos aneinander. 991 starb der im Nibelungenlied genannte Passauer Bischof Pilgrim, der ein radikaler Bekehrer gewesen sein soll. Um 1000, zu Ottos III. Zeit, hat das Bistum Passau die Markt-, Münz- und Zollrechte, Privilege, die dem Bischof nach Ansicht der Bürger nicht zustanden und die zu Spannungen führten.

Im Jahr 1010 war Gisela, Schwester Heinrichs II., Äbtissin des Stifts an der Niedernburg, das, zur Reichsabtei erhoben, »exemt« wurde und so nicht mehr dem Bischof unterstand. Die Folge: Spannungen zwischen dem Bistum und dem Stift Heiligkreuz. Gegen Ende des 12. Jahrhunderts war Wolfker von Erla Bischof. Ihm zu Ehren wurde der

Wolf Passaus Wappentier. An Erlas Hof wurde das Nibelungenlied aufgezeichnet. Walther von der Vogelweide war »cantor«. 1193 wurde dem Stift Heiligkreuz die Exemtion entzogen. Die Folge: neue Spannungen. 1217 wurde Passau zum Fürstbistum erhoben, der Bischof zum Reichsfürsten. Die Folge: große Spannungen mit der Bürgerschaft und mit dem niederen Adel.

Bild linke Seite: Der Arkadenhof im Innern der Veste Oberhaus in Passau, der Fluchtburg der Bischöfe vor der aufsässigen Bürgerschaft. Der Bau der Burg wurde 1219 in Angriff genommen; im 15. und 16. Jahrhundert gestaltete man die Anlage neu um. Im 17. Jahrhundert baute man ausgedehnte Verteidigungswerke hinzu, die den Stand der damaligen Kriegsbaukunst widerspiegeln.
Bild oben: Die Pfaffengasse in Passau.

1219 ließ Fürstbischof Ulrich II. an der Ilzmündung die Trutzburg Oberhaus bauen, nicht nur zum Zeichen seiner Erhöhung durch den Kaiser, sondern auch um gegebenenfalls eine Zuflucht vor den zuweilen aggressiven Bürgern zu haben. Der Fall trat dreimal ein: 1298, 1367 und 1482; auch zwischendurch war die Stimmung in der immer schöner, immer reicher werdenden Stadt ungut.

Auf der Landspitze zwischen Donau und Ilz war um 1350 die Wachburg Niederhaus gebaut worden. Sie wurde durch einen doppelten Wehrgang den Berghang hinauf mit Oberhaus verbunden. Der hohe Herr hatte das Mögliche zu seiner Sicherheit getan.

Die Bischöfe vererbten ihren Groll darüber, daß Passau nicht längst zum Erzstift erhoben war (was nie geschehen sollte), und die Bürger stöhnten unter dem kirchlichen Steuerdruck. Sie stöhnten übertrieben, denn die Stadt war wohlhabend geworden, und so mußten die Bürger Steuern zahlen, der Handelsherr wie der Handwerker, jeder nach seinem Format.

Die Flußschiffahrt brachte Gewinn, der Salzhandel mit Böhmen florierte; das Passauer Handwerk war angesehen, im besonderen die Schwertschmiede und die Graphittiegelmanufaktur. Überdies war die bischöfliche Hofhaltung auch für die Bürgerstadt belebend. Ein friedliches Nebeneinander war möglich. Um 1400 war der Güterumschlag in Passau auf dem Land wie zu Wasser dreimal so groß wie am ganzen Mittelrhein.

Der Raum zwischen Inn und Donau war längst zu eng geworden und im Westen begrenzt durch den Landbesitz des Augustiner-Chorherrenstifts St. Nikola (gegründet um 1070). Die Bürger konnten nicht anders als über die Flüsse ausweichen.

Die Innstadt war seit 1412 ummauert, und auch die Ilzstadt, Endpunkt des Goldenen Steiges nach Böhmen, war durch Mauern gesichert.

Die Unruhen des 16. Jahrhunderts waren in Passau glimpflich abgegangen. Die Stadt stand klug »über den Parteien«, daher war sie und nicht Regensburg im Jahr 1552 Tagungsort des Fürstenkongresses, auf dem der erste Vertrag zu einem künftigen Religionsfrieden entstand.

Die Passauer wären gar zu gern freie Reichsbürger geworden. Der Wunsch ging nicht in Erfüllung. Was sie in langen Kämpfen erreicht hatten, war wenigstens die kommunale Selbstverwaltung, die es ihnen erlaubte, ihre Stadt so zu gestalten, wie sie es wollten: das Rathaus auf dem zur Donau hin offenen Platz, den Salzstadel, das Zeughaus, die Wehranlagen gegen den Feind von außen wie von innen,

nicht zuletzt die vielen bemerkenswert guten Wohnhäuser. Deutlich ist im Stadtbild ein italienisch anmutender Akzent. Dies kommt daher, daß die vom Bistum bevorzugten italienischen Künstler – Carlo Lurago und Giovanni B. Carlone – gelegentlich auch von Bauherren aus dem Bürgertum und dem niederen Adel herangezogen wurden. Die Stellung des Bistums zum Herzogtum Bayern war oft gespannt. Das Diözesangebiet von Passau ging weit nach Österreich. So waren die politischen Kontakte zu Habsburg enger als die zum Haus Wittelsbach, das eifersüchtig feststellen mußte, daß alle Bischöfe seit 1598 entweder Habsburger Prinzen waren oder aus dem österreichischen Hochadel kamen. Das blieb so bis zur Säkularisation. 1662 und 1680 wurde Passau von Bränden heimgesucht. Was danach entstand, machte die Stadt noch schöner.

Bild linke Seite: Der Scheiblingsturm, ein Rundturm mit Kegeldach, erneuert 1481, am Innkai in Passau diente der Sicherung dieser Fluß-seite. Beherrschend im Bild steht die ehemalige Jesuitenkirche St. Michael. Sie erinnert in ihrem Äußeren an italienische Palazzi. Die Turmaufsätze sind auffallend bescheiden: Der Fürstbischof bestand beim Bau dieser Kirche (zweite Hälfte des 17. Jahrhunderts) darauf, daß der ebenfalls in italienischem Barock gehaltene Dom in seiner dominanten Rolle und in seiner Wirkung nicht beeinträchtigt wurde.
Bild oben: Schlachtengemälde im Museum der Veste Oberhaus in Passau: Die Bayern eröffnen 1741 mit der Einnahme von Passau den Österreichischen Erbfolgekrieg.

Im Jahr 1683, als die Türken vor Wien lagen, nahm Kaiser Leopold I. mit Hofstaat und diplomatischem Corps in Passau Quartier. Die Stadt war dem Kaiser in guter Erinnerung. Feierlich war er hier vor sieben Jahren mit der Pfalz-gräfin Eleonora vermählt worden.

In Passau war es, wo ein junger Edelmann Aufnahme in die Armee der Habsburger fand: Eugen Prinz von Savoyen, der für den Kaiser Leopold und danach für dessen Sohn Joseph I. so erfolgreich gegen die Türken und die nicht ganz so gefährlichen übrigen Feinde Habsburgs kämpfte.
Kaiser Leopold verehrte das Gnadenbild der Wallfahrtskirche auf dem Mariahilfberg über der Innstadt. Auf seinen Wunsch war »Maria hilf!« zum Schlachtruf gegen die Türken gewählt worden.
Letzte fürstliche Blüte erlebte Passau durch den Kardinal und Fürstbischof Joseph Graf von Auersperg 1783–1795. Er ließ sich vom Meister Hagenauer westlich der Burg Oberhaus den Sommersitz Freudenhain bauen, ein anmutiges Werk des frühen Klassizismus. Dies war das letzte fürstbischöfliche Ereignis. Dann kam die Säkularisation. Auf dem Domplatz steht, weil Passau ja nicht zu Österreich, sondern Bayern kam, der Wittelsbacher-Brunnen.

Schleswig

Fürstensitz und Musenhof

Die Schlei, der abwechslungsreich gewundene Meeresarm der Ostsee, reicht weit ins Land hinein, so weit, daß es von seinem westlichen Ende, wo heute die Stadt Schleswig liegt, kaum vier Stunden Fußweg sind bis nach Hollingstedt an der Treene, von wo der Wasserweg Treene-Eider zur Nordsee führt.

Damit ist ein Handelsweg bezeichnet, der schon um 800 die Franken mit den Wikingern bekanntgemacht hat.

Hafen an der Schlei war damals noch nicht Schleswig, sondern Haithabu am Südufer beim Haddebyer Noor, eine aufblühende, durch einen hohen Wall gesicherte Siedlung, für die der Erzbischof Ansgar um 850 die erste Kirche baute. Ihr Standort konnte durch Grabungen nicht entdeckt werden, die aber im übrigen erfolgreich waren: Wohnstätten, zahlreiche Gräber außerhalb der Umwallung und vier Gedenksteine mit Runen-Inschriften.

Weil Haithabu von der See her gefährdet war, gründete Kaiser Otto I. 948 das Bistum Schleswig am nördlichen Schlei-Ufer. Über Haithabu herrschten ums Jahr 1000 heidnische Dänenkönige, Harald Blauzahn und nach ihm Sven Gabelbart. Von letzterem stammt der einzige, noch am Ort des Gedenkens stehende Runenstein mit der Inschrift »Von Sven für Skarthe, seinen Gefolgsmann, der nach Westen gezogen war, dann aber gefallen ist bei Haithabu«.

Um 1050 plünderte der Norweger Harald der Harte die Siedlung, und im Jahr 1066 kamen Männer aus dem wendischen Liubeke (dem späteren Lübeck), töteten und zerstörten, was sie nicht fortschaffen konnten. Über Haithabu wuchs die Heide.

Um die Zeit stand im Bischofssitz Schleswig schon die erste Kirche aus Feldsteinen. Die Siedlung war zum Hafenmarkt gewachsen, und östlich von ihr, durch einen vom Mühlenbach abgeleiteten Graben getrennt, hatten sich Fischer angesiedelt. Die »Holmer Beliebung« heißt der bezaubernde Ort, dessen Anlage ohne Störung erhalten ist, wie sie inniger nicht gebaut werden konnte. An der rund um den kleinen Kirchhof führenden Straße reihen sich eingeschossige Häuser, aus Fachwerk oder Klinker, wie's kommt, traufseitig oder mit Giebelfront, mit Utluchten (kleinen Erkern) und mit Klöndören; das sind Türen, die um die Mitte horizontal geteilt sind, so, daß man, wenn man mag, nur die obere Hälfte aufmachen kann zum Lüften oder zum Klönen, wenn ein Nachbar vorbeikommt. Wo immer es zwischen zwei Fenstern möglich ist, sind Rosenstöcke gepflanzt und wachsen hochstämmig bis in Nasenhöhe.

Am Ende des 12. Jahrhunderts bauten die Benediktiner auf dem Holm östlich der Beliebung das Frauenkloster St. Johannis. Die Kirche scheint als Pfarrkirche schon bestanden zu haben, dem hl. Olaf geweiht, einem Wikinger, der, Christ geworden, ums Jahr 1000 gelebt hat.

Die Anlage ist gut erhalten. Wo nötig, kann sie mit geringem Aufwand restauriert werden. Die einschiffige Kirche ist, ohne den Anspruch zu repräsentieren, aus Tuff und Feldsteinen errichtet. Die Innenausstattung mit den Betzellen der Konventualinnen war geboten nach der Umwandlung des Klosters während der Reformation zu einem Damenstift. Der Turm ist unvollendet. 1487 hatte ein Brand das Dach der Wohnbauten und die Einrichtung zerstört. Die Nonnen waren mit »Brandbriefen« zum Sammeln ausgezogen. Einer der Briefe ist erhalten.

Um 1200 hatte Schleswig begonnen, seinen ersten Rang als Ostseehafen zu verlieren. Graf Adolf von Holstein hatte für seinen Oberherrn, Heinrich den Löwen, den wendischen Hafen Liubeke erobert. Das neue Lübeck wurde gegründet, allerdings nicht am selben Ort, sondern landeinwärts, wo die Wakenitz in die Trave mündet.

Zur Zeit des sogenannten Niedergangs der Stadt als Handelsplatz mit Beziehungen nach Flandern wie auch nach Nowgorod hatte Schleswig sieben Pfarrkirchen, ein bäuerliches Hinterland und war in keine kriegerischen Auseinandersetzungen verwickelt. Der älteste Bericht über den Dom (1134) weist auf eine dreischiffige Basilika ohne Wölbung, also mit einer flachen Holzdecke und mit einer halbrunden Apsis. Eine der sieben Pfarrkirchen war ein Bauwerk, das, stünde es noch, heute vielleicht ebensolche Beachtung genießen würde wie der Dom: der romanische Zentralbau St. Michael. Er stand zwischen der heutigen Michaelisstraße und dem Mühlenbach, wurde 1874 neuromanisch umgebaut und verdorben. Danach war er nicht mehr zu retten und mußte abgerissen werden. Teile der granitenen Bauornamentik bewahrt das Landesmuseum.

Um 1180 wurde der Beschluß gefaßt, den Dom zu einer gotischen Hallenkirche umzubauen. Vierung und Querschiff entsprechen noch der alten Basilika. Die Langhauspfeiler wurden mit Backstein ummauert, die romanische Apsis durch den gotischen Chor ersetzt. Der Umbau wurde mehrmals unterbrochen. Um 1270 waren wenigstens der Chor vollendet und das Langhaus eingewölbt.

Damals beschlossen die Herzöge von Schleswig, ihren Sitz Juriansburg auf der Möweninsel zu verlassen. Durch Tausch erwarben sie vom Bistum den letzten westlichen Zipfel der Schlei, den Burgsee mit der durch einen Graben im Norden und Osten vom Land getrennten Schloßinsel Gottorf. Der Herzogssitz wandelte sich mit den politischen Veränderungen der folgenden unruhigen Zeit. Im Jahr 1492 brannte er ab.

Große Pläne für den Neubau aber wurden erst gemacht, als das Schloß an Herzog Adolf, den Begründer der Schleswig-Gottorfschen Nebenlinie, gekommen war und in der Neujahrsnacht 1565 zum zweiten Mal abbrannte. Herzog Adolf war der Sohn Friedrichs I., des Königs von Dänemark und Herzogs von Schleswig-Holstein.

Blick von der Schlei auf die Stadt Schleswig. Das Bild wird vom riesigen Turm des Domes St. Peter bestimmt. Er entstand allerdings erst um 1890. Der Dom wurde vom 13. bis zum 15. Jahrhundert als gotische Halle auf einem kreuzförmigen romanischen Grundriß gebaut. Das Innere der Kirche beeindruckt durch die reiche Ausstattung.

Unter Adolfs Nachfolgern wurde Gottorf zum »Fürstensitz und Musenhof« und weit über die Grenzen des kleinen Staatswesens berühmt. Aus der ersten Phase des Wiederaufbaus sind der Nordflügel, der Treppenturm, der Hirschsaal und die Schloßkapelle erhalten.

Adolfs Urenkel Christian Albrecht träumte von einem größeren Schloß im neuen Stil des Barock. Er rief den königlich-schwedischen Hofbaumeister Nicodemus Tessin zum Plänemachen. Geldnot zwang zum Verschieben. Christian Albrecht war (1666) Gründer der Universität Kiel. Zu ihren Gunsten hob er die Lateinschule auf, die im

ehemaligen Kloster Bordesholm untergebracht war. Dort sah er zum ersten Mal den damals schon weitberühmten Flügelaltar des Hans Brüggemann. Aus Begeisterung für das große Kunstwerk der Spätgotik ließ er den Altar in den Schleswiger Dom überführen.

Nebenbei hatte Christian Albrecht den armen Flüchtlingen vom Herrenhaus Roest zur neuen Heimat Arnis verholfen. Er war somit indirekt der Gründer der kleinsten deutschen Stadt.

Bild linke Seite oben: Die Süderholmstraße in Schleswig. Auf dem Holm lag früher ein Fischerdorf, heute ist dort ein Stadtteil Schleswigs.
Bild linke Seite unten: Ein Fischerhaus auf dem Holm.
Bild oben: Das wichtigste Kunstwerk des Domes St. Peter in Schleswig ist der Bordesholmer Altar (1514–1521) von H. Brüggemann. Die fast 400 Figuren sind zu zwei großen und zwölf kleineren Szenen aus der Heilsgeschichte angeordnet. Die Gesamtkomposition dieses Schnitzaltars folgt Passionsdarstellungen von Dürer.

Christian Albrecht starb 1694. Sein Sohn Friedrich IV. und dessen Sohn Karl Friedrich wagten sich an den Schloßbau mit der 27 Fenster breiten Südfront nach den Plänen Tessins. Er war kaum vollendet, da kam Schleswig unter dänische Hoheit; und weil dem König die Freundschaft der Gottorfer mit dem Schweden nicht paßte, machte er das neue Schloß zum Sitz seines Stadthalters. Damit war die »Musenzeit« auf dem Fürstensitz vorbei.

In der Zeit der Gottorfer Herzöge war die Stadt Schleswig gewachsen. Am Verbindungsweg zwischen dem Dombereich und dem Schloß, an den Straßen Lollfuß – Stadtweg, war ein neues Viertel entstanden, Adelshöfe, Großbürgerhäuser, unter ihnen der schönste Bau, das sogenannte Präsidentenkloster, das von dem Gottorfer Kanzler von Kiel-

mannseck gestiftete Armenhaus, eingeschossig 1656 erbaut, breit und beruhigend in der Straßenfront mit ländlich barocker Portalarchitektur. Die Anhöhe Friedrichsberg, südlich vom Schloß, wurde im 17. Jahrhundert zum Quartier für Hofbedienstete und Handwerker, ein freundlich-kleinbürgerlicher Stadtteil, der allerdings in der letzten Zeit viel an Reiz verloren hat. Einzig bedeutend ist der Günderothsche Hof, der heute das Volkskundliche Heimatmuseum beherbergt. Das Prinzenhaus an der Friedrichstraße, zur selben Zeit erbaut wie das Schloß, hat für seine Erhaltung zu wenig Aufmerksamkeit erfahren.

Die Stadt Schleswig mußte wie das Land Schleswig-Holstein die dänische Besatzung drückend empfinden. Die Erhebung des Volkes 1848 wurde blutig niedergeschlagen. Erst der deutsch-dänische Krieg (1864–66), in dem das Land von den Preußen und von einer österreichischen Armee unterstützt wurde, brachte die Befreiung und den Anschluß an das preußische Königreich.

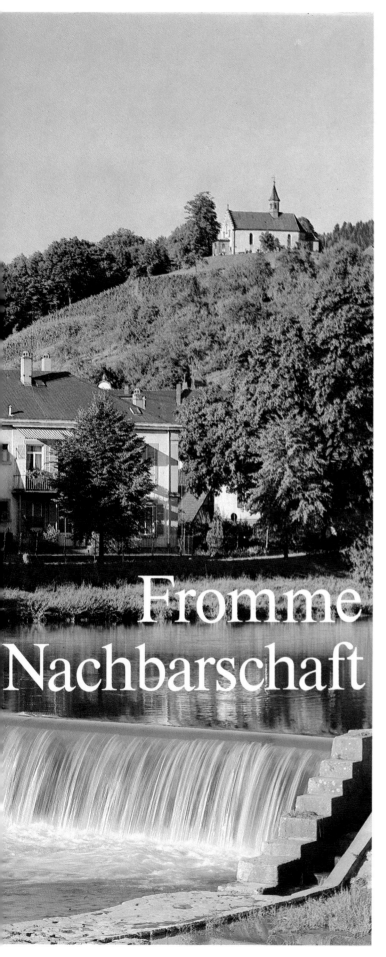

Fromme Nachbarschaft

Die geistlichen Gründungen des Frühmittelalters sind die Ergebnisse eines am Anfang flüchtig entworfenen, später gut durchdachten Missionsprogramms im Einvernehmen mit dem Landesherrn und mit zuweilen nachträglicher Billigung durch den Papst. »Daß du mit Zustimmung Odilos, des Herzogs dieser Baiern drei weitere Bischöfe geweiht, und daß ihr das Land in vier Teile geteilt habt, daß jeder Bischof einen Sprengel habe, so hast du, lieber Bruder, wohl und weise gehandelt«, schrieb Papst Gregor III. (739) an den Missionsbischof Bonifatius, und »bei der Synode, die du an unserer Statt an der Donau halten sollst, befehlen wir dir, kraft apostolischer Vollmacht aufzutreten.«

Über das Recht, Bischöfe und Äbte einzusetzen (zu investieren), stritten Päpste und Kaiser immerhin dreihundert Jahre lang. Das Problem war gerecht nicht lösbar. Bischöfe und Äbte waren ja auch Lehnsträger, hatten weltliche Nutzungsrechte und somit weltlich-politischen und in hohem Maß kulturellen Einfluß. Dieser war ganz besonders in der frommen Nachbarschaft wirksam, hilfreich in vielen Bereichen gemeinschaftlichen Lebens, in der Kranken- und Altersfürsorge, in der Schreibschule, im Musikunterricht, sogar in der Landwirtschaft.

Im Bild links Gengenbach im Kinzigtal.

Eichstätt

Jetzt wie einst bischöflich

Die Straße durchs Altmühltal ist nicht für Eilige gebaut, und auch als Versorgungsweg für den Raetischen Limes war der Fluß und die all seinen Windungen folgende Fährte zu umständlich. Zum Siedeln konnte das Tal nur verlocken, wo es nicht gar zu eng war. Aus der Zeit der germanischen Wanderungen, nach dem Zusammenbruch der römischen Limesfront, ist aus dem Altmühltal kein Name, kein Ereignis überliefert. Erst für das Jahr 740 wird ein Ort genannt: Eihstat, ein zerstörtes Dorf um eine unversehrte Marienkirche. Hier beschloß der angelsächsische Edelmann und Mönch Willibald die Gründung eines Klosters auf ihm überlassenem fränkischen Boden, unterstützt von seinem Onkel, dem Erzbischof Bonifatius, der »kraft apostolischer Vollmacht« von Papst Gregor III. zur Reorganisation der von fränkischen und irischen Klerikern unzureichend aufgebauten geistlichen Ordnung des wachsenden Fränkischen Königreichs berufen war. Bonifatius erhob ein Jahr darauf die Gründung seines Neffen zum Bistum und ihn zum ersten Bischof von Eichstätt.

Durch Grabungen und Sicherungsarbeiten an den Domfundamenten (1970–72) ließ sich die Lage und Größe der Kirche Willibalds rekonstruieren: ein nahezu quadratischer Bau mit 12 m Seitenlänge, dessen Ostwestachse für alle späteren Kirchenbauten beibehalten wurde. Auch die Grundmauern des ersten Hauses für Mönche konnten lokalisiert werden.

Im Jahr 752 kamen Willibalds Geschwister Wunibald und Walburg(a) nach Franken und gründeten auf der Höhe zwischen Altmühl und Wörnitz das Doppelkloster Heidenheim. Grafen, Herzöge oder den König als Stifter von Grund und Boden zu finden, war damals nicht allzu schwer, wenn auch die Motive nicht immer religiöser Eifer und ehrliche Frömmigkeit waren, sondern auch Bußfertigkeit mit dem Hintergedanken auf einen kühleren Winkel im Fegfeuer oder weltliche Überlegungen in der Richtung auf Mitsprache und Einfluß, die Politik der Hoch- und Erzstifte betreffend. Wie auch immer die Beweggründe waren – mit jedem Kloster wurde auch Zuflucht geschaffen vor den Härten und Gefahren der Welt. Daher auch der große Zulauf, den jede Neugründung erlebte.

Bild oben: Eichstätt im Altmühltal.
Bild rechts: Der Residenzplatz von Eichstätt gilt als einer der bedeutenden Barockplätze Deutschlands. An der Nordecke der Marienbrunnen, geschaffen 1775–1780 vom Baudirektor Pedetti und dem Bildhauer Berg. Solche Votivsäulen mit Darstellungen der Gottesmutter sind in ganz Bayern häufig. Schließlich ist Maria heute die Patrona Bavariae.

Das fromme Geschwisterpaar erwartete das Ende seiner Tage in Heidenheim. Wunibald starb 761, Walburga 779. Das Frauenstift wurde nach Eichstätt verlegt, Walburgas Leib in der Kirche Heilig Kreuz beigesetzt. Erstmals im Jahr 893 und seitdem jeden Winter sammelt sich um ihren Sarkophag eine wasserhelle Flüssigkeit, das »Walpurgisöl«, dem die Gläubigen heilende Wirkungen zuschreiben. Um die Mitte des 10. Jahrhunderts zogen Magyaren das Altmühltal hinauf. Sie verschonten die Kirche, plünderten aber die Siedlung und zerstörten die Klosterbauten.

Danach ließ Bischof Reginald die Ruinen abtragen und auf dem Platz genau in der festgelegten Achse der Kirche einen Rundbau in der Art italienischer Baptisterien aufführen, als Grablege des hl. Willibald.

Zu Bischof Heriberts Zeit, um 1025, wurde der Bau eines neuen Domes auf den Fundamenten der alten Kirche begonnen, eine romanische Basilika mit Querhaus, einem Ostchor und einem Westchor für Willibalds Grab. Der Bau war 1060 soweit vollendet, daß Bischof Gundekar die Weihe vollziehen konnte. Noch zu Gundekars Zeit wurde Eichstätt zum Reichsstift erhoben.

Bild linke Seite: Der gotische Dom in Eichstätt.
Bild oben links: Auf den heiligen Willibald (8. Jh.), hier in einer Plastik von Loy Hering (1514), geht der erste Vorläufer des Domes zu Eichstätt zurück.
Bild oben rechts: Blick ins Mortuarium des Eichstätter Domes.
Bild folgende Doppelseite: Die Willibaldsburg bei Eichstätt.

Mit der Neugestaltung des Willibaldchors um 1250 begann die bis zum Ende des 15. Jahrhunderts währende Epoche der gotischen Umbauten und die Vollendung des schon zu Heriberts Zeit geplanten Kreuzgangs im Süden des Ostchors.

Das Ergebnis der langen Bauzeit ist ein Kirchenraum von überragender Einheitlichkeit, ein klarer rein gotischer Rahmen für die nach Zahl und stilistischer Vielfalt ungemein reiche Ausstattung: Altäre, Bildwerke, Epitaphien, Gitter und Gestühl; das älteste Werk: die nach ihrem Stifter benannte Siboto-Madonna (um 1300), das jüngste: die Orgel von 1976 im südlichen Seitenschiff.

Vom südlichen Querhaus zugänglich ist eine gotische Halle, früher Grebnus (= Begräbnis) geheißen, heute Mortuarium genannt. Im Boden der Halle sind die Grabplatten der Toten des Domkapitels eingelassen; sechs Jahrhunderte Bistumsgeschichte. Der Raum überrascht durch seine Helle. Die in dunklen Krypten aufkommende Beklemmung ist hier nicht vorstellbar. Zehn Maßwerkfenster geben viel Licht. Wenn die Sonne scheint, dann scheint sie auch hier ins Totenhaus, das nur bauen konnte, wer reinen Gewissens den Tod nicht fürchtet.

Eine Überraschung anderer Art erwartet den Gast, der vom Domplatz kommend um den Willibaldchor zum Residenzplatz geht. Hier hat der fürstbischöfliche Baudirektor Gabrieli (1718) hinter pompöser Portalarchitektur die Gotik versteckt. Höflich war das nicht; es ist eher witzig, und aus der Sicht des Architekten kann man's gelten lassen, denn dem Portal schließt sich rechts die barocke Fassade des bischöflichen Palais' an. Barock sind die meisten repräsentativen Bauten der Stadt: Dompropstei, Dechantei, Vikariat, Kavaliershöfe, Kurie der Kanoniker, Sommerresidenz. Gotisch ist nur die Seele des Bistums, der Dom.

Westlich der Stadt, auf dem Bergrücken, um den die Altmühl einen Bogen machen muß, steht die Willibaldsburg, im 14. Jahrhundert von Bischof Berthold von Zollern gegründet als Zuflucht in unruhigen Zeiten. Sie wurde im 16. und frühen 17. Jahrhundert nach Plänen des Augsburger Meisters der deutschen Renaissance, Elias Holl, zum Schloß umgebaut, blieb aber unvollendet. Schweden besetzten sie 1633. Kaiserliche eroberten sie zurück. 1796 gelang es einem Leutnant und zwanzig Veteranen, sie gegen die Franzosen zu verteidigen.

Durch die Säkularisation des bischöflichen Besitzes kam die Burg an den bayerischen Staat, von diesem in private Hände; und die räumten sie aus und ließen den Bau verkommen. Vom Staat zurückgekauft und instand gesetzt, beherbergt sie heute das Museum des historischen Vereins Eichstätt und das Juramuseum für Vorgeschichte.

Eichstätt, die Bürgerstadt, hatte es nicht immer leicht. Sie war eingeengt durch den weitläufigen Dombezirk und durch klösterlichen Grundbesitz rundum. Zu Spannungen kam es nur selten. Schließlich hatten zu viele bürgerliche Existenzen durch das Bistum wirtschaftlichen Nutzen.

Nach dem Stadtbrand (1634) war in der mittelalterlichen Bürgerstadt nur die gotische Stadtmauer am Nordostrand ohne Schaden davongekommen. Die Wohnhäuser sind überwiegend barock wiederaufgebaut worden. Eichstätt ist klein geblieben, die Stimmung gelassen, ganz ohne Hast, auch heute noch bischöflich.

Fritzlar

und die Eiche des Bonifatius

Nach dem lateinisch geschriebenen, aber im Anspruch durchaus volkstümlichen Bericht über das Ereignis zu Geismar bei Fritzlar im Jahr 723 zu urteilen, war der rotblonde Angelsachse zweifellos gereizt worden. Aus eigenem Entschluß hätte er sich nie an einem unschuldigen, als heidnisch beleumundeten Baum vergriffen. Die christlichen, aber im Innern noch im alten Dämonenglauben befangenen Männer des fränkischen Hofguts hatten ihn gedrängt, er solle doch mit einer Axt prüfen, was es mit Donars Eiche auf sich habe.

Für Winfrid, seit einem Jahr zum Missionsbischof Bonifatius geweiht, war dies kein Wagnis. Stark genug, einen Baum zu fällen, war es für ihn eher ein Scherz. Der Chronist erhöhte das Geschehen phantasievoll. Nach ein paar Schwüngen mit der Axt habe sich die Eiche wie im Wind geschüttelt und sei umgefallen. »Da wandelten die Heiden ihren Sinn und wandten sich Gott gläubig zu.« Aus dem Holz der Eiche baute Bonifatius ein Bethaus für das Hofgut Fritzlar.

Als Titular-Erzbischof gründete er 732 in der Nachbarschaft des Hofgutes die Benediktinerabtei St. Peter und legte den Grundstein zum Bau einer Kirche.

Unermüdlich gründend und die fränkische Christenheit nach Diözesen ordnend, kam Bonifatius noch zwei- oder dreimal nach Fritzlar, zuletzt achtzigjährig auf dem Weg nach Norden. Denn was ihm am Beginn seiner Missionsarbeit nicht gelungen war, wollte er (753) noch einmal versuchen: die Friesen zu bekehren. Bei Dokkum an der Zuidersee fand er den Tod als Märtyrer. Durch das Wort allein waren die Friesen nicht zu bekehren.

Einen halben Tagesritt nördlich von Fritzlar war sächsisches Stammesgebiet, heidnisches Feindesland, für Fritzlar bedrohlich, denn weder Pippin noch sein Sohn Karl der Große hatten die Sachsen mit einem schnellen Kriegszug

---

Der Marktplatz von Fritzlar ist von bedeutenden und glücklicherweise gut restaurierten Fachwerkbauten umgeben. Im Bild beherrschend das Alte Kaufhaus mit dem hohen Giebelturm, der auf dem dreigeschossigen Erker ruht. Der Marktbrunnen stammt von 1564 und trägt den Rolandritter.

---

zu christlichen Untertanen machen können. Als Vergeltung für die von Karl eroberte Eresburg fielen sie 774 über Fritzlar her und zerstörten die Siedlung, das Hofgut und das Kloster. Die Kirche verschonten sie.

Zehn Jahre dauerte es, bis Widukind, der letzte Sachsenfürst, unterworfen und Christ geworden war. Fritzlar hatte das Glück, von den furchtbaren Aufständen und Rachezügen nicht berührt worden zu sein.

Als Karl der Große das Fränkische Reich nach seinem Willen geschaffen hatte, wurde Fritzlar Reichsbesitz, das Hofgut zur Pfalz ausgebaut. Die Gründung des Bonifatius wurde Reichskloster.

Im Jahr 919 war Fritzlar Schauplatz für die Wahl Heinrichs I. zum König und danach noch oft Ort staats- und kirchenpolitischer Entscheidungen. Urkundlich belegt sind 21 Königsbesuche und 8 große Kirchenversammlungen.

Um 1060, zur Zeit des noch unmündigen Heinrichs IV., gelang es dem Erzbischof Siegfried, Fritzlar unter mainzische Herrschaft zu bringen. Planmäßig mit der Pfalz und der Abtei als Mittelpunkt entstand die Stadt Fritzlar.

Über der Krypta der alten Abteikirche wuchs um 1100 die neue Basilika St. Peter mit Querschiff und großem romanischen Westwerk. Zugleich entstand der erste Mauerring mit 6 Toren und 14 Türmen. Ungeachtet der ständigen Auseinandersetzungen zwischen Mainz und den thüringischen Landgrafen wuchs die Stadt bald über die im 12. Jahrhundert gebauten Mauern hinaus.

Im Jahr 1232 belagerte der Landgraf Konrad von Thüringen die Stadt drei Monate lang, stürmte sie schließlich, brandschatzte sie und mißachtete die Immunität, in die sich viele Bürger geflüchtet hatten. Papst Gregor IX. bann-

te ihn für seine Übeltat, besonders weil er sich an kirchlichem Besitz vergriffen hatte; und sieh' da – der Graf ging in sich, pilgerte nach Rom, tat Buße, speiste die Armen und wurde huldvoll losgesprochen, mußte aber den Erzbischof durch Schenkungen versöhnen. Er war auch bereit, sich öffentlich geißeln zu lassen; aber die Bürger ließen es gut sein. Um seine Buße zu bekräftigen, trat er in den Deutschen Orden ein, wurde bald Hochmeister und erwarb sich Ruhm auf einem Feldzug gegen die Preußen.

Weil die Stadt zu oft Auseinandersetzungen mit dem Erzstuhl Mainz hatte, bekannte sie sich in der Reformationszeit zum Luthertum. Das ging aber nur gut bis zum Westfälischen Frieden, in dem die abtrünnige Stadt dem Erzstuhl Mainz zugesprochen wurde. Dabei blieb es, bis sie 1802 an Hessen kam.

Der reichsweite Ruf, den Fritzlar im Mittelalter hatte, ist
geschwunden. Was sich erhalten hat, ist die kaum durch
Eingriffe gestörte Geschlossenheit eines denkmalschutzwürdigen Stadtbildes. Die Stadttore sind im 19. Jahrhundert abgetragen worden, aber sonst ist nichts geschehen, was
irreparabel gewesen wäre. Das nach dem Abbruch der
Fachwerkgeschosse (1839) stilistisch mißhandelte Rathaus ist 1964 nicht streng dem alten Bild entsprechend, aber
doch überzeugend gut umgestaltet worden. Die Fachwerkbauten sind verständnisvoll instand gesetzt: das eindrucksvolle Alte Kaufhaus und das Kaufhaus zwischen den Krämen, beide um 1480 erbaut; das Hochzeitshaus (um 1580),
Fachwerk auf steinernem Unterbau; und dazu eine Anzahl
bemerkenswerter Bürgerhäuser der Gotik und der Renaissance.
Fritzlar ist eine stille Stadt, schlicht, beinahe ländlich, umso
eindrucksvoller der Reichtum in der Ausstattung des
Domes. An die alte Bischofsburg erinnert nur noch der
Graue Turm.

Gengenbach

an der Kinzig

Drei keltische Schicksalsfrauen, im Wesen wohl den germanischen Nornen ähnlich, sollen, so geht die Sage, in dunkelfrüher Zeit auf dem Hügel über dem Kinzigtal gesessen haben, dem »Bergle«, von dem auch der Name »Castellberg« überliefert ist, nach den Resten einer römischen Opferstätte für Jupiter.

Sichere Hinweise, wann die erste Kapelle hier oben gestanden hat, gibt es nicht. Das Wallfahrtskirchlein St. Jakob ist 1681 erbaut worden. Nach nicht ganz zuverlässigen Berichten könnte schon bald nach der Gründung des Klosters im Tal auch eine Kapelle auf dem Bergle gebaut worden sein.

Um 725 schenkte der Gaugraf Ruthard dem Wanderbischof Pirmin, dem Gründer der Reichenau, ein Stück Land da, wo der Haigeracher Bach in die Kinzig fließt, kein sehr wertvolles Land, zum Teil eine große, nasse Wiese, die heute noch »Schneckenmatte« heißt, denn die Kinzig hat sich mit ihrem Hochwasser gern über sie gebreitet. Aber Benediktiner konnten aus allem etwas machen. Die ersten Mönche waren aus dem elsässischen Gorze in die Abtei Gengenbach gekommen, die sich um das Jahr 1000 für die von Hirsau aus verbreiteten Reformregeln der Kluniazenser entschied und auch bei den Erweiterungsbauten, vor allem beim Umbau der Basilika, den Hirsauer Regeln folgte.

Gengenbach war offiziell noch keiner höheren kirchlichen Instanz zugeordnet. Heinrich II. unterstellte die Abtei 1007 dem Bistum Bamberg. Im Gegensatz zu anderen weltlichen Fürsten schätzte er die kluniazensischen Benediktiner. Wie sehr er ihnen zugetan war, beweist, daß er der Abtei Cluny seinen Reichsapfel vererbte.

In der Nachbarschaft der aufblühenden Abtei blühte bald ebenso die Bauerngemeinde Gengenbach, gefördert von den Zähringer Herzögen, eine kompakte Siedlung am Haigerach-Talweg, der, mit dem Kinzig-Talweg vereinigt, der alten Römerstraße zustrebt, die heute Weinstraße heißt.

Bild linke Seite: Kleines schmales Fachwerkhaus im Mercy'schen Hof in Gengenbach.
Bild oben: Gengenbach in der Ortenau hat dank kluger, nicht allzu fortschrittsfreudiger Politik der Stadtväter seine Kleinstadtromantik beibehalten können. Im Bild der Marktplatz mit dem Marktbrunnen. Er trägt einen Krieger im Harnisch, der das Stadtwappen mit dem kaiserlichen Adler hält.

Im Jahr 1230, zur Zeit Friedrichs II., erhielt Gengenbach Stadtprivilegien. 1360 folgte die Ernennung zur Freien Reichsstadt durch Karl IV. Gengenbach war nun eine der 23 kleinen Reichsstädte (unter 5000 Einwohner), die zusammen mit den großen im Reichstag auf der sogenannten Schwäbischen Städtebank saßen und auch etwas zu sagen hatten.

Im 13. und 14. Jahrhundert wuchs der Mauerring um die Stadt und behütete auch die Abtei. Zum größten Teil ist er im 19. Jahrhundert abgetragen worden. Die Türme und Tore aber sind beinahe vollzählig erhalten.

In ruhigen Zeiten ist viel gebaut worden: das Rathaus an der zum Markt erweiterten Straßengabel, Bürger- und Handelshäuser, ein Kornhaus.

Der Chor der Abteikirche bekam 1405 eine gotische Apsis und, vom nördlichen Seitenschiff aus zugänglich, eine Kapelle, das »Frauenchörlein« für das Heilige Grab.

In der Reformationszeit wollten es die Gengenbacher mit dem neuen Glauben versuchen und die Abtei in ein weltliches Stift umwandeln. Dem Abt Gisbert Agricola gelang es (1556), ihnen das auszureden.

Zerstörung, Niedergang und große Not brachte das 17. Jahrhundert. Mehrmals wurde die Stadt im Dreißigjährigen Krieg belagert, geplündert und verwüstet; und im pfälzischen Erbfolgekrieg wurde sie von der Armee des Marschalls Duras bis auf die Mauern niedergebrannt, auch die Abtei. Gengenbachs Glück war der tatkräftige Abt Placidius Thalmann und nach ihm Abt Paulus Seger.

Bild linke Seite: Das Gerberhaus, ein Fachwerkbau von 1747 in Gengenbach. Der alemannische Fachwerkbau zeichnet sich durch die weit voneinander entfernten senkrechten Ständer aus, während die Balkenköpfe eng nebeneinander gereiht sind. Im Hintergrund das Obertor. Es gehört zum Stadtbering, der die weltliche Stadt mit dem Klosterbezirk in einem Oval zusammenschloß.
Bild oben: Die Engelsgasse in Gengenbach mit ihren niedrigen Fachwerkhäusern und den schrägen Kellereingängen. Die Häuser wenden der Straßenseite einmal die Giebel-, einmal die Traufseite zu. Eine solche Anordnung belebt das Stadtbild.

Dem kurpfälzischen Baumeister Johann Jakob Rischer und dem Vorarlberger Franz Beer oblagen die Planung und die Bauleitung für das neue Gengenbach. Die Ausführenden waren beinahe ausschließlich Gengenbacher Künstler und Handwerker; und so kam wieder Leben in die kleine Stadt.

Der Bildhauer und Gemeinderat Jakob Philipp Winterhalter schuf in einem seltsamen Ornamentstil den Hochaltar und die Kanzel der Abteikirche, und Abt Paulus Seger malte das Altarblatt mit der »Geburt Mariens«. Das klassizistische Rathaus stammt vom Stadtbaumeister Viktor Kretz.

Gengenbach ist immer noch eine Fachwerkstadt. Einige Steinhäuser aus dem 18. und 19. Jahrhundert, unter anderem in der Viktor-Kretz-Straße, fügen sich gut ein, obwohl sie von unterschiedlicher Qualität sind.

Eine bemerkenswerte Leistung ist der barocke Turm, den Rischer über die Südwestecke der Abteikirche gebaut hat, in den unteren Geschossen mit Rücksicht auf die schlichte romanische Westfront einfach, nach oben lebhaft gegliedert mit allem, was Barock zu bieten hat, Vasen, die den Übergang vom Viereck des dritten Geschosses zum Achteck des Glockenstuhls begleiten, eine kräftige Kuppel und eine zierliche Kuppel darüber. Es sieht aus, als hätte sich die alte Kirche vertrauensvoll an den prächtigen neuen Turm angelehnt, hoffend, daß es so schlimm wie im Erbfolgekrieg nicht mehr kommen werde.

Lorsch

Ein Glücksfall

Die Geschichte der Abtei Lorsch ist bedeutungsvoll durch die geistlich-politischen und geistig-kulturellen Wirkungen, die bis ins Spätmittelalter das labile Gleichgewicht weltlichen und kirchlichen Machtstrebens bewegten, um das eine vom andern abzugrenzen und auf diese Weise zu stabilisieren.

Auf seinem Landgut Laureshaum, drei Wegstunden östlich von Worms auf der Straße der Nibelungen, gründete Gaugraf Cancor 764 ein Kloster und schenkte es Chordegang, dem Erzbischof von Metz. Dieser berief 12 Mönche und einen Abt aus dem Benediktinerkloster Gorze (in Lothringen) und stiftete eine Reliquie des hl. Nazarius, Märtyrer aus der Zeit Neros, zur Heiligung der Kirche. Im Jahr 772 unterstellte sich der Abt Karl dem Großen, wurde so Reichsfürst, sein Kloster Reichsabtei. Von den Kaisern erfuhr Lorsch mannigfache Förderung, Zuwendungen für den Ausbau, der bald notwendig wurde, da viele um Aufnahme in die fromme Gemeinschaft baten aus Sehnsucht nach einem Friedensbereich, der Schutz vor der Welt bieten konnte.

Reichsklöster waren aber für die Kaiser auch Orte zur Unterbringung von Rivalen, tatsächlichen oder vermeintlichen Verschwörern, auch von unliebsamen Verwandten. Der Agilolfinger Tassilo, Herzog der Bayern, der Karl nicht Heerfolge leisten wollte, mußte das Ende seiner Tage in Lorsch abwarten.

Von den unter Abt Richbold und seinen Nachfolgern errichteten Bauten stehen heute nur noch das Westwerk der Kirche und das nach der Pfalzkapelle zu Aachen kostbarste karolingische Baudenkmal, die »Lorscher Halle«, einzigartig in ihrer architektonischen Gestalt und in ihrem Schmuck. Der Bau ist durch seine naive Zweifarbigkeit und durch seine Maße anmutig, ohne verspielt zu sein, und sieht aus, als ob er nicht von einem Baumeister, sondern von einem Miniaturenmaler, einem Buchillustrator entworfen wäre. Daß gerade er ganze 1200 Jahre aufrecht stehend überlebt hat, ist als Glücksfall nicht hoch genug zu preisen.

Bild oben: Der breit hingelagerte Fachwerkbau des Gasthauses »Weißes Kreuz« (18. Jh.) in Lorsch.
Bild rechts: Von der Klosterkirche in Lorsch, der Basilika St. Peter und Paul und St. Nazarius, ist nur ein Teil des Westwerks übriggeblieben.

Die Frage, welchem Zweck die Halle gedient hat, ist unklar. Meist wird sie »Torhalle« genannt. Das ist nicht glaubhaft, denn sie ist nicht verschließbar gewesen. Überdies waren Tor und Klostermauer nach den Grabungsbefunden 25 Meter weiter westlich. Als Empfangshalle und Zugang zum großen Atrium wäre der Bau vorstellbar, auch als repräsentative Audienzhalle für den gelegentlich im Kloster weilenden Kaiser.

Die Ausmalung im Innern des Obergeschosses weist auf eine Marienkapelle hin; aber auch dies ist zweifelhaft. Aus karolingischer Zeit stammen die Architekturmotive, die an Buchschmuck in Bilderhandschriften erinnern. An der Nord- und Südwand sind Übermalungen aus dem 14. Jahr-

hundert zu sehen, eine Marienkrönung mit musizierenden Engeln vor dem Himmlischen Jerusalem und ein Schmerzensmann mit Maria.

Von der dem hl. Nazarius und den Aposteln Peter und Paul geweihten Großen Basilika steht nur die Ruine des Westwerks, das im Erdgeschoß als Vorhalle gestaltet war. Die Stellung einer benediktinischen Reichsabtei in der Welt war klar, besonders wenn sie nach den Regeln von Gorze gegründet war. Die Bindung an den Kaiser war stärker als die an den Papst. Der Kaiser ernannte den Abt, der ihm in seinem Sinn beratend verbunden war. Das Scriptorium der Abtei, in dem schreibkundige Mönche saßen, war oft für ihn tätig. Die bei weitem meisten alten Chroniken sind ja in Klöstern geschrieben, bewahrt, vergessen und wiederentdeckt worden.

Den nach dem Gorzer Muster gegründeten und tätigen Klöstern entgegen wirkte die von Cluny in Burgund ausgehende Reformbewegung, deren oberstes Streben die enge Bindung an den Heiligen Stuhl in Rom war, ungeachtet der politischen Haltung dieses oder jenes Kaisers und dieses oder jenes Papstes. Die kluniazensische Reform war in Deutschland vom Kloster Hirsau ausgegangen. Deshalb wird sie auch die Hirsauer Reform genannt. Sie war beispielgebend in Fragen der Klosterarchitektur.

Im Jahr 1105 sollte ein Mönch aus Hirsau Abt in Lorsch werden. Es war die Zeit, da Heinrich IV., zweimal gebannt, von seinem Sohn Heinrich gezwungen worden war abzudanken. Lorsch wollte den Hirsauer Reformator nicht haben. Er mußte nach ein paar Jahren abgelöst werden. Lorsch blieb dem Gorzer Muster treu.

Im Jahr 1226 wurde Lorsch dem Erzstuhl Mainz unterstellt. Der Kaiser Friedrich II. war in Apulien, sein Reichsverweser, der Erzbischof von Köln, war gerade gestorben. Zisterzienser aus Eberbach sollten Lorsch übernehmen; es ge-

Bild linke Seite: Die gotischen Fresken (um 1385) in der Halle zu Lorsch zeigen Engel, die zur Krönung Mariens musizieren.
Bild oben: Die Lorscher Halle (um 770) stammt aus karolingischer Zeit und ist eines der berühmtesten und eigenartigsten Gebäude der Karolingerzeit. Ihre ursprüngliche Funktion ist unbekannt.

lang nicht. Lorsch wurde mainzische Propstei und hatte seinen hohen Rang, seine politischen Wirkungsmöglichkeiten verloren.
Prämonstratenser, die nach der reinen Augustinerregel der frommen Belesenheit und Beredsamkeit lebten, übernah-

men das Kloster. 1461 war Lorsch der Kurpfalz verpfändet. 1556 wurde es in der Folge der Reformation aufgehoben. 1623 kam die Propstei an Kurmainz zurück; verfallende Bauten, von spanischen Soldaten geplündert, und eine ausgeräumte Kirche ohne Dach. Die Bibliothek, eine der größten des Mittelalters, war verstreut.
Im Schatten der Abtei hat die Siedlung Lorsch freundnachbarlich dahingelebt. Aus den frühen Zeiten sind noch Reste der Stadtbefestigung erhalten. Fachwerkhäuser schmücken das Gemeinwesen: das Rathaus mit einem stolz aus dem Erker heraufwachsenden Turm, die Klosterapotheke, das große Gasthaus »Weißes Kreuz«. Bei einigen Neubauten hat die Baubehörde nicht aufgepaßt; aber das ist nun geschehen. Der große Star des Ortes ist die »Halle«. Rundum im Land wachsen Spargel, Obst und Tabak.

Xanten

Stadt zu den Heiligen

Im Nibelungenlied wird Xanten, die Heimat Siegfrieds, ze Santen genannt, ad sanctos (= zu den Heiligen). So hieß ein Gräberfeld an der Straße, die vom römischen Soldatenlager Castra vetera zur Siedlung Colonia Ulpia Traiana (nördlich von Xanten) führte. Das Soldatenlager war die Operationsbasis für die Römerzüge über den Rhein nach Germanien und war aufgegeben, bevor der Niederrhein um 350 von den Franken überrannt wurde. Die traianische Kolonie, eine Stadt mit Hafen, Thermen und einem Amphitheater, war so groß wie das römische Köln. Sie erlosch langsam und wurde zum Steinbruch für die Siedlung Xanten.

Hörensagen, das aus den Gräbern der Vergangenheit aufstieg, wurde zur Überlieferung. Nach der »Legende aurea« des Jacobus de Voragine war der spätere Patron von Xanten, der heilige Victor, Kohortenführer in der Thebäischen Legion, nach Begriffen der Neuzeit ein Strafbataillon, benannt nach den Bergwerken in der ägyptischen Thebais. St. Victor war römischer Christ wie sein Oberfeldherr St. Mauritius und alle seine Kameraden, Namenlose, die mit ihren Anführern als Märtyrer starben, weil sie sich geweigert hatten, dem Kaiser Maximianus als »Gottkaiser« zu huldigen. Ihre Körper wurden in den Sumpf geworfen; und nach einer Legende aus der Zeit nach dem Edikt zum Schutz der Christen (313) hat die heilige Helena, die Mutter Konstantins des Großen, die Leichen später herausholen lassen, um sie christlich zu bestatten auf dem Friedhof ad Sanctos.

Von der alten Befestigung der Stadt Xanten ist nur das Klever Tor übriggeblieben. Es ist eines der wenigen Doppeltore des Niederrheins. Im Hintergrund die Türme des Domes, der ehemaligen Stiftskirche St. Victor, ein Werk der Gotik auf romanischem Grundbau.

Am selben Ort, an dem die erste hölzerne Kapelle und später ein kleiner Steinbau zum Gedenken an die tapferen Glaubenszeugen errichtet war, entstand um 800 eine Kirche. Normannen, die 863 den Rhein hinaufgekommen waren, zerstörten sie. Eine neue Kirche, im 10. Jahrhundert entstanden, wurde, von Bränden heimgesucht, baufällig und um 1100 abgerissen. Als der neue Bau begonnen wurde, standen schon die Häuser des Victorstifts. Sie umgaben den Dom schützend wie eine Burg und stellten so die Immunität, die Domfreiheit dar, die Xanten schon im 9. Jahrhundert vom Erzbistum Köln verliehen worden war.

1128 weihte Norbert, der aus dem Victorstift hervorgegangene spätere Heilige und Erzbischof von Magdeburg, den Chor der neuen Kirche. 1165 war das Langhaus vollendet, 1213 die ersten drei Geschosse des Westwerks. Xanten war damals schon ein lebhafter Markt, in lässiger Planmäßigkeit um die Domfreiheit und entlang der alten Römerstraße, die heute Marsstraße heißt, gewachsen. Allerdings gab es Probleme, die mit unschöner Regelmäßigkeit die Ruhe störten.

Politisch war Xanten Besitz des Erzstuhls Köln, eine Insel in der Grafschaft Kleve. Von dieser Seite kam es zu Übergriffen, gegen die sich der Erzbischof Heinrich von Mole-nark zur Wehr setzte, indem er 1288 sein Xanten nach dem Muster von Neuß zur Stadt erhob und eine Mauer bauen ließ.

Es gab Zeiten, da teilten sich Erzstuhl und Grafschaft in den Besitz der Stadt, zuweilen aber war die Stimmung unerfreulich.

Im Jahr 1248 legte Erzbischof Konrad von Hochstaden den Grundstein zum Kölner Dom. Angeregt durch diese Feierlichkeit, beschloß sein Bruder Friedrich, Propst des Victorstifts, 1263 den gotischen Neubau des Doms, der die größte Kirche nördlich von Köln werden sollte, eine fünfschiffige Basilika, deren Breite (35 m) durch das bis zum dritten Turmgeschoß hochgeführte romanische Westwerk vorgegeben war.

Vom ersten Baumeister ist nur der Vorname Jacobus überliefert. Nach einem zweiten Jacobus übernahm 1374 Konrad von Kleve die Bauhütte.

Zur selben Zeit wurde der Nordwestturm der Stadtbefestigung, das Klever Tor, gebaut, ein Doppeltor mit Zwinger, in erfreulicher Eintracht von den Klever Grafen mitfinanziert.

Am Dom arbeiteten in der 250jährigen Bauzeit noch drei Bauhüttenmeister, deren Namen nur hier als leitende Meister in der Baugeschichte der deutschen Gotik genannt werden. Im Jahr 1525 waren der Dom und die Türme endlich vollendet.

Die Stadt war in dieser Zeit über die im 13. Jahrhundert angelegten Mauern nicht hinausgewachsen. Zweimal ist Xanten an Kleve verpfändet und wieder ausgelöst worden, und obwohl die Stadt seit 1392 als gemeinsamer Besitz des Erzstuhls und der Grafschaft verbrieft war, wurde sie 1444 vom Grafen Johann von Kleve besetzt. Danach teilte Xanten das Geschick der Grafschaft und des späteren Herzogtums. Reformatorische Gedanken kamen aus Kleve herübergeweht. Der Xantener Glasfenstermeister Grevenstein vertiefte sich so sehr in Luthers Schriften, daß er in Herborn das Examen als Prediger bestand. Vor die Wahl gestellt, Xanten zu verlassen oder nicht mehr zu predigen, blieb er starr, predigte weiter und wurde still geduldet.

Im 16. Jahrhundert änderte der Rhein seinen Lauf. Der Hafen war danach ein toter Flußarm. Xanten wurde ein stilles Landstädtchen.

1641 kamen die Schweden, danach protestantische Hessen. Sie schleiften die Mauern.

Zur Einweihung der evangelischen Kirche kam 1649 der Große Kurfürst nach Xanten und stiftete Geld für den Turm.

Franzosen zogen über den Niederrhein. Das Stift wurde aufgelöst. Napoleon ließ auf der Domfreiheit einen Obelisk aufstellen zu Ehren des Xantener Kanonikers Cornelius de Pauw, dessen philosophische Schriften ihn beeindruckt hatten.

Alljährlich am Peter- und Paulstag feiern die Xantener die Pumpenkirmes zur Erinnerung an die Zeit, da das Wasser noch durch die Straßenpumpen heraufgeholt werden mußte. Dabei verjubeln sie das freiwillig weitergezahlte Pumpengeld.

Im Jahr 1933 wurden im Dom beim Tiefergraben eines leeren Schachts unter dem Hochchor zwei Skelette freigelegt. Die Untersuchungen ergaben, daß dies die Gebeine zweier Männer waren, eines gewaltsamen Todes gestorben und um das Jahr 360 hier bestattet.

Bild linke Seite: Der gotische Dom von Xanten gehört zu den bedeutendsten Bauwerken des Niederrheins. Die schlanken Bündelpfeiler geben dem Innern des Domes das Gepräge. Der Blick fällt auf den großen Marienaltar, den der berühmte Heinrich Douvermann 1535/36 geschnitzt hat. An den Pfeilern des Mittelschiffs stehen auf Konsolen und unter Baldachinen insgesamt 28 Steinfiguren, deren Entstehungszeit zum Teil um 1300 datierbar ist. Es sind darunter Statuen von Aposteln, der Verkündigung und Heimsuchung, des weiteren Statuen von Kirchenvätern, Heiligenfiguren, darunter die Heiligen Drei Könige.
Bild oben: Ausschnitt aus dem Altar der Persischen Märtyrer im Dom von Xanten.

Zweimal, am 10. und am 21. Februar 1945, warfen Jagdbomber über Xanten ihre sprengende und brennende Last ab und zerstörten drei Viertel der Stadt; und von den Häusern, die noch standen, war keines ohne Schaden davongekommen. Der Dom war so schwer beschädigt, daß ernsthaft erwogen wurde, was noch stand abzutragen. Doch dann nahm die Gemeinde Xanten Opfer und Mühe auf sich. Das Land und das Bistum gaben Zuschüsse, die Gemeinde sammelte, wo immer sie Geld auftreiben konnte. Der Wiederaufbau ist im großen und ganzen abgeschlossen. An einigen Details ist er umstritten, aber das kann die Großartigkeit des Werks nicht mindern.

Zuletzt, 1966, wurde das Grab unter dem Chor zur Krypta ausgestaltet. Drei Urnen mit Erde und Asche aus Dachau, Auschwitz und Bergen-Belsen wurden zu Ehr' und Andenken dreier um ihres Glaubens willen Verfolgter beigesetzt: Karl Leisner, Priester aus Kleve; Gerhard Storm, Religionslehrer aus Emmerich; Heinz Bello, Student aus Wesel; drei Invictissimi, Unbesiegbare.

149

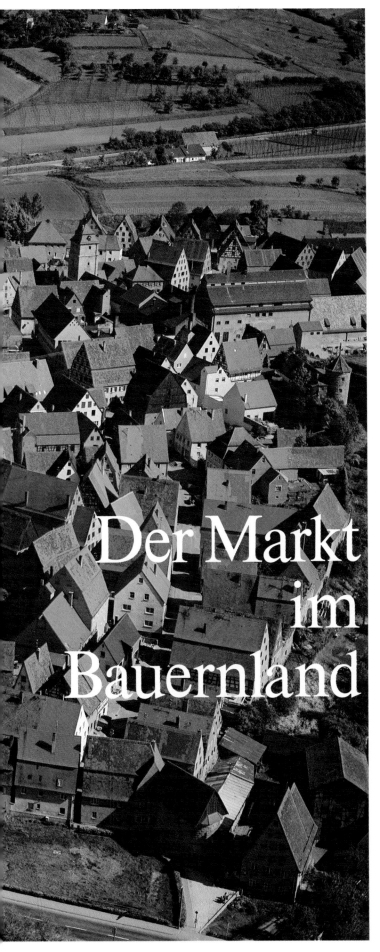

Der Markt
im
Bauernland

Einen gesunden, aufstrebenden Markt zur Stadt zu erheben, ist für den Landesherrn wie für den Markt ein vernünftiger, beiden Parteien nutzbringender Entschluß. Der Landesherr erwirbt zu seinen Einkünften einen neuen sicheren Faktor und wählt ein Grundstück für ein Stadtpalais. Die schon vor dem Akt der Erhebung gewählten Ratsherren entschließen sich zu einem Muster der Stadtverfassung mit zwei Bürgermeistern, die sich consules nennen. Die Bürgerschaft der Stadt, zum Teil Bauern, jetzt Ackerbürger, hat den Eindruck, daß sich ihr Leben im Grund kaum verändern wird. Die Ratsherren spekulieren, wie es anzustellen sei, die Reichsfreiheit zu erlangen. Zuvor ist das Problem zu lösen, wie der Bau der Stadtmauer zu finanzieren sei.

Die Erhebung zur Reichsfreiheit war Maßnahme des Kaisers gegen den Übermut der Territorialherren. Sie konnte wirkungsvoll sein, wenn die Stadt stark genug war, ihre Freiheit selbst zu verteidigen. Aber das war für rund vierzig sehr kleine Städte ganz unmöglich, und es ist nicht zu ergründen, was ihre Erhebung überhaupt für einen Sinn gehabt haben könnte. »Ummauerte Dörfer« nannte sie der Dichter Jean Paul in einer Satire über den Krieg zweier Städte, deren Gänse eigensinnig auf der Wiese des Feindes zu grasen beliebten.

Im Bild links die Stadt Spalt.

Einbeck

Einpöckisch Bier und schöne Tapeten

Ein runder kurzer Turm außerhalb der Mauer im Süden der Stadt Einbeck ist nach dem Kaufmann Heinrich Diek benannt. Der wurde hier im Jahr 1540 als vermeintlicher Brandstifter in einem Käfig an die Mauer gehängt und so lange gefoltert, bis er tot war.

Bei dem großen Stadtbrand ging »ok dat Rathvs myt allen Segeln vnd Breven« (Siegeln und Briefen) in Flammen auf; und danach war nirgends mehr zu lesen, wann dem blühenden und weit im Land aus mancherlei Gründen berühmten Einbeck das Marktrecht, wann die Stadtprivilegien verliehen worden waren. Auch wie das mit dem einpöckischen Bier seinen Anfang genommen hat, ist ungewiß. Das muß damals schon sehr lang her gewesen sein. Sicher ist aber, daß in der ersten Hälfte des 11. Jahrhunderts Graf Dietrich von Katlenburg »an einem Ort, der Einbike genannt wird«, ein Herrenstift und die Kirche St. Alexandri begründet hat. Der heilige Alexander von Bergamo war römischer Soldat in der Thebäischen Legion, der auch St. Victor, der Schutzpatron von Xanten, angehört hat.

Die Kirche St. Alexandri, um 1100 vollendet, war, da sie eine kostbare Reliquie, Blut des Heilands, barg, zu klein für den Zustrom der Pilger. Um 1270 endlich planten die Stiftsherren die dreischiffige Halle, deren erhöhte Vierung über der Krypta der alten Basilika steht. Damals war Einbeck, durch Erbschaft an die Herzöge von Braunschweig gekommen, schon ummauert. Der Stiftsbereich war im Mauerring eingeschlossen.

Die Stadtprivilegien scheinen großzügig gewesen zu sein. Einbeck war nie Sitz eines Landesherrn und wuchs so ungestört, selbständig in allen kommunalen Entscheidungen, aus eigener Wirtschaftskraft. Auf dem nach Westen sich öffnenden Straßenmarkt war die Pfarrkirche St. Jakobi im Bau, die kleine Marienkirche in der südlichen »Neustadt« war fast vollendet. Außerhalb der Stadt, im Osten an der Straße nach Salzderhelden war ein Leprosenhaus und eine Kapelle St. Bartholomäus. Eine Stiftung des Herzogs war zum Bau eines Heims für alte Leute und Findelkinder verwendet worden.

Ein Einbecker Bürger, der Mönch werden wollte, schenkte der Bäckergilde das Grundstück für das »Brodhaus« am Markt. Dafür mußten die Bäcker »auf ewige Zeiten« allen Kirchen im Umkreis von zwei Meilen unentgeltlich die Oblaten für das Meßopfer liefern.

1347 wird erstmals das Rathaus erwähnt. Consistorium nannten es die Einbecker. Vor jeder Sitzung kam ein Priester, den Ratsherren eine Messe zu lesen und sie zu frommen Taten zu ermahnen.

Einbeck war angesehenes Mitglied der Hanse, fromm, wohlhabend und sehr fröhlich. Dies war dem hochgelobten Einbecker Bier zu danken, gebraut in 400 Bürgerhäusern, die eine hohe Toreinfahrt haben mußten, damit am Brautag die stadteigene große Braupfanne eingefahren werden konnte.

Einbecker Bier nimmt in der Einbeck-Dasselschen Chronik des Johann Letztner von 1557 breiten Raum ein: »– – ja eben das gvte Einbeckische Bier selbst wetzet vnd treibet die Vrin vom Menschen mit großem Nvtz viel böses vnd gesvndes dinges. Vnd ist sonderlich denen, so von wegen des Steins Weh vnd Schmerzen fühlen, heilsam vnd nütze, wie sich daravs Erfahrvng, die eine Vntriegliche Meisterin ist befindet. Dan dies wie avch das Zerbster Bier die Vrin viel hefftiger als vom anderen Bier zvm Avsgang eilt vnd getrieben wird.«

Obwohl die Einbecker gar nichts dazutaten, nur eben ganz einfach sehr gutes Bier brauten, verbreitete sich dessen guter Ruf überraschend schnell erst in den Städten des Nordens und Westens, dann auch im Süden.

Das Bier wurde in vier Qualitäten gebraut: Sellebier für den Kleinverkauf, Mittelbier als Haustrunk und fürs Gesinde, Doppel- oder Krankenbier und das nach den Kopen, den großen Fässern, benannte Kopenbier für die Biertransporte über Land, die als Geleitzüge von Spießknechten bewacht, vom Magistrat organisiert wurden.

Das starke Doppelbier erfreute sich landauf, landab eines guten Rufes als Trunk nicht nur für die Kranken, sondern auch für den matten Christenmenschen, der, durch die Fastenzeit geschwächt, wieder zu Frühlingskräften kommen wollte. Auf den bayerischen Fürstenhöfen wurde es in der traurigen Zeit getrunken, als es zwar Klosterbrauereien in Bayern gab, aber noch kein wittelsbachisches Hofbräuhaus. »Einpöckisch Bier« hieß es; daraus wurde später der Name »Bockbier«.

Das Einbecker Braugewerbe blieb über Jahrhunderte so »mittelalterlich«, wie es von Anfang an aufgebaut war. An jedem 1. Mai wurden die Brautage verlost. Sechzig Böttcher sorgten dafür, daß immer genug Fässer verfügbar waren, damit die Freunde des »Einpöckischen« in nah und fern nicht darben mußten.

Im Jahr 1540 brannte alles, was Holz war. Neun Jahre danach gingen einige der bereits erneuerten Bauten noch einmal in Flammen auf. Es dauerte keine zwei Jahrzehnte, und die meisten Schäden waren behoben. Nicht nur das. Die Häuser sind mit einem Eifer und mit Liebe zum Detail wieder aufgebaut worden, als gelte es, das Unglück so schnell wie irgendmöglich vergessen zu machen.

Das Rathaus war 1550 bereits unter Dach, das Brodhaus 1552, die Ratsapotheke 1562, die Ratswaage und Eichstätte rechts neben dem Rathaus 1565. Das große Haus am Steinweg 11 war schon 1545 vollendet und ist vom zweiten Brand verschont geblieben. In ihm ist das Städtische Museum eingerichtet. Gegenüber Nr. 14 ist das ganz typische Beispiel einer »Bude«, das Haus eines Bürgers, der keine Braurechte hatte.

Abwechslungsreich sind die farbigen Schnitzverzierungen am Einbecker Fachwerk; Viertel- und Halbrosetten, Schnürmuster, Eierbalken, Schlingwerk und Zöpfe im Kerbschnitt, an den waagrechten Balken Arkaden- und Wellenbögen und immer wieder Schriftzeilen mit Namen, Jahreszahlen und Segenssprüchen.

Um 1590 wurde das Rathaus mit einer anmutigen Besonderheit ausgezeichnet, die es in Einbeck nicht noch einmal gibt, die es überhaupt nur einmal gibt. Die drei eingeschossigen Vorbauten, zu groß, um sie Erker zu nennen, haben zur Traufkante des Hauses weit überkragende spitzkegelige Dächer bekommen. Sie sind handwerklich meisterhaft mit Schiefer gedeckt, und sie sind zum Wahrzeichen Einbecks geworden.

Ärgerlich ist der Brunnen, mit dem der schöne Markt (1941) bedacht worden ist. Eulenspiegel ist dargestellt, der

A S. Iacobs Kirch
B Maria Magdalena
C Stiffts Kirch S. Alexandri
D Augustiner Closter
E Rathhauss
F Benser Thor

G Hullerser Thor
H Tideker Thor
I Osfer Thor
K Oldendorffer Thor
L Wasser Thurn
M Ilm Fluss

Erzschelm aus einem Spießbürgermittelalter, das es so nie
gegeben hat. Er soll Hopfen sieden. Was tut er? Er siedet
des Brauherrn Hund, der »Hopf« heißt.
Bemerkenswert ist das Haus Marktstraße 13, um 1600 gebaut und geschmückt. Die Namen des Bauherrn und der
Künstler sind unbekannt. Das Haus ist einem Bilderbuch
vergleichbar. Alle Balkenköpfe, die Ständer zwischen den
Fenstern und alle Füllungen sind mit bemalten Schnitzfi-
guren geschmückt. Es reicht hin, die Gruppen aufzuzäh-
len: die fünf Sinne, die Apostel, Christus und die Evangeli-
sten, römische Göttinen und Götter, die sieben freien Kün-
ste, die Tugenden und acht Musen (die neunte fand keinen
Platz mehr). Die Ständerfiguren mitgezählt, sind es 100 Figuren. Sie sehen alle ein bißchen zerknautscht aus, und sie
sind nicht besonders gut. Aber man wird, wenn man das
Haus betrachtet, ganz einfach fröhlich, und man versucht,
sich den Patrizier vorzustellen, der hier etwas ganz Beson-
deres haben wollte. Der Laden im Erdgeschoß ist schlecht,
das Schaufenster zu groß. Das hätte man besser machen
können.
Am Ende des 16. Jahrhunderts wurde Einbeck dem Fürstentum Grubenhagen einverleibt. Die alten Freiheiten waren dahin, doch die landesherrliche Abhängigkeit war zu
ertragen. Einbeck hatte um 1600 etwas mehr als 7000 Einwohner. 1648 waren es nur noch 3500. Die Stadt mußte
»wieder auf die Beine kommen«. Bier mußte gebraut werden. Die Besatzungen, auch die während des Siebenjährigen Krieges, wären sonst noch übler gelaunt gewesen. Gegen Ende des 18. Jahrhunderts hatte die Stadt 5000 Einwohner. Ein gewisser Wohlstand war wieder erreicht worden.
Einbeck blickte in die Zukunft. Die erste »Fabrique« wurde errichtet, eine Flanellweberei. Im Einverständnis mit
den Braubürgern beschloß der Magistrat die Einrichtung
von Gemeinschaftsbraustätten. Das sinnvolle Ende dieser
Entwicklung war die 1794 gegründete städtische Brauerei.
Im Haus Nr. 8 in der Straße »Lange Brücke« arbeitete zu
Beginn des 19. Jahrhunderts der Apotheker Friedrich Wil-

helm Sertürner. Durch seine Entdeckung des Morphiums
als den schlafbringenden Stoff im Opium wurde er der Begründer der Alkaloid-Chemie. Er ist 1841 würdig in der Kapelle St. Bartholomäus bestattet worden. Die Gedenkstätte
ist besuchenswert. Die Malereien im Chor sind wohl um
1430 entstanden. Eindrucksvoll sind die Themen, unter
anderen »Das gute und das schlechte Gebet«. Ein Pilger
und ein Weltmann knien unter dem Gekreuzigten. Der Pilger bittet um Erbarmen, der Weltmann um das, was hinter
ihm dargestellt ist: einen Geldkasten, eine nackte Frau, ein
Kind und ein Pferd.

Bild folgende Seite oben links: Das Fachwerkhaus von Henny Blan-
ken, Marktstraße 26 (16. Jh.), ist wie viele Wohnhäuser in Einbeck an
den Holzteilen mit Schnitzwerk reich verziert.
Bild folgende Seite oben rechts: Das Haus an der Marktstraße 13 in
Einbeck zeigt rund hundert Figuren und Szenen an den Ständern, Bal-
ken und Füllungen. Sie entstammen im Gegensatz zu den übrigen
Schnitzwerken der Fachwerkhäuser dieser Stadt nicht dem einheimi-
schen Formenschatz, sondern wurden wahrscheinlich italienischen
Musterbüchern entnommen.
Bild folgende Seite unten: Das Haus Tidexer Straße 16, nach der In-
schrift 1543 vollendet, zeigt den Neiderkopf oder Schafskopf, eine
Figur, die ursprünglich böse Einflüsse fernhalten sollte.
Bild übernächste Seite: Der Neue Markt in Einbeck, rechts das kraft-
volle Fachwerkhaus von Cyriakus Poggen (1611) mit eingeschnitzten
Bibelsprüchen als Inschriften, links davon ein eher fader barocker
Fachwerkbau.

Im Jahr 1823 brannte die Stadt wieder einmal. Die Südfront
des Marktes neben dem Rathaus brach zusammen. Am
biedermeierlich wieder aufgebauten Haus Nr. 20 ehrt eine
Tafel das Andenken an Karl Friedrich Herting, den Gründer der ersten Einbecker Tapetendruckerei; ein Industriel-
ler, Künstler und Techniker, den Kopf voller neuer Ideen
und gar kein Geschäftsmann. Die erfolgreichsten seiner
Motive: die »Hertingsche Rose« und »Hertings Tochter«,
eine zarte junge Dame im filigran gestochenen Rahmen,
Muster von hohem Sammlerwert. Herting starb 1878 im
Armenhaus. Die Tradition des Einbecker Tapetendrucks
ist erfolgreich am Leben.

Lüneburg

auf Salz gebaut

Aus der Zeit der Sachsenkriege Karls des Großen ist ein wohlklingender Name »Hliuni« für einen Berg überliefert, der heute Kalkberg heißt und im Stadtbereich Lüneburgs liegt. Der alte Name taucht um die Mitte des 10. Jahrhunderts wieder auf, zur Zeit Ottos I., als dessen Lehnsmann, der Markgraf Hermann Billung, der Sieger über die Wenden, auf dem Hliuni eine Burg baute und (951) das Benediktinerkloster St. Michael stiftete; wichtige Gründungen, denn südlich des Kalkberges waren eine Sülze, eine Salzquelle (genaugenommen ein Brunnen) und ein paar Kotten, in den Boden gegrabene Sudhäuser zum Eindampfen der Sole, die eimerweise von Leuten aus der bäuerlichen Nachbarschaft für ihren Landesherrn heraufgeholt wurde. Unweit der Sülze, an einer Fähre und späteren Brücke über die Ilmenau lag das Dorf Modestorp und nördlich davon Bardowick, ein schon im 8. Jahrhundert genannter Handelsplatz.

Im Jahr 956 verlieh König Otto den Benediktinern den Salzzoll. Durch das Privileg wurde wohl der von Hliuni hergeleitete Name »Lüneburg« erstmals urkundlich und galt dann für die Burgsiedlung und für die beiden bald zusammenwachsenden Dörfer an der Sülze und am Fluß.

Die Salzsiederei oder das Sülzen, wie es hierzuland genannt wurde, war ein mühsames Geschäft und überdies immer Frondienst, obwohl man sich die Unfreiheit oder Knechtschaft, wie man's nennen will, unter den Billungern damals nicht so ausweglos erbärmlich denken muß wie in späteren Jahrhunderten (besonders im 14. und 15.) in Schwaben oder gar in Osteuropa. In der Sülze Zehnt abzuarbeiten galt mehr als auf dem Feld, denn die Heide, die oft besungene, gab nicht viel her. Das war ja auch den schlichtwolligen Heidschnucken anzusehen, die kleiner und magerer waren als die Schafe anderswo.

In der Billungerzeit war der Nutzen aus der Sülze für Lüneburg mäßig. Das Stapelgeld und der Gewinn aus den Kosten für die Transporte ging an Bardowick, den Handelsplatz mit den weitreichenden alteingeführten Kontakten. Lüneburg blieb ein kleiner Bauernmarkt, und das wurde erst anders nach zwei Gewalttaten.

Im Jahr 1106 starb Magnus, der letzte Graf Billung. Seine Tochter Wulfhild hatte den Welfen Heinrich den Schwarzen zum Mann, den Herzog von Bayern. Lüneburg wurde welfisch. Die nächsten Welfen-Heinriche hatten eindrucksvolle Beinamen. Heinrich der Stolze, er hatte Gertrud, die Tochter Lothars III. von Sachsen, zur Frau. Deren Sohn Heinrich nannte sich selbst den Löwen. Er war Herzog von Sachsen und Bayern; er machte im Norden wie im Süden Bekanntschaft mit dem Salz, und er wußte, daß es Ansehen und Gewinn bringt, mit dem Salz Politik zu machen.

Im Jahr 1152 ließ er das neuentdeckte Salzloch in Oldesloe zuschütten, denn Lübeck sollte mit dem Salz aus Lüneburg versorgt werden. Dies war der erste Gewaltakt.

Unter Heinrichs Schutz und Förderung begann sich die Siedlung an der Ilmenau zu beleben, die damals noch Modestorp genannt wurde, wie eine Urkunde von 1174 ausweist. Zur selben Zeit stiftete der Herzog den Boden zur Gründung des Benediktiner-Nonnenklosters Lüne am Ostufer der Ilmenau.

Die damals beginnenden Auseinandersetzungen Heinrichs mit Friedrich I. Barbarossa waren folgenschwer. Der Herzog verweigerte dem Kaiser die Heerfolge nach Italien, wurde geächtet, unterwarf sich, durfte aber von seinem Besitz nur sein mütterliches Erbe Braunschweig und Lüneburg behalten; und er wurde noch einmal, bevor der Kaiser zum Kreuzzug aufbrach, für drei Jahre des Landes verwiesen. Er fand Zuflucht bei seinem Schwiegervater, dem englischen König; und als der Kaiser in Richtung aufs Heilige Land die Donau hinunterfuhr, kehrte der Löwe zurück in das ihm verbliebene Herzogtum. Aber die Bürger von Bardowick wollten ihn nicht haben. Sie schlossen die Tore und verhöhnten ihn, den Geächteten. Heinrichs Wut war maßlos. Er befahl seinen Männern zu stürmen, ließ plündern und niederbrennen bis auf die Kirchen. Über das Portal von St. Peter und Paul setzte er eine Inschrift »Leonis vestigium«, die Spur des Löwen.

Bild rechte Seite oben: Das Bild der Altstadt von Lüneburg wird vor allem von den Backsteinbauten bestimmt. Im Bild der langgezogene Platz »Am Sande«. Die Bezeichnung stammt daher, weil der Marktplatz ursprünglich auf einer Sandbank angelegt wurde.
Bild rechte Seite unten: Der Stintmarkt in Lüneburg. Der Stint ist ein Fisch, der auch Stinklachs heißt, denn er riecht unangenehm.
Bild folgende Doppelseite: Der Alte Kran im Lüneburger Alten Hafen (am Fischmarkt) wurde zum erstenmal 1346 erwähnt, stammt in seiner heutigen Gestalt jedoch aus dem 18. Jahrhundert. Das gegenüberliegende Kaufhaus brannte 1959 ab. Nur die Fassade von 1745 ist erhalten.

Lüneburgs Aufstieg begann schwungvoll. Wann und von wem Lüneburg Stadtrecht erhielt, ist nicht überliefert. Die spätere Bestätigung (1247), zugleich mit erweiterten Rechten, stammt vom Enkel des Löwen, Otto dem Kind, dem von Friedrich II. förmlich anerkannten ersten Herzog von Braunschweig-Lüneburg.

Die Stadt wuchs. Bürger aus Bardowick waren zugezogen, die sogar ein gewisses Vermögen gerettet hatten. Sie kauften vom Herzog Sülzrechte oder gründeten Handelshäuser. Auch geistliche Herren, Äbte, auch die Pröpste des Domkapitels von Verden, Braunschweig, Bremen erwarben Anteile am Salz. Sie waren die »Sülzprälaten«, und sie verpachteten ihre Rechte an Bürger zu Bedingungen, die nach bald überholten Erträgen bemessen waren. Die Überschüsse waren oft ums drei- oder vierfache höher, und so wurde Lüneburg reich.

Die Stadt konnte den Bau der Befestigung mühelos selbst finanzieren. Das machte die Bürger stolz im Umgang mit dem Herzog. Sie erwarteten Treue von ihm und sicherten Waffenhilfe zu, aber, wie sie betonten, freiwillig und aus Freundschaft und nicht erzwungen oder nur, weil es der Herzog so gewohnt war; auch die Steuern zahlten sie freiwillig.

Zwischen dem alten Ochsenmarkt und der Waagestraße wurde ein großes Viereck abgesteckt für den neuen Markt, der repräsentativ werden sollte, städtischer als der Bauernmarkt bei St. Johannis. Der erste Rathausbau aus dem 13. Jahrhundert steht heute noch. Er nimmt sich winzig aus im Vergleich zu dem, was um ihn an Rathausbauten bis ins 18. Jahrhundert herumgewachsen ist, und er ist gerade groß genug, um das Alte Stadtarchiv aufzunehmen, eine Sammlung von mehr als tausend Amtsbüchern und einer Riesenzahl ungebundener Dokumente.

Durch die Erweiterung, besonders nach Osten, war der geräumig geplante Markt bald nur noch halb so groß, und es war gut, den alten Markt »Am Sande« noch zu haben.

An seiner östlichen Schmalseite stand die Modestorper Pfarrkirche, alt und zu klein. 1300 wurde der Neubau begonnen, eine fünfschiffige gotische Halle. 1370 war sie vollendet, der 108 Meter hohe Turm mit dem kupfernen Spitzhelm über den vier Seitengiebeln drei Jahrzehnte später.

Seit der Erbteilung 1267 war Lüneburg ein selbständiges Fürstentum. Das Verhältnis zwischen Herzog und Bürgerschaft war friedlich, die wirtschaftliche Situation gut; daher die kurze Bauzeit für die Kirche St. Johannis.

Die im 14. Jahrhundert erbauten Bürgerhäuser sind in ihren ersten Formen nicht erhalten. Viele mußten um- oder neu aufgebaut werden, wenn sich der Baugrund senkte, eine Erscheinung, die von der Instabilität des Salzstocks herrührt, auf dem die Stadt steht und der heute noch für Überraschungen sorgt.

Das älteste datierbare Haus ist das Haus des Sülfmeisters Brömse von 1409 (Am Berge 35). In ihm ist seit 1965 das Archiv für Kulturgut des deutschen Osten untergebracht.

Die erste Erwähnung des drehbaren Krans am Ilmenauhafen stammt von 1345. Als technisches Meisterwerk ist er hochberühmt und genießt heute die wohlverdiente Ruhe des Denkmalschutzes. Seine letzte Glanzleistung war das Hochziehen der aus England gelieferten Lokomotive für die Eisenbahn Hamburg-Lüneburg-Hannover, die 1847 eröffnet wurde.

Eine Stadt wie Lüneburg konnte nicht für alle Zeit in Frieden leben, auch wenn sie selbst den Landherren gegenüber keine territorialen Forderungen stellte. Ihr Schicksal wurde nur zu oft in höheren Rängen entschieden, und bevor es entschieden war, floß Blut. Erbstreitigkeiten im Jahr 1367 brachten Unruhe, schienen aber durch die Entscheidung Karls IV. beigelegt, der die Stadt den Herzögen von Sachsen-Wittenberg zugesprochen hatte, eine Entscheidung, die vom Rat der Stadt akzeptiert worden war. Aber der Herzog mit dem martialischen Namen Magnus Torquatus war damit gar nicht einverstanden. Unterstützt von einer Schar beutegieriger Ritter schlich er sich in der Ursulanacht (21.10.) 1371 über die stille Heide in die schlafende Stadt. Zwei Bürgermeister fielen beim ersten Angriff. Dann bat ein kluger Ratsherr um Schonzeit; er versprach kampflose Übergabe, er müsse nur zuvor alle Ratsherren wecken. Die Lüneburger hatten so Zeit gewonnen. Sie beschlossen, sich zu verteidigen, und sie siegten. An die fünfzig Ritter und Knappen mußten ihr Leben lassen. Noch im selben Jahr rissen die Lüneburger die alte Burg auf dem Kalkberg ab. Die herzogliche Residenz wurde daraufhin nach Celle verlegt. Der Kalkberg wurde zum Steinbruch. Auch das Kloster St. Michael wurde abgerissen. Lüneburg schenkte den Benediktinern Grund und Boden für ein neues Kloster und begann 1379 den Bau der neuen Kirche St. Michael, einer dreischiffigen Halle, deren Chor schon 1390 geweiht werden konnte. Die Gebeine des Hermann Billung und der Söhne Heinrichs des Löwen wurden in die neue Unterkirche St. Michael übergeführt.

Noch vor dem Ende des Jahrhunderts wurde Lüneburg Mitglied der Hanse, war bald hochangesehen und wurde leichtsinnig. Die verschuldete Stadt wollte ihre Bilanz auf Kosten der Sülzprälaten in Ordnung bringen; und dies ging nicht ganz friedlich zu. Der Propst von Lüne führte Klage

beim Papst. Dieser verhängte den Bann über die Stadt, und der Kaiser, der Habsburger Friedrich III., tat die Reichsacht dazu; harte Schläge, die von den geschickten Lüneburgern weich aufgefangen wurden. Ein Kompromiß wurde ausgehandelt.

Inzwischen war das Rathaus gewachsen, aber an den Bedürfnissen des Magistrats gemessen längst noch nicht groß genug. Am Ochsenmarkt entstand im 16. Jahrhundert die große Ratsstube und der lange Zwischentrakt zur Kämmerei, einem spätgotischen Bau, der den Rathausgarten vom Marienplatz trennt. Lüneburg, die Backsteinstadt, bewahrt heute noch ihr Renaissancegesicht aus dem 16. Jahrhundert, besonders in den Bürgerbauten mit den originellen, oft auf den ersten Blick noch recht gotisch anmutenden Staffelgiebeln. Das Straßenbild ist abwechslungsreich. Auch sehr gutes Schnitzfachwerk ist zu entdecken.

Zur Zeit der Reformation kam es wieder einmal zu einer Kraftprobe zwischen den Herzögen und der Bürgerschaft, die aber schließlich doch für den neuen Glauben entschieden wurde. St. Johannis wurde evangelische Stadtkirche, St. Michaelis wurde ein Stift.

Bild rechte Seite oben links: Teil der Altstadt von Lüneburg an der Ilmenau.
Bild rechte Seite oben rechts: Die Alte Lüner Mühle, ein Haus in Fachwerkbauweise mit Backsteingefachen.
Bild rechte Seite unten links: Fassade eines Fachwerkhauses. Die Inschrift gibt das Jahr 1669 an.
Bild rechte Seite unten rechts: Das Lüneburger Rathaus wurde um 1200 begonnen. Einige Jahrhunderte später war es zu einem großen Komplex angewachsen. Das Innere ist zum Teil sehr reich ausgestattet. Die Große Ratsstube, entstanden 1566-1584, gilt als einer der wichtigsten Renaissancesäle in Deutschland. Im Bild ein Ausschnitt aus der Fassade mit dem Heiligen Petrus.

Obwohl der langsame Niedergang der Hanse im 16. Jahrhundert auch in Lüneburg zu spüren war und da besonders am Ilmenauhafen, blieb die Stadt immer noch eine der reichsten im Norden, so reich, daß es im Dreißigjährigen Krieg gelang, Plünderungen durch Geld abzuwenden. 1637 zog Herzog Georg in Lüneburg ein und begann, den Kalkberg zur Festung auszubauen.

1695 schuf der in Celle residierende Herzog Georg-Wilhelm an der Nordseite des Markts das Stadtschloß nach französischen Vorbildern, den künftigen Witwensitz für seine Gemahlin, die als überaus geistvoll gepriesene Eleonore d'Olbreuse.

Bald darauf bekam das Rathaus seine Barockfront, deren fünf kräftige Pfeiler, die ehedem Türme waren, an die dahinter versteckte Gotik erinnern.

Barock sind auch einige erhaltene Bauten der Ritterakademie von 1715 auf dem Boden des ehemaligen Klosters St. Michael und das »Kaufhaus«, der frühere Heringspeicher beim Kran, mit der repräsentablen Giebelfront von 1745. Sogar Klassizismus ist vorzuweisen, das Predigerhaus an der Johanniskirche, 1784 erbaut von Ernst Georg Sonnin. Im Jahr 1705 war Lüneburg dem Kurfürstentum Hannover einverleibt worden. Von den Kriegen des 18. Jahrhunderts im Süden und Westen Deutschlands war hier oben im Norden wenig zu spüren. 1803 kamen die Franzosen, und zur Zeit des kurzlebigen Königreichs Westfalen (nach Napoleons Idee) war Lüneburg die Hauptstadt eines Departements. 1813 war auch dies vorbei.

Wäre Lüneburg auf Sand und nicht auf Salz gebaut, hätte es die Zeiten wahrscheinlich ganz gut als Pferde- und

Ochsenmarkt und kleiner Flußhafen überstanden. Aber wohlhabend und so schön wäre die Stadt nicht geworden und hätte die wirtschaftlichen Veränderungen im 19. und 20. Jahrhundert nur recht schmerzlich verkraftet.

Lüneburg war einmal die größte Exportsaline Deutschlands. Das ist sie heute nicht mehr. Und doch wird die Stadt vom Salz nicht loskommen. Denn seit man die Heilkraft der Solequelle (mit 27 % Salzgehalt eine der stärksten) erkannt hat, ist im Süden der Altstadt der Kurort Lüneburg entstanden mit Heilbädern, einem Kurpark und allem, was dazugehört.

Durch Umsiedlungen aus dem Osten ist die Stadt in den Jahrzehnten seit dem Krieg erstaunlich schnell gewachsen und mit 60000 Einwohnern längst eine Mittelstadt geworden. Der Altstadt zwischen Kalkberg und Ilmenau merkt

man's nicht an. Nach einer kurzen Zeit bedenkenlosen Abreißens unbequem gewordener, oft absichtlich dem Verfall überlassener Häuser, die zu retten gewesen wären, hat sich die Stadt erfreulich auf die Verpflichtung besonnen, altes Kulturgut zu erhalten. Private Initiative spielt dabei eine wichtige Rolle. Ihre Erfolge sind beispielhaft, anregend und vor allem mahnend.

Markgröningen

Kartoffeln, Schafe und der Arme Konrad

Das Strohgäu, westlich von Stuttgart, ist hügeliges Bauernland, friedlich und von der württembergischen Geschichte nicht übermäßig zerzaust. Stuttgart war meilenfern, und die Residenz Ludwigsburg, die Glanzleistung dreier Herzöge im 18. Jahrhundert, und auch der Schreckensort Hohenasperg bedeuteten den Bauern so wenig wie der herzoglichen Hofküche die Strohgäuer Kartoffeln, die hier seit dem 17. Jahrhundert angebaut wurden, eingeführt von den Nachkommen französischer Waldenser, die, als Ketzer verfolgt, aus Frankreich nach Piemont hatten fliehen müssen und auch in der neuen Heimat nicht bleiben konnten, als Piemont 1631 von den Franzosen besetzt worden war. Im damals ärmlichen Strohgäu durften sie siedeln. Die Kartoffeln, die sie durch zurückgekehrte Glaubensbrüder aus Amerika kennengelernt hatten, waren das Gastgeschenk hungriger Flüchtlinge an Bauern, die auch nicht immer satt wurden. Ihr Dorf nannten die württembergischen Waldenser Perouse. (Es liegt zur Linken an der Autobahn Stuttgart-Karlsruhe, 9 km nach der Ausfahrt Leonberg.)

Außer dem Dorf mit dem französischen Namen hat das Strohgäu noch eine städtische Besonderheit aufzuweisen. Am Flüßchen Glems, genau gesagt zwischen der Glems und dem Leudelbach, die beide zur Enz und mit ihr in den Neckar fließen, liegt Markgröningen, die kleinste der ehemaligen Freien Reichsstädte, ein ländliches Gemeinwesen, das in der Enge seiner Stadtmauern einen überaus behaglichen Eindruck macht und sich allem Anschein nach erst um die Wende zum 20. Jahrhundert entschlossen hat zu wachsen. Die längste Wegstrecke des Städtchens vom Ostertor zum Obertorturm mißt ganze 450 Meter. Im Jahr 1900 waren knapp 3000 Einwohner zu zählen.

Die Alemannensippe Gruono gab der ersten Siedlung den Namen. Ums Jahr 1000 tauchte die Lesart Gruningen auf, danach ein Landherr Sigeboto.

1139 hielt König Konrad III., der erste Staufer, in Gruningen Gerichtstag auf dem von den Calwer Grafen an die Staufer abgetretenen Gutshof, den Konrads Neffe Friedrich I. Barbarossa zum Königshof ausbaute und einem Amtmann übergab, bevor er 1189 zum Kreuzzug aufbrach, von dem er nicht wiederkehrte. Gruningen ist seitdem schwäbisch. Die Erhebung zur Reichsstadt ist wahrscheinlich um 1245 von Kaiser Friedrich II. vollzogen worden. Eine Urkunde aus dem Jahr 1252 weist aus, daß die Stadt vom Gegenkönig Wilhelm von Holland dem Grafen Hartmann von Wirtemberg zum Lehen gegeben und somit nicht mehr reichsfrei war.

Aus der Zeit dieses Grafen Hartmann stammt Markgröningens Stadtbefestigung. Um 1256 wurde mit dem Bau der Pfarrkirche begonnen, einer dreischiffigen Basilika an dem Platz, wo vorher eine kleine romanische Kirche gestanden hatte. Ursprünglich war sie den Aposteln Petrus und Paulus geweiht. Später, vermutlich seit der Vollendung eines neuen spätgotischen Chors (1472) wurde St. Bartholomäus, der Patron der Schäfer, zum Schutzheiligen der Kirche. Der nördliche der beiden wuchtig-schlichten Türme ist als Wachturm Eigentum der Stadt.

Graf Hartmann war zweifellos auch der Stifter des Spitals und der Kirche Heilig Geist. Nach dem Willen des romtreuen Grafen war sie dem römischen Spitalorden Santo Spirito unterstellt.

Die Weihe der Kirche 1297 sollte Graf Hartmann nicht mehr erleben; denn nach dem Ende der Staufer und nach Jahren des Interregnums wählten sieben Reichsfürsten Rudolf I., den Grafen von Habsburg, zum deutschen König, und dem ging es darum, verlorenen Besitz dem Reich wiederzugewinnen. Hartmann wollte die Stadt nicht hergeben. Aber der Landvogt, Schwager des Königs, lauerte auf dem Langen Feld, nahm Hartmann gefangen und ließ ihn auf dem Hohenasperg einsperren. Dort starb Graf Hartmann von Wirtemberg-Grueningen nach einem halben

Jahr Gefangenschaft am Franziskustag (4.10.) 1280. So steht es auf dem Grabmal in der Pfarrkirche, dem ältesten Denkstein eines Württemberger Landesherrn.

Aus dem Jahr 1312 stammt eine Urkunde über die Freiheiten der Reichsstadt Markgröningen. Das Aufzählen verbriefter Rechte sagt wenig oder nichts aus über die freiheitliche Stimmung in der Stadt und ihre Wirtschaftskraft. Sicherheit, inneren Frieden ohne soziale Spannungen konnten die Freiheiten nicht garantieren. Und überdies hatte der König ja jederzeit das Recht, die Stadt dem oder jenem Grafen oder Herzog zum Reichslehen zu geben für Heerfolge oder einfach als Pfand für Geld, das er nötig brauchte.

Bald nach der gewaltsamen Lösung der Stadt aus den behütenden Händen des Grafen Hartmann wurde sie wieder verpfändet und im Jahr 1336 vom damaligen Inhaber des Reichslehens an den Grafen Ulrich III. von Wirtemberg verkauft.

Das nun endgültige Ende der Reichsfreiheit und die 1396 dem Haus Württemberg geschworene Treue waren erregende Vorgänge. Am Leben der Markgröninger änderten sie wenig. Das Verhältnis zwischen dem Magistrat und der Vogtei des Landesherrn war meist gut. Die Stadt wuchs über ihre Mauern nicht hinaus. Im »Lagerbuch« (Grundbuch) der Stadt aus dem 15. Jahrhundert ist Landbesitz im Strohgäu ausgewiesen. Schafzucht und Wollhandel, Gerberei und auch ein wenig Weinbau waren Grundlagen einer beruhigenden Stabilität. Nebenbei war die Stadt berühmt wegen ihrer Lateinschule, auf der sich die Söhne reicher Kaufherren (wenn sie schlau waren) fürs Studieren in Tübingen vorbereiten konnten.

Allsommerlich am Tag des hl. Bartholomäus (24.8.), des Schutzpatrons der verlorenen Schafe, zogen die Schäfer mit ihren Herden durch die Stadt, ihre Tiere zählen zu lassen.

1440 beschloß der Magistrat den Bau des neuen Rathauses. Die württembergischen Herren kümmerten sich um die Stadt, so Eberhard V. »im Barte«, der 1495 von Maximilian I. zum Herzog erhoben wurde. Er ließ den »Fruchtkasten« bauen, ein großes Lagerhaus für Zeiten der Not und

Teuerung. Der tätige und für seine Gemeinde fürsorgliche Johannes Betz war damals Ordensmeister des Stifts Heilig Geist. Er vergrößerte den Stiftsbesitz, richtete eine Meierei ein und baute Pfründhaus, Heuhaus und Fruchtkasten. Zum Amt Markgröningen gehörten am Anfang des 16. Jahrhunderts zwölf Dörfer und Weiler im Strohgäu und auf dem Langen Feld. Sie mußten wacker abliefern und dienstleisten.

1514 predigte und betete der Pfarrer Reinhard Gaißler, der erste Sozialrevolutionär auf einer württembergischen Kanzel, für die unzufriedenen Bauern, die sich im Bund »Armer Konrad« zusammengeschlossen hatten und die sich am Ende des Aufstands kein Zipfelchen Recht hatten erobern können.

1534 wurde auf herzoglichen Befehl der neue Glaube im streng lutherischen Geist verkündet, 1544 hier das erste evangelische Pfarrhaus gebaut.

Im Jahr 1600 hatte Markgröningen 1500 Einwohner und 340 Häuser innerhalb der Mauer.

Dann kamen die Schreckensjahre. Leute, die sich zuerst nur über einen Flohstich geärgert hatten, bekamen Fieber, eitrige Beulen, konnten mit einem Mal nicht mehr atmen und starben hin. Für das Jahr 1626 zählte die Chronik 466 Tote.

In der zweiten Hälfte des großen Krieges kamen Plagen, die noch schlimmer waren als die Pest: Belagerung, Plünderung, Totschlag und Mord, dazu der Hunger. Am Ende des Krieges waren 120 Häuser niedergebrannt, und was noch stand, war zur Hälfte unbewohnbar. 1693 kamen noch einmal die Franzosen und leerten die Keller und die Kassen.

Um die Wende zum 18. Jahrhundert hatte der jugendliche Herzog Eberhard Ludwig das brennende Verlangen nach einer dem absolutistischen Gedanken würdigen Szenerie. Ludwigsburg entstand, zwei Wegstunden östlich von Markgröningen, das »württembergische Versailles«, ganz nach dem Herzen der schönen Favoritin Wilhelmine von Grävenitz, dem »Herzog seinem Bettschatz«, wie die Leute es ausdrückten. Eberhard Ludwigs Nachfolger vollendeten das Werk mit schwäbischer Gründlichkeit.

Die Schwaben auf dem Land, auch die im Strohgäu, schüttelten die Köpfe; und aus demselben Protest, aus dem heraus Schiller »Die Räuber« schrieb, wanderten viele junge Männer aus. Der erste Markgröninger ging 1752. Bis ungefähr 1850 waren es mehr als tausend. Im Jahr 1900 zählte die Stadt 2898 Einwohner.

Als am Beginn des 19. Jahrhunderts die Zünfte aufgelöst wurden, entfiel für die Schäfer die Pflicht, am Tag Bartholomäi ihre Herden vorzuführen. Seitdem tun sie es bis heute freiwillig mit Trommeln und Dudelsäcken und Wettrennen, barfuß übers Stoppelfeld; und die ganze Stadt macht mit. Und das gerade ist es, was Markgröningen so liebenswert macht, die Aufgeschlossenheit für Probleme der Gegenwart und daneben das Hängen am Überlieferten. Es gibt Ecken, da steht Neues dicht beim Alten, so in dem würdig wieder hergerichteten Viertel um die Stiftskirche. Es gibt kein Museum, aber eine sehr gute Buchhandlung. Und es gibt Winkel, da braucht einer nur sein Auto wegzudenken, und die Zeit steht still.

Meldorf

Dusenddüwelswarf

Dithmarschen ist das Land an der Nordsee zwischen der
Elbmündung und der Eider. Der Name erscheint, althoch-
deutsch unterschiedlich buchstabiert, schon am Anfang
des 9. Jahrhunderts als Tiodmares gaho, Thedmars goi
(Dietmars oder Detmars Gau). Die später üblich geworde-
ne Schreibweise Dithmarschen ist irreführend; denn die
durch Dämme geschützten Marschen zwischen dem Meer
und dem Geestland gab es zu Zeiten des Gaugründers
noch nicht.
Um 815 landete der Bremer Bischof Willerich von Nor-
thumberland in dem kleinen Hafen, der zu Melindorp
(Meldorf) gehört, einer Siedlung auf festem Grund, hoch-
gelegen, um vor Sturmfluten einigermaßen sicher zu sein
und landeinwärts geschützt durch sumpfige Niederungen.
Willerich gelang es, die Meldorfer Bauern und Fischer
zum Christentum zu bekehren und auf dem Thingplatz
den Grundstein für eine Kirche zu legen. Das geschah
friedlich im Sinne Ludwigs des Frommen, der missionari-
sche Kriegszüge, wie sie sein Vater, der Große Karl, geführt hatte, ablehnte. Die Meldorfer waren stolz auf ihre
Kirche, die um 825 vollendet war; der erste Steinbau weit
und breit, der bald ecclesia mater, Mutterkirche zur Verbreitung und Festigung des neuen Glaubens, werden sollte. Sie wäre im 11. Jahrhundert beinahe zum Dom, zur Bi-
schofskirche erhoben worden, wenn der weitblickende
Erzbischof von Hamburg und Bremen, Adalbert der
Große, nicht von Heinrich IV. abgesetzt worden wäre, dem
Kaiser, der nach Canossa hatte gehen müssen. Doch das
war für die Meldorfer Weltpolitik, und die bekümmerte sie
wenig. Sie hatten Wichtigeres zu tun.
Was sie im 11. und 12. Jahrhundert zusammen mit den
Bauern des Umlands geschaffen haben, ist das Ergebnis
der über Generationen dauernden Gemeinschaftsarbeit.
Die Dithmarscher bauten Dämme, ähnlich den Ringwäl-

len früher Zeiten, aber nicht, um Weiler oder einzelne Hö-
fe zu schützen, sondern um den landraubenden Fluten
nicht mehr ausgeliefert zu sein; und damit gewannen sie
Land, ohne es anderen wegnehmen zu müssen.
Dies machte sie sehr selbstbewußt. Dickköpfig waren sie
wohl von Natur aus. Sie wollten nicht einsehen, warum sie
den verstreut im Gau sitzenden Adelsherren gegenüber
brav und gefällig Abgaben leisten und Dienste tun mußten,
nur damit Huld auf ihnen ruhen möge. Die Bauern fühlten
sich stark genug, die adeligen Landherren zu vertreiben –
mit dem Ziel, ihren Gau zu einem freien Land zu machen.
Die letzten, die ihren Sitz bei Windbergen, südlich von
Meldorf, aufgaben, waren die Reventlow.
Ohne irgendjemanden zu fragen, erhoben die Dithmar-
scher Meldorf zur Stadt. Aus dem Jahr 1265 ist ein Siegel
erhalten mit der Umschrift »Caput terrae universitatis
Dithmarsiae« (Hauptstadt des gesamten dithmarsischen
Landes).
Um die Jahrhundertmitte, als der Deichbau vollendet war,
rissen die Meldorfer das alte Gotteshaus aus Willerichs
Zeiten ein und begannen den Bau einer dreischiffigen
Backsteinbasilika. Um 1300 wurde die Kirche geweiht, ein
Werk, nur scheinbar zu groß für eine so kleine Stadt, ihrem
Stolz aber durchaus angemessen. Der bedeutendste mittelalterliche Bau an der schleswig-holsteinischen Westküste
wurde später durch sichernde Stützpfeiler entstellt, die besonders die Südwand aussehen lassen, als hätten die Baumeister darüber nicht lange genug nachgedacht. Das
Schlimmste wurde durch die Sanierungsarbeiten im
19. Jahrhundert gemildert. Die Kirche sieht heute perfekt
neugotisch aus. Doch das hat man nach dem Betreten des überraschend weit wirkenden Langhauses vergessen, das
ungeachtet der über die Renaissance bis ins Barock rei-
chenden Ausstattung feierlich gotisch wirkt; eine Gotik
ohne Maßwerk, stimmungsvoll im gedämpften Licht
durch das abwechselnd warme und kühle Rot des Back-
steins.
Die Dithmarscher haben den ihnen durch politisches Mißgeschick versagten Dom selbst gebaut, aus eigener Kraft

und mit eigenem Vermögen, wie es einem freien Gemeinwesen wohl ansteht.

Die Bauernrepublik »Dithmarsia nostra res publica«, wie sie in Urkunden oft genannt wurde, fühlte sich trotz gelegentlicher Geplänkel mit dem holsteinischen Adel sicher. Eine herzoglich-schleswigsche Turmburg, 1403 an der Straße östlich von Meldorf gebaut, war ein Jahr darauf zerstört, nachdem der Herzog im Kampf mit den Bauern gefallen war.

Die Dithmarscher hatten einen Schlachtruf »Maria hilf!«. Die Gottesmutter war ihnen, so schien es, gewogen, ganz besonders am 17. Februar 1500 in der Schlacht bei Hemmingstedt, als ein dänisch-schleswig-holsteinisches Heer, das Meldorf erobern und die Bauernrepublik auflösen wollte, im Schlick steckenblieb und entsetzlich zugerichtet wurde. Jeder dritte Mann kam um. Der Ort des Geschehens heißt seitdem Dusenddüwelswarf (Tausendteufelschanze). Die Dithmarscher glaubten, mächtig und frei zu sein für alle Zeit. Es sollte bald anders kommen.

Die Republik stand seit ihrer Gründung formal unter dem Schutz des Erzstifts Bremen, freiwillig, denn die Bauern waren gute Christen. Aber seit 1522 gab es das Erzstift nicht mehr, und Meldorf war auf Beschluß des Rates 1524 protestantisch geworden. Vielleicht hielten die Dithmarscher selbst ihren Separatismus für nicht mehr zeitgemäß. Nach der unentschieden ausgegangenen Schlacht bei Heide (1559) gegen ein dreifach überlegenes Fürstenheer boten sie ihre Unterwerfung an und konnten einen günstigen Friedensvertrag aushandeln – mit dem einzigen Schönheitsfehler der Teilung. Norderdithmarschen kam an Dänemark, Süderdithmarschen mit Meldorf, dem das Stadtrecht aberkannt wurde, an Schleswig-Holstein. Das blieb so, bis 1867 beide Dithmarschen mit Schleswig-Holstein dem Königreich Preußen einverleibt wurden. Für Meldorf verlief die Zeit nach dem Ende der Republik ohne große Aufregungen. Die Reformation hat wenig verändert; das Dominikanerkloster, um 1300 gegründet, war aufgelöst. 1540 zog die Lateinschule ein. Von den alten Bauten steht nur noch ein Trakt an der kurzen Straße, die heute Klosterhof heißt. Der rechtwinklig anschließende Bau stammt aus dem 17. Jahrhundert. Auf dem Gelände der Propstei steht heute das evangelische Gemeindezentrum, ein kleinteilig gegliederter Bau aus neuester Zeit, das einzig wirklich gelungene Ensemble aus alt und neu.

Das 19. Jahrhundert hat sich in der Altstadt mehrere bauliche Grobheiten einfallen lassen. Die guten alten Bürgerhäuser haben oft unwürdige Nachbarschaft bekommen, sind aber immer noch sehenswert. Die Denkmalschützer haben in den letztvergangenen Jahren einiges wiedergutmachen können, und sie sind noch bemüht, weitere Substanzverluste zu verhindern.

Das Erfreulichste und zugleich das Wichtigste in Meldorf ist das Dithmarsische Landesmuseum, eine schon im vorigen Jahrhundert begonnene Sammlung von historischem Material, die zu bewundern der Gast sich Zeit nehmen muß. Informierende Modelle zum Schiffbau und zur Anlage der Deiche, alte Dokumente, Strandgut, Hausrat, Kunsthandwerk, nicht zu vergessen die martialischen Zielfiguren fürs Rolandstechen, einem bäuerlichen Reitersport.

Alles ist bäuerlich, wenn auch manches so aussieht, als käme es aus einer städtischen Patrizierwohnung. Das Wort »Bauernwohlstandsgesellschaft« kann dem Besucher in den Sinn kommen. Er bewundert den Kunstverstand, mit dem die durchs Leben hart gewordenen Fischer und Bauern ihre Wohnungen liebevoll geschmückt haben.

Der Pesel ist das, was der Großbürger »Salon« genannt hat, der Kleinbürger »Gute Stube«. Aber da ist ein Unterschied im Gebrauchswert: Im Pesel steht – auch – ein Bett; wie schön! Im überaus prunkvollen Pesel des Markus Swin kann einem zur Melancholie neigenden Gast das Märchen vom Butt und dem Fischer und siner Fru einfallen; und ob die wohl im Bett residierend ihren geplagten Fischer wieder und wieder zum Butt geschickt hat?

Zum Landesmuseum gehört auch das Dithmarscher Bauernhaus am Westrand der Altstadt (an der B 5 hinter der Holländerei). Aus der Gegend von Albershof stammend, ist es hier am Rand der Marschen wieder aufgebaut worden, und obwohl es eigentlich ein Geesthaus ist, steht es da als ein schönes Beispiel für bäuerliche Alltäglichkeit mit seinem ganzen nur oberflächlich geordneten Kleinkram. Das Bett in der Kammer sieht aus, als sei es noch angewärmt. Und über das ausgestopfte Pferd, das wie startbereit in der Tenne steht, soll bitte niemand lachen! Auch große Kinder freut das.

Im Jahr 1869 hielt es die preußische Obrigkeit für angemessen, Meldorf wieder als Stadt anzuerkennen; und im Jahr 1892 war der Stadt das alte Rathaus am Markt nicht mehr recht. Es wurde verkauft. Das Neue Rathaus in der Roggenstraße wurde, wie sich denken läßt, mit neugotischem Zierat bedacht und von diesem 1977 wieder befreit. Es ist dadurch nicht schöner geworden. Schade um die alten Häuser, die einem repräsentativen Platz vor dem Rathaus zuliebe abgerissen wurden!

Eines davon gehörte einem bedeutenden Sohn der Stadt, Heinrich Christian Boie (1744–1806), dessen Name in jeder Literaturgeschichte steht. Er schuf in Göttingen mit F. W. Gotter den ersten »Deutschen Musenalmanach«, und er war Gründer und bis 1791 Herausgeber der Zeitschrift »Das Deutsche Museum«. 1781 wurde er Landvogt von Süderdithmarschen.

Boies erster Sekretär (damals Landschreiber genannt) war ein weitgereister Mann, Carsten Niebuhr (1733–1815). In den Jahren von 1761 bis 1767 war er Mitglied der vom dänischen König ausgerüsteten Expedition ins Zweistromland, nach Arabien und nach Ägypten den Nil aufwärts bis weit über Assuan hinaus. Danach arbeitete er in Kopenhagen an seiner »Reisebeschreibung nach Arabien«, ließ sich 1778 in Meldorf nieder, wurde Landschreiber, baute sein Wohnhaus (Nordermarkt 9, in dem jetzt die Dom-Goldschmiede eingerichtet ist) und schrieb Gerichtsprotokolle und Mahnungen an säumige Steuerzahler. Akademien und Universitäten boten ihm Lehrstühle an. Er lehnte ab: Seine Lebensarbeit sei getan. Er wollte lieber im stillen, ihm lieb gewordenen Meldorf bleiben.

Memmingen

Bayerische Stadt an der Iller

Alljährlich im Juli ist in Memmingen ein Wochenende lang »Fischertag«, und es ist wichtig zu wissen, daß dies Volksfest nichts mit dem Fischefangen zu tun hat, sondern

Bild linke Seite: Das Memminger Rathaus, errichtet 1589, neu ausgestaltet 1765, zeigt eine prächtige, von drei Erkern geschmückte Fassade. Es fügt sich schön in das Stadtbild ein.
Bild oben links: Hübsche, schlichte Fassaden von Bürgerhäusern an der Maximilianstraße in Memmingen.
Bild oben rechts: Memmingen: Rückansicht der Ulmer Straße hinter dem Zollergraben mit dem Ulmer Tor. Die vielleicht merkwürdigste unter den Memminger Sehenswürdigkeiten ist das sogenannte Siebendächerhaus, das alte Zunfthaus der Gerber. Wie der Name andeutet, ist das Dach gestuft. Unter den entsprechenden Vorsprüngen hingen die Gerber ihre Felle zum Trocknen aus. 1945 fiel das Gebäude teilweise ein, wurde dann jedoch zum Teil mit dem Originalmaterial wieder aufgebaut.

mit dem Mond. Und das kam so: Vor einigen hundert Jahren, an einem späten Abend, gingen ein paar ansonsten recht ernsthafte Bürger nach erregender Sitzung im »Löwen« wohltuend angetrunken durch ihre schöne Stadt. Einem der Freunde kam die Idee nachzuschauen, ob in den mancherorts an den Straßenecken stehenden Trögen auch genug Wasser sei für den Fall eines Brandes; da war ein Trog vorschriftsmäßig gefüllt und im Wasser strahlend hell ein Mond. Strahlende Helle auch im Kopf des Bürgers, der lautstark verkündete, es sei das Gescheiteste, diesen schönen Mond aus dem Trog zu fischen, damit er ihnen künftig auf dem Heimweg leuchte; denn auf den Mond am Himmel sei kein Verlaß, der sei ja nicht jede Nacht da.
Wie sich denken läßt, war das nun beginnende Gepantsche von ziemlichem Lärm begleitet, der die Leute in der Nachbarschaft aus ihren Betten holte; und weil die Memminger Humor haben, ist die Blödelei unvergessen bis auf den heutigen Tag.

Der Memminger Humor konnte aber auch ein schwarzer sein. Davon zeugt ein Flugblatt von der Sorte, die als Vorläufer der heutigen Boulevard-Presse gedacht werden kann. Alles ist makaber: das Jahr: 1632; das Haus: der damals wie heute düster anmutende Fuggerbau am Schweizerberg; der Mann: Wallenstein. Der saß da, gichtgeplagt und an Schlafstörungen leidend, umgeben von 600 Mann arroganter Leibgarde in dem Haus, das ihm der große Bankier zur Verfügung gestellt hatte, abwartend wie es weitergehen werde. Er hatte »provisorisch« den Oberbefehl über die kaiserliche Armee wieder übernommen. Dies aber war vom Kaiser noch nicht bestätigt. Tilly, der seit Magdeburg keine Schlacht mehr gewonnen hatte, war von Gustav Adolf bei Rain am Lech geschlagen worden. Der Schwedenkönig ließ sich in Augsburg von der protestantischen Bürgerschaft hofieren. Tilly lag auf den Tod krank in Ingolstadt.
Das Flugblatt »Wahre Historie des Wallensteinischen Gelächters«, mit einem abscheulichen Holzschnitt illustriert, handelt eingangs in ziemlich holperigen Versen von der Zeit, dem Krieg, dem Fürsten Wallenstein, der wartete, wann der Kaiser ihn nach Wien oder nach Regensburg rufen werde, und so
»befahl er, bald zu machen. Ein grossen weiten stuel.
Kein Mensch wust, zu was sachen.
Er sollte seyn bequem. Er war verfertigt schon.
Von Sammet weich bekleid und gleicht sich einem Thron.
Daß man mir diesen stuel sagt er, beyseite setze,
biß ich zu seiner Zeit mich wol darauff ergötze.
Es wuste niemand nicht was es beduten solt
Und zu was Herrligkeit er diesen Sessel wolt.«
Als dann schließlich die Nachricht von Tillys Tod gekommen war:
»Da ruft Fürst Wallenstein das man den stuel mir hol!
Setzt sich drauff, schrie und lacht als ob er wäre doll.
Er lachte vierzehn Tag das wacklet Bauch und Sessel, – –«
Viel Anlaß zum Lachen hatte er danach in den knappen zwei Jahren, die ihm fürs Leben noch gegeben waren, nicht mehr.

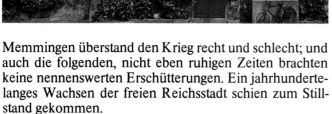

Memmingen überstand den Krieg recht und schlecht; und auch die folgenden, nicht eben ruhigen Zeiten brachten keine nennenswerten Erschütterungen. Ein jahrhundertelanges Wachsen der freien Reichsstadt schien zum Stillstand gekommen.

Der Anfang dieser stetigen Entwicklung war ein Alemannendorf der Sippe Mammo, die sich im 5. Jahrhundert hier ansiedelte. Nach ihr ist der um 600 angelegte fränkische Königshof Memmingen genannt worden, eine Miniaturpfalz und eine Kapelle. Im 12. Jahrhundert baute Herzog Welf VI. von Bayern eine Burg, wahrscheinlich um die Staufer zu ärgern. Beim Westertor, am Anfang der Zangmeisterstraße, ist altes, wenn auch mehrmals überbautes Burggemäuer zu erkennen, dahinter ein enger Hof. Nach Welfs Tod (1191) wurde die Burg sehr bald staufisch und stand nach dem Ende der Stauferzeit meist leer.

1268 erhielt Memmingen Stadtrecht, 1438 Reichsfreiheit. Der im 14. Jahrhundert begonnene Mauerring war um 1450 geschlossen. Davon sind bis heute fünf Tortürme und vier Wehrtürme sowie große Teile der Mauer erhalten. Bei der Anlage der Stadt haben sich die Memminger von keinem Burgherrn, keinem Fürsten oder Bischof helfen, aber auch nicht dreinreden lassen. Die still blühende Bürgerstadt überstand den Bauernkrieg und die Unruhen der Reformation. Das Verhältnis zwischen Handwerk, Handel und den Bauern im Umland war harmonisch, auch in den späteren nicht eben rosigen Zeiten. Die Welser, die Vöhlin und die Fugger hatten Niederlassungen gegründet, nicht zuletzt Benedikt Herman auf Wain, der sich 1766 bei St. Martin ein seinen Reichtum darstellendes Palais hatte bauen lassen.

Die Anlage der Häuserzeilen war, wie es scheint, von Anfang an klar. Zwei durchgehende Straßenzüge in Ost-West-Richtung, der eine über den Marktplatz und am Rathaus vorbei, der andere über den Weinmarkt. Von Norden her geht es zum Ulmer Tor hinein, quer über den Markt und dann in schönem Schwung den Allgäuer Bergen zu. Die beiden großen gotischen Kirchen der Stadt, St. Martin und die Frauenkirche, sind seit der Reformation evange-

lisch, ebenso die Kinderlehrkirche in der Kapelle des ehemaligen Antoniterklosters. Die schöne Innenausstattung der Kirchen ist größtenteils erhalten geblieben. Nur der berühmte Drei-Königs-Altar (um 1500) von Ivo und Bernhard Strigel ist im Museum aufgestellt.

Bild oben links: Rankende Reben verdecken das Fuggerhaus am Schweizerberg in Memmingen. Es wurde 1581–1591 errichtet. Die Fugger waren eine reiche und bedeutende Augsburger Kaufmannsfamilie.
Bild oben rechts: Innenhof der alten Burg in Memmingen, heute unter Denkmalschutz.
Bild rechte Seite: Vom alten Stadtbering in Memmingen sind noch einige Tore erhalten geblieben. Im Bild das Westertor. Auf dem fast würfelförmigen Unterbau steht ein achteckiger Aufsatz mit einer geschwungenen Kuppel.

Das Museum der Stadt ist im Palais Herman zu Gast. Der Besuch ist sehr zu empfehlen, nicht nur dem Drei-Königs-Altar zuliebe. Die olympischen Götter auf dem Deckengemälde im Treppenhaus sind zu bewundern, auch die überaus geschmackvollen Zimmer und besonders die Künersberger Fayencen, Erzeugnisse einer Manufaktur, 1745 gegründet vom Pfarrerssohn und Bankier Jakob Küner auf dem Landsitz der Familie östlich der Stadt.

An Schönheit dem Palais Herman nicht nachstehend – nur eben ganz anders – ist das Haus der Gerberzunft, das »Siebendächerhaus«, vom zweiten Obergeschoß aus ein Fachwerkbau, der Giebel dreigeschossig unter dem gestaffelten Dachstuhl, der luftig zum Trocknen der Häute eingerichtet ist. Beim Bombardement 1945 stürzte das Haus ein, brannte aber nicht und war schon zwei Jahre danach zum Teil mit den alten Hölzern wieder aufgebaut.

In vielen Straßen der Memminger Altstadt fällt die sorgfältige Einhaltung der früh festgelegten Baulinien auf, die durchaus nicht immer gerade und rechtwinklig verlaufen, sondern abwechslungsreich geschwungen. Aber da ist kein Haus, das eigensinnig quersteht.

Herumspazieren macht Vergnügen, Vergnügen zu jeder Zeit, ob an ruhigen Abenden oder am überraschend lebhaften Samstagvormittag, wenn die Leute vom Land zum Einkaufen in die Stadt kommen.

Michelstadt
im Odenwald

Zwei Straßen treffen sich und gehen auseinander: die Nibelungenstraße, von Worms über Lorsch und Bensheim kommend und nach Osten ziehend in Richtung Amorbach und Walldürn, und die B45, die Ferienstraße Ostsee-Alpen. Wer die charakterlich schillernden Nibelungen nicht mag, kann ihre Straße B47 nennen.

Das schönste an Michelstadt ist, abgesehen von seiner Lage, das Rathaus, die originell-heitere Leistung eines einheimischen Zimmermannns von 1484, eine stämmige Laube aus dicken Holzbalken, darüber ein Geschoß Fachwerk. Danach wird alles sehr spitzig, das hohe Dach und die Helme über den beiden Erkern.

Hinter dem Rathaus ragt ebenso spitz der Turm der Pfarrkirche. Sie ist schon 821 bezeugt, ein dreischiffiger Bau, der sich in der langen Zeit ins Gotische verwandelt hat. Die Jahreszahl 1490 auf dem Meisterschild des Hans Eseler gibt wohl das Ende seiner Bautätigkeit an; denn an der Kirche wurde noch im 16. Jahrhundert gebaut. Der Turm ist 1537 vollendet worden.

Die kleine Altstadt ist reich an schönen Häusern. Das Fachwerk ist noch mehr fränkisch als hessisch. Im Preußischen Hof (Braunstraße 7) ist das Odenwaldmuseum eingerichtet. Das ehrwürdigste an Michelstadt ist die Basilika westlich des Flüßchens Mümling im heutigen Stadtteil Steinbach. Ihre Geschichte beginnt in der Karolingerzeit. Ludwig der Fromme, der Sohn Karls des Großen, schenk-

te das fränkische Königsgut Michlenstat Einhard, dem Freund, Ratgeber und Biographen seines Vaters. Einhard baute auf der Mümlingsau mit guten Steinmetzen eine kreuzförmige Krypta und darüber die Basilika, eines der seltenen Denkmale der deutschen Vor-Romanik, dreischiffig mit drei Apsiden aus sorgfältig zugehauenen Quadern. Die Krypta sollte Grabstätte der Heiligen Petrus Exorcista und Marcellinus Presbyter (Märtyrer aus der Zeit des Diocletian) werden. Doch dazu kam es nicht. Obwohl der Bau 828 vollendet war, ließ Einhard die Gebeine der Heiligen in die Benediktinerabtei Seligenstadt am Main überführen. Was ihn dazu bewogen hat, ist nicht überliefert. Einhard lebte, nachdem er 60jährig den Abschied vom Dienst an den Karolingern genommen hatte, in Michelstadt, ging nach dem Tod seiner Frau Imma nach Seligenstadt und starb dort im Jahr 840. Die Basilika und der begonnene Klosterbau Steinbach kamen an Lorsch. Erst im Jahr 1073 wurde die Kirche der Gottesmutter geweiht, das Kloster mit Benediktinern besetzt.

Schon seit Einhards Zeit entstand um das Königsgut Michelstadt eine Bauern- und Handwerkersiedlung. Im 13. Jahrhundert kam sie mit dem Gut an das Erzstift Mainz, und dies belehnte damit die königlichen Schenken und späteren Grafen zu Erbach, die südlich von Michelstadt ihren Stammsitz hatten. Die Schenken bauten das Königsgut zur Burg aus. Das behagte den Kurpfälzern nicht, die nach territorialen Streitereien auf Kurmainz nicht gut zu sprechen waren. Sie überfielen Michelstadt (1307) und richteten großen Schaden an. Daraufhin beschlossen die Schenken, die kleine Stadt endlich zu befestigen. Ein Teil des damals errichteten eirunden Mauerrings steht noch am

170

Rand des heutigen Stadtgartens. Auch der Diebsturm an der Burg ist zur Sicherung der Siedlung gebaut worden. Ebenfalls am Anfang des 14. Jahrhunderts beschloß Schenk Eberhard zur Abwehr kurpfälzischer Ansprüche den Bau einer Wasserburg zwischen der Mümling und der Abtei Steinbach in der »vorderster Aue«. Daraus wurde später der Name »Fürstenau«.

Kurmainz wurde mißtrauisch. Es schien, als wollten die Schenken mit der Wasserburg nicht Mainz vor den Pfälzern schützen, sondern ihr eigenes Einflußgebiet vor Kurmainz; und so war es auch.

1355 gelang es Schenk Konrad IV., den kurmainzischen Grund und Boden zu kaufen. Seitdem gehört Fürstenau den Schenken, die 1532 von Karl V. in den Grafenstand erhoben wurden.

Schon zuvor waren die Erbacher Herren hoch im Ansehen gestiegen. Dietrich zu Erbach aus der Michelstädter Linie war 1434 zum Erzbischof von Mainz erhoben worden. Damit waren endlich die alten Feindseligkeiten beendet.

Schenk Philipp und seine Gemahlin Lukarte von Eppstein-Königstein, die Fürstenau zu ihrem Wohnsitz gewählt hatten, bauten mit Eifer und viel Phantasie an ihrer Wasserburg, und ihre Nachfolger waren ebenso unermüdlich. Georg II., der erste Graf zu Erbach, und nach ihm sein Neffe, Georg III., verwandelten die gotische Burg in ein Renaissanceschloß, und das war noch nicht das Ende.

Die Erbacher Grafen vererbten nicht nur ihre Bauleidenschaft, sondern auch ihren Geschmack, ihre Bildung, ihr Gefühl für das rechte Maß. Fürstenau wurde keine absolutistische Demonstration, sondern der Sitz eines gebildeten, kunstverständigen Geschlechts. Im Barock wurde weiter-

gebaut, im Rokoko, und zuletzt stand gegenüber dem durch Abbruch einer Wehrmauer nach Westen geöffneten alten, engen, gotischen Hof ein klassizistisches Palais.

In der Nachbarschaft war es im 16. Jahrhundert still geworden. Die Michelstädter Linie war 1531 erloschen. Die Burg, eine Zeitlang unbewohnt, wurde gräfliche Kellerei.

Bild linke Seite links: Das wuchtige Rathaus in Michelstadt. Im Hintergrund die Kirche St. Michael.
Bild linke Seite rechts: Das Schloß Fürstenau, einen Kilometer nordwestlich von Michelstadt entfernt.
Bild oben: Blick auf die Gräfliche Kellerei in Michelstadt.

Die Abtei Steinbach stand leer, die Einhard-Basilika war vom Verfall bedroht. Die Klosterbauten wurden abgerissen, die Steine als Baumaterial fortgetragen. Es schien, als solle dies Zeugnis der Frömmigkeit eines großen Mannes vergessen werden, eines Mannes, der kein geistlicher, kein weltlicher Fürst war und doch Klöster gründete und Kirchen baute. Bald schien es, als wisse niemand mehr, wer Einhard war.

Kriege wehten übers Land, quälten die Menschen, beleidigten, was sie geschaffen hatten, als sei es nichts gewesen. Im Jahr 1967 kaufte das Land Hessen die Ruine Steinbach, und es erwies sich bald als Glücksfall, daß die Basilika die Zeit der Stilunsicherheit unbemerkt verschlafen hatte, in der so viel Erhaltenswertes durch falsche Ideen des Restaurierens verdorben worden war. Die Kirche wurde nicht »renoviert«, sie wurde vom Schutt befreit, statisch gesichert und ist gerade in ihrer Kargheit schön durch ihre edlen Maße. Keine Spur von Romantik oder Melancholie. Sie ist nicht einmal feierlich, aber sehr ernst, ein Denkmal, Ort des Nachdenkens über mehr als tausend Jahre.

Ochsenfurt

und Frickenhausen

An einer Furt über den Main, da, wo der Fluß mit seinen vielen Windungen am weitesten nach Süden schwingt, entstand im 8. Jahrhundert eine Handwerker- und Bauernsiedlung. Gegenüber, wahrscheinlich in der Gegend des heutigen Kleinochsenfurt, hatte der Bischof Bonifatius 725 für seine treue Anhängerin Tecla ein Kloster gegründet. Die frommen Frauen zogen um 750 in die neue Gründung Kitzingen.

Das Dorf an der Furt gedieh und war bald den im nahen Umkreis liegenden kleinen Adelshöfen nützlich, bekam auch bäuerliche Nachbarschaft an den sonnigen Hängen des rechten Ufers, deren Dorf Frickenhausen um das Jahr 900 erstmals genannt wurde.

Die Ochsenfurt gehörte zu einer Viehtreiberfährte, die man in der frühen Zeit noch nicht Straße nennen konnte. Die Straße zog hier erst später über Tal und Hügel, vielleicht um 1000, vielleicht zur Zeit der Staufer. Unter ihnen muß einer der Markt- oder Stadtgründer von Ochsenfurt gewesen sein; sonst wäre die Geschichte vom Schmied Hans Stock nur ein liebes Märchen über Kaisertreue und Mut, und das wäre schade.

Kaiser Friedrich II. war tot. Sein Sohn Konrad IV. starb 1254 in Neapel. Dessen Bruder Manfred verteidigte das Königreich beider Sizilien gegen Anjou und fiel 1266 bei Benevent. Konradin, Konrads Sohn, zog nach Italien, sein Erbe zu retten; und dem wollte der Schmied Hans Stock aus Ochsenfurt helfen. Er hatte, was ein Ritter braucht, Mut, Waffen und ein Pferd. Am Tuciner See in den Sabiner Bergen, unweit von Rom, erfuhr er von den verstörten Gefolgsmännern Konradins, daß ihr Herr gefangengenommen und hingerichtet worden war. Es gab keinen Staufer mehr, denn von Enzio, Friedrichs II. jüngstem Sohn, der seit 1249 im Kerker lag, wußte niemand, ob er noch am Leben war.

Hans Stock, von dem es heißt, er habe dem Konradin ähnlich gesehen, führte seine Landsleute sicher nach Haus. Daheim in Ochsenfurt hatte sich in der wirren Zeit nach dem Ende der Staufer (wie anderswo auch) ein Ritter von Seinsheim breitgemacht, sehr zum Ärger des Bischofs von Würzburg, dem um den guten Frickenhauser Wein bange war. Es gelang dem Domkapitel im Jahr 1295, Ochsenfurt dem Seinsheimer abzukaufen. So sollte es bleiben bis zur Säkularisation.

Schon vor dem Beginn der frommen und kühl und geschickt rechnenden Herrschaft des Domkapitels hatten die Ochsenfurter eine Holzbrücke über den Main gebaut. Die Pfarrkirche St. Andreas stand. Die Bürger trugen sich mit dem Gedanken, sie umzubauen. Der Turm, der schon 1288 vollendet war, sollte stehenbleiben.

Am Anfang des 14. Jahrhunderts war ein Seinsheimer Amtmann in Ochsenfurt. Für ihn wurde an der Brücke ein Schlößchen gebaut. Ein Teil davon steht heute noch. Die Ochsenfurter nennen es Bürglein.

Die Herren vom Domkapitel mußten, wie sich von selbst versteht, auch eine Residenz haben. Sie wurde maßvoll gebaut, durchaus nicht übertrieben herrschaftlich. Das Verhältnis des Domkapitels zur Stadt war gut, und das kam wohl daher, weil der Wein sehr gut war, den Ochsenfurt zu liefern hatte. Die Domherren, die den Zehnt überwachten, waren die Herbstherren, die, wenn alles zur Zufriedenheit erledigt war, eine Gasterei in der Halle ihrer Residenz veranstalteten. Die »Eule« machte dabei die Runde, ein Krug von zwei Liter Inhalt. Wer ihn leerte, durfte sich ins Eulenbuch eintragen.

Um 1440 entstand im Süden der Pfarrkirche die Kapelle St. Michael, vor der die Ritter und Bauern nach einem Umritt ihre Pferde segnen ließen.

Aus dem 15. Jahrhundert stammt ebenfalls der erste Spitalbau an der Mauer auf der Mainseite. Er wurde einige Male verändert. Die ihm zugehörige Kirche Heilig Kreuz konnte um 1500 geweiht werden. Den Spitalhof schmückt seit 1606 eine anmutige Fachwerklaube.

1480 bauten die Ochsenfurter ihr schönes gotisches Rathaus an der Ostwestachse ihrer Stadt, die Giebelseiten zu den beiden Gassen, in die sich die Hauptstraße teilt, die breite Schauseite nach Westen mit einer einläufigen Freitreppe und zwanglos asymmetrisch den Innenräumen entsprechend geordneten Fenstern. Seit dem 16. Jahrhundert schmückt ein von der Traufkante des hohen Satteldachs aus aufgeführter Uhrenturm die Fassade, in ihm eine Uhr mit zwei Ziffernblättern, einem für die Stunden und einem mit astronomischen Daten; dazu ein Spielwerk mit Figuren: eine sich verneigende Jungfrau, zwei aufeinander losgehende Ochsen, ein Ratsherr und der Tod, der stündlich mit dem Kopf nickt und die Sanduhr umdreht.

Bild rechte Seite: Das Rathaus zu Ochsenfurt ist eines der schönsten spätgotischen Gebäude Frankens. Der Westbau, der hier zu sehen ist, entstand um 1500, der Ostbau folgte 1514/15. Das spitze Uhrtürmchen enthält ein Spielwerk aus der Zeit von 1560. Bemerkenswert sind die Freitreppe mit den Maßwerkbalustraden und vor allem die steinerne Muttergottes an der Südwestecke des Gebäudes. In Ochsenfurt gibt es noch das sogenannte Alte Rathaus aus der zweiten Hälfte des 15. Jahrhunderts, ein dreigeschossiges Gebäude, außen mit dem Pranger.

Bei aller Bindung ans Domkapitel fühlten sich die Ochsenfurter doch frei in ihren Entschlüssen, und vielleicht vollzog sich die Annahme der lutherischen Lehre so einmütig, um diese Freiheit groß darzustellen. Bürger und Rat bekannten sich geschlossen zum neuen Glauben.

Die Herren vom Domkapitel versuchten, mit all ihrer Wortgewalt dagegenzuwirken, aber das nützte fürs erste gar nichts. Sie mußten erfahren, daß sogar der Amtmann lutherisch geworden war.

Fürstbischof Echter von Mespelbrunn bemühte sich selbst. Die Ochsenfurter hörten seine Predigten freundlich an und wunderten sich, daß der Fürst so sprach, als sei ihr Entschluß der erste Schritt in ein neues Heidentum. Dies, so dachten sie, konnte Luther doch nicht gemeint haben. Um das gute Verhältnis nicht zu trüben, ließen sie ab vom »Antichrist«. Dem Fürsten war klar, daß dies nur eine Bekehrung von kurzer Dauer sein werde. Er berief Jesuiten, und die malten aus, was sein werde, wenn die Gemeinde nicht umkehrte auf dem Pfad der Irrlehre. Sie mußten sich sehr anstrengen. Drohend und wohlklingend malten sie Engel und Teufel an die Wand; und sie hatten Erfolg.

Zwei Ratsherren, die unbelehrbar, unbekehrbar waren, mußten abziehen. Ein Schulmeister und eine Bürgerin gingen freiwillig.

Und der Fürstbischof schenkte dem Spital die Einkünfte aus der Mainschiffahrt.

Ochsenfurt und die Nachbarin Frickenhausen haben die schlimmen Jahre des 17. Jahrhunderts überstanden. Besatzer kamen und gingen. Meist dauerte es nicht lang. Beide Städte waren für längere Einquartierung nicht geeignet, weil es, wie in anderen Weinstädten auch, wo keine Viehwirtschaft getrieben wurde, keine Stallungen gab. Landsknechte kamen, die tranken schnell und brauchten viel Zeit, um ihren Rausch auszuschlafen.

Aber dann kamen doch wieder Friedenszeiten, und die bestanden in der Erinnerung der Leute am Main aus guten und schlechten Weinjahren.

Im 18., mehr noch im 19. Jahrhundert wurden in vielen Städten die Mauern niedergelegt, weil es befohlen war oder weil die Bürger sich beengt fühlten, weil Mauern den Verkehr behinderten und obendrein strategisch sinnlos waren.

Gute Gründe bis auf den letzten; denn wenn man alles Sinnlose aus der Welt schaffen würde, wäre damit viel Schönes fortgetragen. In Ochsenfurt mußte ein Tor eingerissen werden. Von den rund 1400 Metern Mauerlänge fehlen an zwei Stellen je 100 Meter. In Frickenhausen, so mag es scheinen, fehlt kein Stein.

173

Weil der Stadt

Mit der S-Bahn zu den Planetenbahnen

Der ungewöhnliche, sperrige Name hat einige Vorgänger, (zum Beispiel 1380 »Ze Wyle der Statt«), die im Mittelalter verwendet wurden, um das zur Stadt erhobene Weil von Dörfern im Umkreis zu unterscheiden, die auch Weil hießen. Es gibt südlich von Stuttgart die Landgemeinde Weil im Schönbuch und innerhalb der Stuttgarter Stadtgrenze Weilimdorf, heute kein Dorf mehr, sondern Stadtteil und Bushaltestelle.

Die Namensform »Weil der Stadt« ist, so im Württembergischen Staatshandbuch geschrieben, erst seit 1854 amtlich, drei Worte, richtig nur als Dativ verwendbar.

Das alte Dorf an der Würm, dem Grenzfluß zwischen dem Strohgäu und dem Würmgau, ist, so heißt es, um das Jahr 1130 von den Calwer Grafen an die Welfen gekommen, von diesen an die Staufer und nach deren Ende an irgendeinen kleinen Adelsherren.

König Rudolf von Habsburg, dem es darum ging, den zerfließenden staufischen Besitz wieder reichseigen zu machen, hat wahrscheinlich um 1274 Weil zur Freien Reichsstadt erhoben.

Über all dies gibt es keine Urkunden. Was im Rathaus zu Weil an Stadtbüchern, Rechtsbriefen und Protokollen bewahrt war, ging 1648 »in finstern Rauch auf«, wie es ein Chronist ein paar Jahre danach ausdrückt.

Lückenhaft hat sich rekonstruieren lassen, was Weil, der Stadt, vor dem großen Krieg widerfahren war; denn die Klosterchroniken der Kapuziner und der Augustiner haben Feuer und Plünderung überstanden. Aus ihnen ist herauszulesen, daß die Stadt nicht immer die ihr zugestandenen Rechte hatte wahrnehmen können. Kaiser Karl IV. verbot 1360 den württembergischen Grafen, in Weil Steuern einzuziehen, die dem Reich gehörten, und verfügte, daß fällige Zölle und Judengeld der Stadt zu belassen seien, damit sie ihre Befestigung vervollständigen könne.

Bild linke Seite: Zum Reiz von Weil der Stadt trägt der teilweise guterhaltene Stadtbering bei. Im Hintergrund der im frühen 14. Jahrhundert gebaute mächtige Westturm der katholischen Stadtkirche St. Peter und Paul.

Zur Zeit, da der Kaiser in der kleinen und bald stolzen Stadt nach dem Rechten sah, war die gotische Stadtkirche St. Peter und Paul noch im Bau. Der Plan erfuhr einschneidende Änderungen. Sie sollte größer werden als die romanische Vorgängerkirche. Sie sollte auch nicht zwei Osttürme bekommen, sondern einen mächtigen Turm nach Westen, dazu breite Schiffe; und dies alles wollte nicht recht zum begonnenen Bau passen.

Erst um 1500 war die Kirche vollendet. Sie wird oft über Gebühr getadelt, und so wird übersehen, was lobenswert ist an dem kompakten Bauwerk mit dem gedrungenen Turm über der sich gleichsam schutzbedürftig duckenden Stadt: das schöne Maßwerk im Chor, das Brauttor und die zum Teil sehr guten Stücke der Innenausstattung.

Zu Karls Zeit war das Bürgerspital »Unser lieben Frau« eingerichtet, die kleine Kirche am unteren Ende der heutigen Stuttgarter Straße beinahe vollendet. Sie war später über lange Zeit vernachlässigt, dann zweimal umgestaltet

und ist zuletzt (1977) aufs schönste restauriert worden, mit zwei Rokoko-Seitenaltären geschmückt und dem spätgotischen Hauptaltar, auf dem die Sippe Mariens dargestellt ist, die Mutter Anna, ihre drei Männer und ihre Töchter, die drei Marien und das Jesuskindlein mit seinen Vettern.

Um 1580 stand das einer Reichsstadt würdige Rathaus auf vierbogiger steinerner Laube, zweigeschossig und acht Fenster breit zum Markt.

Weil, die Stadt hatte im 15. und 16. Jahrhundert eine gute Zeit. Sie war kaisertreu. Die Reformation fand keine Zustimmung, weder beim Rat noch bei den Bürgern. Johannes Brenz, Sohn der Stadt und glühender Verehrer Luthers, durfte hier nicht predigen. Er wirkte andernorts.

Über die Stadtbefestigung sind Jahreszahlen überliefert, die aber nicht als sicher gelten. Zwischen 1530 und 1600 sind drei Tore, fünf Törlein und sechs Türme genannt. Ein Teil des Stadtgrabens war zur Fischzucht eingerichtet.

Im Herbst 1648 war Weil von den Kaiserlichen besetzt. Vor der Stadt lagen Franzosen. Die Kapuzinerchronik berichtet, was geschah. Der Duc de Varennes hatte Lösegeld gefordert und wartete. Die Bürger hatten die Summe zusammengekratzt; aber die Kaiserlichen wollten das Geld lieber selber haben und zwangen oder verführten die Bürger, ihre Stadt zu verteidigen. Am 18. Oktober begannen die Franzosen zu schießen. Eine Feuerkugel aus Werg und Pech flog auf ein Scheunendach; und von da an ging alles durcheinander, Löschen, Brennen, Plündern, bis von Weil, der Stadt, nicht mehr viel übrig war.

Die Schuld an der für die Kaiserlichen beschämenden Katastrophe schoben die Bürger den Ratsherren in die Schuhe, die unfähig waren, geschickt zu verhandeln. Es wurde danach mehr gestritten als wiederaufgebaut.

Im Jahr 1671 kam eine kaiserliche Kommission. Sie beanstandete das unmäßige Zechen und die Vernachlässigung der Stadtgeschäfte. Aus dem Jahr 1683 stammt das Gutachten eines kaiserlichen Visitators. In ihm steht in fehlerhaftem Latein, die Stadt erhebe sich prächtiger als zuvor. Der Verdacht liegt nahe, daß der Bericht beim mäßigen Zechen verfaßt worden ist.

Die Stadt blieb über Generationen in ihrer Wirtschaftskraft geschwächt und war, obwohl immer noch reichsfrei, politisch bedeutungslos.

Mörike nannte Weil »ein freundlich Städtchen«. Damit ist treffend der Eindruck des durchreisenden Dichters benannt, der das, was er zweifellos klar gesehen hatte, oft hinter Biedermeierei und Märchenlaune zu verbergen wußte. Wenn auch auf eine etwas oberflächliche Art vorwärtsstrebend, ist Weil auch heute noch freundlich, eine Kleinstadt an der Endstation der S-Bahn aus Stuttgart, in der es sich gesund, gemütlich, friedlich leben läßt.

Auf dem Markt von Weil der Stadt stehen zwei Brunnen und ein Denkmal von minderem Kunstwert. Den einen Brunnen schmückt ein wappenhaltender Löwe, den andern das Standbild Karls V. In der Mitte des Platzes sitzt auf hohem Sockel ein Professor mit Spitzbart, ein Denkmal, 1871 dem großen Sohn der Stadt zu Ehren errichtet aus Anlaß seines dreihundertsten Geburtstags: Johannes Kepler, geboren 1571, drei Tage vor Heiligabend, in dem zweiten kleinen Fachwerkhaus neben dem Rathaus am Markt.

Da steht es nun und erinnert wenigstens den unvorbereiteten Gast an den Gelehrten, der nach seinen Lebensdaten

175

Bild oben: Das Bildnis Johannes Keplers im Keplermuseum in Weil der Stadt.

und im Blick auf die Begründung der Astronomie als Wissenschaft gleichen Ranges zwischen Kopernikus und Newton steht.

In seinem Geburtshaus ist ein kleines Museum eingerichtet: Anschauungsmaterial zu den nach ihm benannten drei Gesetzen über die Planetenbahnen, daneben ein Modell, an dem den Schulklassen, die aus Stuttgart kommen, die Keplerschen Gesetze erklärt werden können. Ein schön gearbeitetes metallnes Gebilde ist zu bewundern, die Idee der Weltharmonie darstellend nach einer Illustration aus Keplers Buch »Mysterium cosmographicum« von 1596, die fünf regelmäßigen platonischen Körper, schalenförmig von konzentrischen Halbkugeln eingefangen; das geometrische Symbol für eine geahnte mystische Weltordnung. An den Wänden faksimilierte Dokumente, Buchtitel und

-seiten, und das Horoskop für den sternengläubigen Wallenstein. – Das darf nicht verwundern, denn Astrologie und Astronomie waren damals nicht trennbar und in Keplers Geist besonders innig verbunden.

Bild oben: Das Bildnis Johannes Keplers im Keplermuseum in Weil der Stadt.
Bild rechte Seite: Im Vordergrund, angeschnitten, das »Alte Rathaus« von Wilster, ein schönes Fachwerkhaus, erbaut 1585. Im Hintergrund der Turm der Kirche, den der Baumeister Sonnin von einer früheren, abgebrochenen gotischen Hallenkirche übernehmen mußte.

Keplers Größe in den paar Zimmern darzustellen, ist nicht möglich, war wohl auch nicht beabsichtigt. Das kleine Haus ist eine liebenswürdige Gedenkstätte für den Mann, der zu seiner Heimat und zu seinen Eltern sein Leben lang ein kühles Verhältnis hatte.

Wilster

Sonnins Meisterwerk für die Bauern

Als der holsteinische Graf Gerhard II. im Jahr 1283 dem Kirchdorf am Flüßchen Wilsterau das Stadtrecht verlieh, war die von drei Generationen geleistete Genossenschaftsarbeit noch nicht vollendet, aber doch so weit gediehen, daß die Bauern nicht mehr so oft »Land unter« rufen mußten. Sie hatten Deiche gebaut mit festem Packwerk, mit Sand und toniger Klei obenauf, und sie hatten wohlüberlegt Siele, Gräben zum Entwässern angelegt, daß ihr Land zwischen der Wilsterau und dem Elbufer Jahr um Jahr mehr zu gutem Marschland wurde, fruchtbares Land, das

ihnen gehörte, mit dem sie nicht belehnt worden waren. Im 14. Jahrhundert gingen sie daran, ihre Stadt zu befestigen, bauten keine Mauer, ließen es mit Wall und Wehrgraben, den sie »Burggraben« nannten, genug sein und machten lieber die Wilsterau schiffbar bis zur Mündung in den Stör, der sich schlängelig der Elbe zubewegt.

Wilster wuchs, wurde wohlhabend durch Viehhandel und Schiffahrt. Der Straßenmarkt »Op der Göten« war bald zu klein und mußte auf den Kirchplatz verlegt werden.

Das erste Rathaus, wohl aus dem 15. Jahrhundert, steht nicht mehr. Das Rathaus an der Marktstraße, das jetzt »Altes Rathaus« heißt, wurde 1585 erbaut, originell und wohlgeraten; auf hohem gemauerten Unterbau mit Halle und Ratstrinkstube, traufseitig zur Straße ein mächtig vorkragendes Fachwerk-Obergeschoß.

177

Aus derselben Zeit stammt das Haus Hudemann in der Schmiedestraße, ein Backsteingiebelbau in schönen Maßen, vornehm bürgerlich, ohne zu prunken, so den Charakter der Stadt mitbestimmend, die nur in einem Bauwerk das Verlangen hatte, sich groß darzustellen: in der Kirche. Diese schmückt nicht nur die kleine Stadt Wilster aufs schönste; sie ist eines der Meisterwerke abgeklärten barocken Bauens in Schleswig-Holstein, kühl-evangelisch, theatralisch nur durch den Altar mit der Kanzel darüber. Seit dem 13. Jahrhundert stand auf dem Markt eine gotische Hallenkirche. Weil sie einzustürzen drohte, wurde sie 1773 abgetragen. Nur der Turm stand fest. Er sollte stehen bleiben.

Ernst Georg Sonnin, der Meister der Hauptkirche St. Michaelis in Hamburg, baute auf groß geplantem Grundriß eines langgezogenen Achtecks ein Gotteshaus, außen wie innen sparsam in der Dekoration, die Breite des Kirchenschiffs in der Längsachse zum Turm und zum Chor hin durch konkaven Schwung der Wände verringernd. Der Turm, neu ummauert, wirkt in seiner Gedrungenheit durchaus nicht plump und hat dazu einen heiter stimmenden Helm, dessen Spitze gar kein Ende nehmen will. Ein naives Vergnügen im Vergleich zu den komplizierten Maßwerktürmen der Gotik, die in kleinen Städten oft gerade in ihrer Schönheit so fremd anmuten! Die Gotik ist, mit den Augen Sonnins gesehen, vorbei wie die Renaissance; und dem Barock will er auf liebenswürdige Weise Adieu sagen. Er ahnt nicht, er zeigt in seinen Werken, was im Kommen ist.

Er dekoriert dezent, sparsam dem Konzept entsprechend, keine Fürstenkirche zu bauen, sondern eine Bürgerkirche. Der Schmuck, die klar geführten Schwünge der Emporen, deuten auf einen Klassizismus hin, der das Barock noch eine Weile verschämt pflegen möchte; dazu helle Fenster, so viele wie möglich; Licht überall, helles Grau, zartes Blau und ein Spiegelgewölbe, das zu schweben scheint. Durch das Bombardement 1944 ist die Kirche schwer getroffen worden. Bei der Restaurierung mußte, besonders über der Ostempore, auf die Wiederherstellung des Deckenstucks verzichtet werden.

Sonnins Meisterwerk war anregend. Im Lüneburger Stift St. Benedikt ist sein Einfluß nicht zu übersehen, unter anderem auch besonders an der Nikolaikirche in Kappeln, nun auch in Wilster. Der Kanzleirat Doos ließ sich beim Bau seines Hauses in der Bäckerstraße von ihm beraten, einem zweigeschossigen Backsteinbau mit Mansarddach und mit streng symmetrisch aufgeteilten Innenräumen, deren Zopfstil- und Rokokodekoration beinahe vollständig erhalten sind.

Wilster ist kaum durch weltgeschichliche Ereignisse belästigt worden. Auch die nahe Grenze der Republik Dithmarschen hat die Bauern weder beunruhigt noch angeregt. Was sollte so eine kleine Republik in einer so großen Welt, deren Schiffe tagaus, tagein an ihren Marschen vorüberfuhren!

Wilster hat schon im 19. Jahrhundert einigen Zuwachs bekommen: Getreidemühlen, auch ein paar Fabriken für Lederzeug, Futtermittel, Säcke und Planen. Den stillen Charakter der Stadt hat dies nicht verändern können, da Fabriken, die solcherlei herstellen, ja beinahe zur Verwandtschaft der Bauern gehören.

Wolframs-Eschenbach
Stadt des Minnesängers und der Ordensritter

Älteste Grundherren waren die Bischöfe von Eichstätt. Für sie war es nützlich, zur guten Nachbarschaft tatkräftige Adlige um sich zu haben, die ihnen freundlich verbunden waren, und so gaben sie Eschenbach im 12. Jahrhundert an die Grafen von Wertheim-Rieneck zum Lehen.

Im Eichstätter Lehenbuch sind einmal Wolfram von Eschenbach und seine »pueri« (Knaben, auch Söhne) als »homines« des Grafen von Oettingen genannt, der auch in der Nähe Grundbesitz hatte. Homines (Menschen), so wurden gelegentlich die Ministerialen genannt, die Dienstmannen eines Adligen, nicht Unfreie, aber Abhängige, verwaltend oder im Waffendienst ihrem Herrn verpflichtet.

»Schildamt ist meine Artung«, schrieb Wolfram einmal. Das waren stolze Worte eines Mannes, der sich als Ritter fühlt; und das war Wolfram zweifellos, und so ist er in der berühmten Manessischen Handschrift (um 1300) dargestellt in Waffen mit Helmzier und Schild, mit Knappen und Pferd. Ritter war damals einer durch seine Taten, seine Treue zu seinem Herrn. Ob er Besitz hatte, war nicht wesentlich. Er wurde auch (noch) nicht durch einen Fürsten zum Ritter geschlagen. Ein Ritter mußte nur aus eigenen Mitteln zum Dienst gerüstet sein. Dazu gehörten ein Pferd, Waffen und Übung, sie zu gebrauchen, und nicht zuletzt die bekannten ritterlichen Tugenden, die sich

Bild rechte Seite oben: Der Mauerring der Stadt Wolframs-Eschenbach ist ganz erhalten geblieben.
Bild rechte Seite unten: Das ehemalige Deutschordens-Schloß, heute das Rathaus von Wolframs-Eschenbach, steht in harmonischem Gegensatz zu den einfacheren Fachwerk-Wohnbauten des Marktplatzes.

in späteren Jahrhunderten meist nur noch im höfischen Aufgeführ darstellten. Ein Lehen erwarb sich ein Ritter in der Regel durch die Dienste für seinen Herrn. Höchste Form des Rittertums war die Reichsritterschaft oder die Zugehörigkeit zu einem Orden.

Eschenbach war nicht Wolframs Lehen. Es wurde nach ihm so genannt, weil es sein Wohnsitz, seine und seines Geschlechts Heimat war. Ob er hier zwischen 1160 und 1170 geboren wurde, ist nicht wesentlich. Um 1220 wurde der Dichter des »Parzival« und der »Willehalm« in der Pfarrkirche bestattet. Das Grabmal verschwand bei einem Umbau 1666.

Eschenbach kam um 1210 durch Schenkung an den Deutschen Ritterorden. Sehr bald beschlossen Ordensherren den Neubau der Kirche »Unser Frau Minster«, die um 1300 ihrer Patronin, der Gottesmutter, geweiht wurde. Sie war als Basilika begonnen und als eine der frühesten fränkischen Hallen vollendet, danach mehrmals verändert worden.

Der Bauernmarkt Eschenbach hat eine stetige Entwicklung erfahren. Ihr ist die altfränkische Versonnenheit zu danken, die den Gast heute noch unaufdringlich anspricht. Viel Fachwerk, fränkisch klar ohne Künstelei, dazwischen auch ordentliche Steinhäuser und ein fast vollständig erhaltener Mauerring, um 1450 vollendet, mit zwei Tortürmen im Westen und Südosten. Das Recht zum Mauerbau hat

179

Ludwig der Bayer 1332 mit der Erhebung zur Stadt dem Deutschen Orden verliehen. Karl IV. erneuerte 1355 den Freibrief, der die Gerichtsbarkeit einschloß.

Aus der Zeit vor 1400 steht in Eschenbach nur noch das sogenannte Hohe Haus, das als Wohnhaus allerdings nicht mehr genutzt wird. Unter den zahlreichen Häusern des 15. Jahrhunderts gibt es bemerkenswert gute Beispiele, so das Pfründehaus in der Färbergasse, im Volksmund »Arche Noah« genannt. Südlich der Kirche steht mit dem Fachwerkgiebel zum Markt das alte Rathaus, am Tor die Jahreszahl 1471.

Das Schloß des Deutschen Ordens ist im Vergleich zu seiner Nachbarschaft ein Neubau, ein Renaissance-Steinhaus von 1608 (später verändert), dreigeschossig mit achteckigen Erkern an der Front; westlich daneben die Ordensvogtei (1430), eines der schönsten Fachwerkhäuser, das sich allerdings eine Veränderung im Erdgeschoß gefallen lassen mußte.

Als spannungsvoller Gegensatz zur alten »Arche Noah« steht neben ihr das steinerne »Fürstenwirtshaus« von 1609. Sein Schmuck über dem Portal, eine Fayence-Madonna, wurde im 19. Jahrhundert einem Amerikaner verkauft, und der stiftete sie dem Museum in Boston.

Im 16. Jahrhundert, zur Zeit der Bauernaufstände, gab es in Eschenbach einige Aufregung. Bauern aus dem Umland rebellierten. Martin Luther, so hatten sie sich sagen lassen, habe geschrieben »von der Freiheit des Christenmenschen«, und die wollten sie haben und nicht mehr zum Erbarmen unfrei sein; aber, so stand es in den zwölf Artikeln von 1525, »nicht, daß wir ganz frei sein, keine Obrigkeit haben wollen, das lehret uns Gott nicht«. Schon für so maßvolle Erklärungen wurden sie gestraft; sie hätten überhaupt nichts zu erklären, hieß es. Dann erst begannen sie den Krieg mit Sensen und Dreschflegeln. Danach war ihre Lage noch hoffnungsloser als zuvor, und die Eschenbacher mußten, vom Markgrafen gezwungen, den Ordensherren ihren Huldigungseid leisten.

Prediger des neuen Glaubens kamen ins Land. Gegen sie wurde mit Erfolg die Volksmission der Jesuiten aus Dillingen aufgeboten. Das war 1606.

Im April 1633 eroberte der mit den Schweden verbündete Bernhard von Sachsen die Stadt Eschenbach. Der Kaplan Weiß wurde getötet. Der Pfarrer war vor der Belagerung gestorben. Drei Jahre war Eschenbach von den Schweden besetzt, dann kamen die Kaiserlichen, vertrieben die Schweden und töteten den evangelischen Pfarrer. Eschenbach war wieder katholisch, und so blieb es unter der strengen Aufsicht der Ordensherren.

Bild oben links: Das Pfründehaus in Wolframs-Eschenbach.
Bild oben rechts: Das westliche Tor von Wolframs-Eschenbach mit Vorwerk.
Bild rechte Seite links: Von der Stadtbefestigung der Stadt Spalt haben sich nur noch Teile erhalten. Im Bild das schlichte südliche Tor.
Bild rechte Seite rechts: Die Stiftskirche St. Nikolaus in Spalt.
Bild folgende Doppelseite: Blick auf die Stadt Spalt.

Am Anfang des 18. Jahrhunderts wurde, angeregt durch die gegenreformatorische Propaganda der Jesuiten, die Pfarrkirche barock dekoriert, und im Jahr 1749 entstand am südlichen Seitenschiff die Kapelle der »Sieben Schmerzen Mariens«.

1792 kam Eschenbach an Preußen. Seitdem wurden die Stadttore nicht mehr geschlossen. 1806 zogen die Preußen ab; die Stadt wurde bayerisch. Der Deutsche Orden gab die Herrschaft Eschenbach auf. Ins Ordenshaus zog die Stadtverwaltung ein.

Im Jahr 1860 erfuhr Wolfram von Eschenbach eine unerwartete Ehrung. Maximilian II., König von Bayern, stiftete ihm zum Gedenken der Stadt ein Denkmal. Es ist ganz im Sinn der Zeit mißlungen; und da steht es nun. Der Dichter, ganz aus Bronze, blickt wie ein Heldentenor, ach – wie ein Operettenheld zum Himmel, als wisse er nicht, wie ihm geschehen. Er ignoriert auch die Schwäne, die weit unter ihm aus krummen Hälsen Wasser in ein Brunnenbecken spucken sollen; aber sie tun's meist nicht.

Der Dichter, dem es gegeben war, die ergreifend ungelenke Sprache seines Jahrhunderts poetisch zu beflügeln, hat schließlich doch noch eine würdigere Huldigung erfahren. Seit 1917 darf sich seine Stadt mit königlich-bayerischem Privileg Wolframs-Eschenbach nennen.

180

Spalt

die fränkische Hopfenmetropole

Prof. Dr. Friedrich Merkenschlagers Gedicht »Heroldsruf« ist ein Preislied auf seine Heimatstadt Spalt, und es endet mit der Erläuterung, warum gerade dieser Hopfen aus Spalt eine so hervorragende Bierwürze abgibt:

> Aromatisch wird der Hopfen,
> wenn auf Lehm und Kalk und Sand
> fällt der Schweiß in bitteren Tropfen.
> Hopfen reift am Widerstand!

Die Reime sind sauber, der Rhythmus ist temperamentvoll. Die Verse stimmen fröhlich.

Spalt stimmt auch fröhlich. Es ist hier mancherlei auf eine heitere Art anders als anderswo. Es gibt viele Häuser, die mit ihren hohen drei- und mehrstöckigen Giebeln gleich, zumindest sehr ähnlich aussehen. Abwechslungsreich ist nur die Kreuz- und Querstellung der Häuser zueinander. Es gibt nur ganz kurze parallele Häuserzeilen. Zur Entschädigung, wie um zu zeigen, daß auch Ordnung sein kann, stehen die beiden stattlichen Kirchen parallel nah beisammen. Beide Gotteshäuser sind Stiftskirchen, die ältere, die heutige Pfarrkirche, gehörte zu dem im Jahr 810 von der Abtei St. Emmeram in Regensburg gegründeten Benediktinerkloster St. Salvator, das im 10. Jahrhundert in ein adliges Herrenstift umgewandelt wurde.

Im Jahr 1294 gründeten Konrad der Fromme, Burggraf von Nürnberg, und seine Gemahlin Agnes von Hohenlohe ein zweites Stift, St. Nikolaus.

Die im 14. Jahrhundert errichtete Kirche des ebenfalls adligen Stifts wurde gegen Ende des 18. Jahrhunderts beinahe von Grund auf neu gebaut, barock nach Plänen des Hausarchitekten des Deutschen Ordens, Matthias Binder aus Ellingen. Die Ordenshäuser in Ellingen, Dillingen und Donauwörth entstammen auch seiner Planung. 1294, zur Zeit der Gründung des Stifts St. Nikolaus, ging Spalt von Regensburg an das Bistum Eichstätt über. Um die beiden Stifte und die zugezogenen Wein- und Obstbauern zu schützen, wurde der Mauerbau schon vor der Erhebung zur Stadt um 1356 begonnen. Am Ende des 14. Jahrhunderts war sie mit 2 Toren und 13 Türmen vollendet. Um 1340, so heißt es, haben Eichstätter Mönche hier den Hopfenbau gefördert, der vielleicht schon vordem in bescheidenem Maß betrieben wurde, eingeführt durch den Kanonikus Petrus Spengler aus Saaz in Böhmen. Die Beschaffenheit des Bodens, dessen Bestandteile im »Heroldsruf« exakt genannt sind, war zum Hopfenbau sehr geeignet. Die Entwicklung ging so gut voran, daß über dem Hopfen der Wein allmählich vergessen wurde.

Die meisten Häuser, die im 14. und 15. Jahrhundert entstanden sind, hatten die für Spalt typischen steilen Satteldächer mit drei und mehr Trockenböden für die Hopfendolden.

Um 1460 ließ der Bischof den mächtigen, prächtigen Zehntstadel bauen, auch Kornhaus genannt, später stolz Hopfensignierhalle, nachdem Bischof Philipp von Pappenheim der Stadt 1538 das Siegelrecht verliehen hatte. Spalter Hopfen war damit, wie man heute sagen würde, ein Markenartikel geworden.

Der Hopfenanbau prägte die Landschaft rings um die kleine Stadt. Eine Viertelstunde Weges nordwestlich von Spalt steht das Mühlreisighaus, ein Fachwerkbau mit 70 Grad steilem Dach und fünf Trockenböden. Häuser dieses Formats standen früher auch auf den Dörfern und Weilern, denn das Trocknen dauerte damals länger als heute in den neuen Warmluftanlagen.

Die Ranken der Hopfenstauden werden bis zu 8 Meter lang, daher überall die entsprechend langen Stangen für die Spanndrähte über weite Flächen, dazwischen auch nicht eben kleine Kirschgärten in den Weilern und im Umkreis und auffallend wenig Ackerland und wenig Weiden. Wo immer es möglich war, wurde der Boden für den Hopfen genutzt; und das Städtchen Spalt kam zu einem nicht übermäßigen, aber doch beruhigenden Wohlstand.

Im Jahr 1619 wurden die beiden Herrenstifte vereinigt. Die Stadt lebte ihren ruhigen Alltag. Zur Erntezeit strömten

Helfer herbei, oft mehr als die Stadt Einwohner zählte. Dann kam der Krieg. Die Spalter überlebten ihn mit knapper Not, denn sie hatten zu spät daran gedacht, Getreide zu speichern.

Nach vielen kargen Jahren ging es mit einem Mal aufwärts. Denn als 1757 der Reichskrieg an Preußen erklärt war und der böhmische Hopfen aus Saaz für lange Zeit ausfiel, war für Spalt »Hochkonjunktur«, wenigstens was den Hopfen betraf. Das 19. Jahrhundert begann mit der Auflösung des Fürstbischöflich-Eichstättischen Landbesitzes. Das repräsentative Dekanatsamtshaus wurde zum Rent- und Finanzamt. Die Spalter zahlten keinen Zehnt mehr ans Domkapitel, dafür Steuer an den neuen Staat.

Spalt ist heute eine der wenigen Kleinstädte ohne den lebenswichtigen, aber oft unüberlegt geplanten Industrie-

Bild oben: Die katholische Pfarrkirche von Spalt. Sie ist in der Anlage ursprünglich eine romanische Kirche. Die Innenausstattung stammt jedoch von der Wende des 17. zum 18. Jahrhundert. Die ganze Kirche wurde im Laufe der Zeit mehrmals umgebaut. Der letzte größere Eingriff stammt von 1795, als man den südlichen Kirchturm abbaute. Der heute noch vorhandene Strunk weist noch auf die Romanik, ins 12. Jahrhundert.
Bild rechte Seite: Eines der vier Stadttore der vollständig erhaltenen Stadtbefestigung von Berching in der Oberpfalz.

gürtel rundum. Vermeidbar für alle Zukunft wird er nicht sein. Ohnedies ist, im Vergleich zur Jahrhundertwende, die Anbaufläche für Hopfen um die Hälfte kleiner geworden. Allerdings hat sich der Ertrag nicht verringert. Das wäre auch nicht gut; denn der Durst im Land ist zumindest so geblieben, wie er war.

Berching

im Oberpfälzer Jura

Der Vergleich mit Rothenburg wurde eine Weile für werbewirksam gehalten. Dies ist in einer Weise zutreffend. Die Stadt Berching hat einen vollständig erhaltenen Mauergürtel, und wer hinein will, muß durch eines der vier Tore, die sogar noch die alten Eichentüren haben. Aber Berching hat, wenn schon Rothenburg zum Vergleich herangezogen wird, einen Vorzug, man möchte sagen, eine Tugend. Es ist still, es sei denn, der Gast kommt am ersten Mittwoch nach Lichtmeß zum immer recht lauten Roßmarkt und Bauerntag. Eine Urkunde aus dem Jahr 883 weist aus, daß Karl der

Dicke, Urenkel Karls des Großen, »seinem getreuen Euprand« die Kapelle und den festen Weiler Pirching geschenkt hat. Danach wurde Berching eine Zeitlang herumgereicht, 907 ans Bistum Eichstätt, hundert Jahre später an den Bischof von Bamberg und von diesem den Grafen von Hirschberg zum Lehen gegeben, die so taten, als gehöre es ihnen ganz und gar. Die Grafen waren indessen fromm genug, die Kirche St. Laurentius zu bauen und den Bischof Gundekar II. um die Weihe zu bitten.

Der heilige Jüngling Laurentius war Diakon, Priesterdiener in Rom zur Zeit des Kaisers Decius. Er machte eine Blinde durch Weihwasser sehend, und er verteilte aus dem Kirchenschatz Almosen an die Armen. Decius gab ihn zur Folter, daß er abschwöre. Er aber dankte auf dem glühenden Rost, daß die Himmelstür so früh für ihn geöffnet werde.

Im Jahr 1296 kam Berching den Hirschberger Grafen aus den Händen und wurde von Bamberg dem Bischof von Eichstätt gegeben. Die fürstbischöfliche Propstei Berching umfaßte 15 Kirchdörfer und bestand bis zur Säkularisation. Als Berching an Eichstätt gekommen war, hieß es schon »oppidum«, das bedeutete, daß es befestigt war. Seit 1320 galt Berching als Stadt mit Pfarrkirche, Spital und Siechenhaus.

Im 15. Jahrhundert ließ Bischof Wilhelm von Reichenau, um die Stadt vor den Hussiten zu schützen, eine gute Mauer bauen, sechs Meter hoch aus großen Quadern mit vier festen Toren und zwölf Türmen.

Um 1500 wurde die Pfarrkirche Mariä Himmelfahrt, damals noch Kapelle genannt, durch Seitenkapellen vergrößert.

In der Zeit, als die Bauern rebellierten, bewährte sich die Mauer zum ersten Mal. Der »Mässinger Haufen« belagerte die Stadt, konnte aber nichts ausrichten.

Bild rechts: In der Stadtmauer von Berching stehen heute noch die vollständig erhaltenen Befestigungstürme. Der Turm im Bild heißt Chinesenturm, weil seine geschweifte Dachform vage an die geschwungenen Dächer chinesischer Pagoden erinnert.

Im Dreißigjährigen Krieg fielen die Schweden mehrmals über die Stadt her. Danach wurde es ruhiger; aber irgendwo war ja beinahe immer Krieg. Einmal lagen Kursachsen hier im Quartier, dann böhmische Kavallerie, dann, im Siebenjährigen Krieg, das Regiment Bourbon und in den Jahren um 1800 der Marschall Bernadotte, der Herzog von Braunschweig, der Prinz von Bayern, nicht alle auf einmal, aber einander ablösend 800 Offiziere, 33 000 Mann und an die 4000 Pferde. 1866 war Berching auf der Seite Österreichs gegen die Preußen; die aber kamen nicht. 1870 war die Stadt auf der Seite Preußens gegen die Franzosen; doch die kamen nur bis Weißenburg in Mittelfranken. Später wurde es wieder ruhig, beinahe gemütlich.

Gemütlich und im Vergleich zu den Brennpunkten des »Kulturtourismus« erholsam ist Berching heute. Es gibt viel zu sehen, keine Paläste, aber gute alte Häuser, abwechselnd Fachwerk und Steinbau: die alte Johannisbrücke und das Bürgerspital von 1354; die »Krone« mit dem schönen Wirtshausschild; Häuser mit gotischen Treppengiebeln oder, zu ihrer Zeit umgebaut, mit geschwungenen Giebelkonturen im Sinn der Renaissance; die barocke Ausstattung der Kirchen; die rundum erhaltene Stadtmauer mit dem zum Teil noch begehbaren Wehrgang; schließlich die Tortürme, in denen, wo es sinnvoll war, Wohnungen eingerichtet sind. Das Neumarkter Tor ist heute eine Stiftung für die Oberpfälzer Künstler. Auf der Stadtseite ist eine Lampe mit einem Hecht und einem Vogelbauer. Sie erinnert an eine Geschichte, die von den Berchingern gern erzählt wird: Einmal, es ist schon sehr lange her, war ein großes Hochwasser, und als die Sulz endlich zurückgegangen war, lag auf einer Wiese ein Hecht, der den Anschluß verpaßt hatte. Ein paar Berchinger, die so einen großen »Kerl« noch nie gesehen hatten, meinten, das sei kein Fisch, so große Fische gäb's gar nicht. Ein ganz besonders Schlauer sagte, dann sei es eben ein Vogel. Der aber machte in seiner Not das Maul weit auf, und der Schlaumeier sagte: »Wenn er jetzt das Singen anfängt, dann ist's einer.« Die ganze Oberpfalz, so sagen die Leute, hätte damals über die Geschichte gelacht, und sie, die Berchinger, hätten eine Zeitlang sehr zurückgezogen gelebt.

Residenzen

Zu den mittelalterlichen Besonderheiten des Heilig-Römischen Reiches gehört dies: Das Reich hatte keine Mitte, keinen ständigen Sitz für den Herrscher, für den Kaiser. Rom war die Mitte von Gottes Gnaden; eine weltliche Mitte gab es nicht. Die Kaiser, wie vor ihnen die fränkischen Könige, waren reisende Herrscher, ihre Stützpunkte waren Königsgüter, bewirtschaftet und bereitstehend zur Rast, und Pfalzen, burgähnliche Anwesen, ausreichend geräumig für Staatshandlungen.

Die Vorliebe eines Kaisers für eine bestimmte Pfalz machte diese zur persönlichen Residenz, so Aachen für Karl den Großen, Regensburg für seinen Enkel Ludwig den Deutschen, Fritzlar für Heinrich I. und Gelnhausen für Friedrich Barbarossa.

Residenzen im eigentlichen Sinn, vererbbar und somit überpersönlich, waren die Sitze der Territorialherren, Stammburgen, später Schloßbauten in Städten oder in ihrer Nähe. So entstanden die Haupt- und Residenzstädte.

Residenzen von Landesherren prägten die Stadt, von der sie umgeben waren. In Mode war der höfische Stil, nicht kleinbürgerliche oder gar bäuerliche Lebensweise. Residenzstädte, auch wenn sie klein geblieben sind, folgten dem wechselnden Stil, auch in der Architektur.

Im Bild links die Stadt Neuburg an der Donau.

Ansbach

Markgräfliche Residenz

Die nach ihrem Gründer Gundpert (Gumbertus) benannte, um 748 entstandene Benediktinerabtei an der fränkischen Rezat war anziehend für Siedler. Onold hieß der erste, der sich hier niederließ. Der Ort und ein Wiesenbach bekamen seinen Namen: Onoldsbach. Daraus, so will es die Überlieferung, wurde Ansbach. Landherr war das Bistum Würzburg. Das schnelle Wachsen der Siedlung machte es, daß ein Vogt zu bestellen war; aber der tat bald so, als sei nicht der Bischof, sondern er der Landherr.

Um 1000 wurde das Kloster in ein Chorherrenstift umgewandelt. Damals stand schon die erste Pfarrkirche St. Johannes Baptist. Über ihrer Krypta begannen die Ansbacher mit Unterstützung des Bistums, um 1100 eine neue Kirche zu bauen, die vorerst dem Stift und der Pfarrei gleichermaßen diente, denn die spätere Stiftskirche St. Gumbert war noch im Bau.

Im 12. Jahrhundert, als die Staufer die obersten Herren im ganzen Land geworden waren, kam Ansbach durch sie als Lehen an die Herren von Dornberg. 1221 ist Ansbach zum ersten Mal als Stadt erwähnt. Die Mauer stand, davor ein Graben, dessen Verlauf noch heute durch die »Promenade« dargestellt ist.

Nach dem Erlöschen der Dornberger (1288) erbten die Grafen von Oettingen, und diese verkauften Ansbach 1331 an den Grafen Friedrich von Hohenzollern, den Burgherrn von Nürnberg. Damit waren die Würfel für Ansbachs weitere Entwicklung gefallen.

Verglichen mit dem, was später geschah, war die Bautätigkeit um 1400 bescheiden. Die Wasserburg »an der Steynbrucken« über die Rezat war gerade ausreichend für den Grafen und Kurfürsten Albrecht Achilles, um von ihr aus Ansbach zur markgräflichen Residenz zu erheben, die Nürnberger Hofhaltung aufzulassen und auch das kaiserliche Landgericht nach Ansbach zu verlegen.

Während seiner Regierungszeit (1440–86) wurde hier der süddeutsche Zweig des Schwanenritterordens begründet. Die Markgrafen förderten den Bau beider Kirchen. Auf den Fundamenten von St. Johannes aus dem 12. Jahrhundert entstand ein neuer gotischer Bau, eine dreischiffige Halle, einfach, nicht sonderlich einfallsreich. Die beiden ungleichen Türme wurden oft kritisiert. Der Chor ist innen und außen bemerkenswert. In der Fürstengruft unter ihm ruhen in Zinnsärgen 25 Grafen und Gräfinnen aus dem 17. und 18. Jahrhundert.

Die Stiftskirche St. Gumbert, 1280 durch einen Brand beschädigt, wurde mit großem Aufwand erneuert und mit erstaunlicher Ungezwungenheit in der Wahl der mit der Zeit sich ändernden dekorativen Mittel. Die besondere Wirkung der Westfront beruht in der scheinbaren Lässigkeit deren Anwendung. Auf dem durch die Enge des Ortes mächtig wirkenden Grundbau wächst der Hauptturm, gerade noch Platz lassend für zwei schlanke Seitentürme, so, als ob er zuerst dagewesen wäre. Dabei war es umgekehrt. Der Ulmer Meister Gideon Bacher mußte sich nach den im 15. Jahrhundert begonnenen Seitentürmen richten. Spätgotisch konnte er 1595 nicht weiterbauen. Was ihm gelang, ist der wie selbstverständlich wirkende Übergang von der Gotik zur ihm noch ungewohnten, aber schon akzeptierten Renaissance, dezent und sehr originell.

Längst und ohne lange Diskussionen war durch Markgraf Georg 1528 in Stadt und Land Ansbach die Reformation eingeführt worden. Das Bauprogramm von St. Gumbert mußte sich danach richten, vor allem im Langhaus. Eine glückliche Entscheidung war die Trennung des Kirchenraums von dem den Schwanenrittern als Kapelle gewidmeten Ostchor durch eine Mauer.

Ansbach war am Ende des 16. Jahrhunderts eine schöne, auch für die Bürger liebenswerte Residenzstadt, nicht prunkvoll, nicht übertrieben repräsentativ, aber würdig. Die Baufreude des Markgrafen Georg, dem die Nachwelt den Beinamen »der Fromme« gegeben hat, und die seines nachfolgenden Sohnes Georg Friedrich hatten den Bürgern keinen Wohngrund weggenommen.

Das alte Wasserschloß war vom Nürnberger Hans Beheim umgebaut worden. Ins aufgelassene Stift war die markgräfliche Kanzlei eingezogen. Im Schatten von St. Gumbert stand hochgiebelig in der Enge das Haus der Stände (1533), ihm benachbart das Rathaus, dessen Umbau beendet war, als der große Krieg schon zu plündern und zu brennen begonnen hatte.

Drei Regenten des 17. Jahrhunderts, ohnedies in eine schreckliche Zeit hineingewachsen, waren schwach in ihren Wirkungen. Der erste, der sich selbst als Gelehrter verstand, lieferte die Stadt schutzlos den durchziehenden Landsknechtsheeren aus. Der zweite schob alle Sorgen seinen Beamten hin, und der dritte bemühte sich zwar um Probleme der Bürger, aber nur nebenbei. Wichtiger war ihm, als Literat im »Blumenorden« zu glänzen.

Im Jahr 1694 begann für Ansbach der Umschwung in den Absolutismus, den sich das Volk hier wie anderswo in Europa gefallen lassen mußte und von dessen schönem Widerschein es doch erwärmt wurde, obwohl er schmerzlich teuer zu bezahlen war.

Markgraf Georg Friedrich II. hatte den in Wien tätigen Graubündner Gabriel Gabrieli beauftragt, Pläne für die neue Residenz zu machen. Sie fanden Beifall. Gabrieli kam 1705, war aber nur bis 1714 hier tätig. Denn bald war offenbar, daß es zweierlei Barock gab, einen katholischen und einen protestantischen. Der stilistische Unterschied, um es gleich zu sagen, ist nicht groß. Der protestantische Barock neigt etwas früher zum Klassizismus. Dafür lebt das katholische Rokoko - besonders in den Kirchen - umso länger. Erheblich waren im Barock, wie der Fall Ansbach beweist, nicht die stilistischen, sondern die konfessionellen Unterschiede bei einer Mischehe von Architekten und Bauherren. Gabrieli wurde entlassen, ging 1714 nach Eichstätt und wurde dort fürstbischöflicher Baudirektor.

Seine Nachfolger in Ansbach waren Karl Friedrich von Zocha, Schüler des Hardouin-Mansart, des Baumeisters von Versailles, und Leopoldo Retti, der den Zusammenbruch der Ludwigsburger Baufinanzierung miterlebt hatte.

Die Barockresidenz Ansbach ist eine durchaus gelungene Schöpfung schon deshalb, weil sie, obwohl unmittelbar an die alte Bürgerstadt anschließend, deren Bausubstanz nicht angreift. Die einzige »Gewalttat« ist Rettis Südfassade von St. Gumbert, aber die wollte der Markgraf Carl Wilhelm Friedrich so haben.

Im Gegensatz zu seiner Mutter Christiane Charlotte, die 1723-1729 vormundschaftlich für ihn regierte, war er ein stürmischer Bauherr. »Wilder Markgraf« hieß er im Volksmund, auch »Seine Baugnaden«.

Als die Große Residenz, die Orangerie und der Hofgarten vollendet waren, ging der Markgraf an die Verwirklichung der »Neuen Auslage«, einem planmäßig durch ein rechtwinkliges Straßenkreuz bestimmten neuen Stadtteil südlich der Bürgerstadt für die im letzten Hugenottenkrieg (1702-10) aus Frankreich geflohenen Protestanten. Das Areal war kaum kleiner als die Fläche der alten Bürgerstadt. Der noch aus der Stadtmauerzeit stammende »Breite Graben« wurde zur »Promenade«. Für die Bebauung des neuen Viertels waren Musterhäuser von Retti und seinem Ansbacher Mitarbeiter Johann David Steingruber entworfen worden.

Die markgräfliche Bautätigkeit war anregend für die Bürger. Zahlreiche gute Beispiele stehen heute noch. Jeder der drei Stadtteile hat seine Eigenheit bewahrt, und da man es vermeiden wollte, in der Bürgerstadt etwas zu begradigen oder gar einen Straßendurchbruch zu schaffen, damit es die Autos besser haben, führt Ansbach dem Gast heute zwei Residenzen vor: die alte, planlos gewachsene Altstadt neben dem großen, barocken »Auftritt« des Absolutismus.

Der »Wilde Markgraf« starb 1757. Nachfolger war sein Sohn Carl Alexander. Er war mit einer englischen Dame verheiratet und mehr an Musik und an Literatur interessiert als am Regieren, kein Landesvater, eher ein Schöngeist. Er hatte mit dem Fürstentum einen mittleren Berg Schulden geerbt. Um sie loszuwerden, vermietete er 1777 zwei ansbachische Regimenter an Großbritannien zum Kriegführen in Amerika. 1791 dankte er ab, unterstellte Ansbach-Bayreuth dem König von Preußen und ging mit seiner Gemahlin und einer preußischen Leibrente nach London. Er starb 1806, dem Jahr, in dem Ansbach durch napoleonischen Beschluß an Bayern kam.

Im Hofgarten, an einem Querweg nahe der Orangerie, steht ein Gedenkstein für einen an dieser Stelle im Jahr 1833 ermordeten jungen Mann, der gerade begonnen hatte, das zu erfahren, was ihm in den ersten zwanzig Jahren seines Lebens vom Schicksal vorenthalten wurde, die Zuneigung eines Menschen, Leben in einer Welt, in der man dies oder das tun konnte, diesen oder jenen Weg gehen wie in diesem Park: Kaspar Hauser.

Eines Abends im Mai 1828 hatte er an einer Straßenecke in Nürnberg gestanden, nicht wissend wohin, auch nicht woher er gekommen war. In seinen Taschen Papiere, ein Brief: Sein Name, er sei am 30.4.1812 geboren, getauft und »dieser Knabe will seinem König dienen«.

Der Arzt Dr. Daumer nahm sich seiner an. Aus Kaspars Verhalten und aus seinem körperlichen Zustand war mit Sicherheit abzuleiten, daß er seine Kindheit in vollkommener Isolation, in einem Verlies zugebracht hatte. Paul Johann Anselm Ritter von Feuerbach, Präsident des Appellationsgerichts Ansbach, lernte Kaspar kennen, beschäftigte sich mit ihm, nahm ihn oft zu sich nach Ansbach. 1831 gab er eine umfangreiche Abhandlung über ihn heraus, »Kaspar Hauser, Beispiel eines Verbrechens am Seelenleben eines Menschen«.

Nach Kaspars Ermordung jagten wahrscheinliche und phantastische Gerüchte durcheinander. Ernsthafte, weit ausholende Recherchen kamen zu einem Ergebnis, an dem zweifelhaft ist, wie weit es der Wahrheit nahekommt: Kaspar Hauser sei das Kind aus einer von Napoleon gewünschten Ehe der Nichte von Josephine Beauharnais, Stephanie, mit dem Prinzen Karl von Baden und somit dessen legitimer Erbe. Wer seine Ermordung veranlaßt haben könnte, war nicht zu ergründen.

Das Kreis- und Stadtmuseum Ansbach, eine in jeder Hinsicht besuchenswerte Sammlung, bewahrt Erinnerungsstücke an den Unglücklichen: seine Kleidung, Zeichnungen, Schulhefte; auch Dokumente über ihn.

Gelnhausen

Staufische Kaiserpfalz

Es war eine Nixe oder ein Mädchen vom Land, von dem die Sage geht, daß Friedrich I. Barbarossa ihm zuliebe so oft, wenigstens einmal im Jahr, auf der Pfalz Gelnhausen weilte. Godula soll das stille Mädchen geheißen haben, das sinnend am Ufer der Kinzig saß, wartend, manchmal Zwiesprache haltend mit einem grünhaarigen Nöck.

Märchengarn darf hier nicht gesponnen werden, auch wenn der Gedanke naheliegt, es sei doch der Schmuck für nicht nur einen wahrscheinlichen, in diesem Fall sogar für einen urkundlichen Sachverhalt; und es ist so gesehen doch statthaft, die ernste Szenerie, eine Burg, einen Männerort mit einem elbischen Wesen zu beleben. Der Biographie des Kaisers ist zu entnehmen, daß die Pfalz Gelnhausen an der Kinzig zwischen dem Spessart und dem Büdinger Wald die Lieblingsschöpfung des Staufers war und daß er zwischen 1170 und 1188 beinahe alljährlich hier Hof gehalten, gerastet, auch gejagt hat und dabei, wie die Sage vom »Schelm von Bergen« erzählt, einmal, von seinem Gefolge abgekommen, auf dem Karren des Scharfrichters in die Pfalz eingefahren ist. Auch dies könnte wohl geschehen sein.

Ältestes Baudenkmal Gelnhausens ist die Godehardkapelle, erhöht über der Stadt im 9. Jahrhundert erbaut und zu einem fränkischen Hofgut gehörend, dessen Lage nicht mehr feststellbar ist.

Die erste Burg auf der Kinziginsel entstand um 1040 als Stützpunkt für Kaiser Heinrich III. Um 1160, als der Ausbau der Burg zur staufischen Pfalz begann, war die Siedlung Gelnhausen schon ein ansehnlicher Bauernmarkt. Friedrich erhob ihn 1170 zur freien Reichsstadt und förderte damit die der schnell wachsenden Bedeutung seiner Pfalz entsprechende Entwicklung.

Zu den Ackerbürgern gesellte sich, was eine Stadt ausmacht, Handwerker, Handelsleute, Geistlichkeit, Schreibkundige als Ministeriale für den Hofdienst.

Pfalz und Stadt wuchsen in angemessener Distanz voneinander, aber doch nachbarlich: eine Residenz, geplant für Reichstage, klar in der Anordnung der Baukörper zueinander und bewundernswert durch das große Maß an handwerklicher Sorgfalt der dekorativen Details; daneben die Stadt im ersten länglich gezogenen Mauerring, an zwei Hauptstraßenzügen ausgerichtet, mit Obermarkt und Untermarkt und gut gewählten Plätzen für das Amtshaus, das erste Rathaus und die beiden Kirchen.

Im Jahr 1180, als Friedrich zum Reichstag rief, an dem er die Acht über Heinrich den Löwen verhängte, war die staufische Pfalz vollendet, und auch die Stadt war bereit. Im großen Amtshaus (dem ältesten erhaltenen Amtshaus Deutschlands) saß der Stadtschultheiß. Die Marienkirche, in der Obhut der Prämonstratenser von Langenselbold (zwischen Gelnhausen und Hanau) als großer Saalbau geplant, war begonnen.

Die Kirche, die im 13. Jahrhundert in die Gotik hineinwuchs, ist im Gesamteindruck noch romanisch. In die Bauornamentik schleicht sich behutsam, keinesfalls störend die Gotik ein; und ganz gotisch sind schließlich die nach einer Planänderung um 1300 aufgeführten Wände der

Seitenschiffe. An den Portalen, an einigen Turmfenstern sind die Spitzbögen noch zaghaft. Bestimmter sind sie im Chor und auch im Glockengeschoß der Türme.

Die Marienkirche ist ein Beispiel dafür, daß stilistische Mischformen keine Stilunsicherheit bezeugen, daß sie vielmehr eine natürliche Folge der über das Ende einer Epoche hinausreichenden langen Bauzeit sind und über den Kunstwert eines Bauwerks nichts aussagen. Keiner der hervorragenden Steinbildhauer, die an der Marienkirche tätig waren, hat lang über Stil nachgedacht. Dazu fehlte ihm der Abstand, der erst viel später, beim Überblicken beider Epochen möglich ist.

Die Marienkirche war, abgesehen von Änderungen zur Zeit der Reformation, um die Mitte des 15. Jahrhunderts vollendet. Damals begann die seit dem Ende der Staufer leerstehende Pfalz zu verfallen; und Gelnhausen, die durch

---

Bild Seite 192 oben: Die wichtigste Sehenswürdigkeit in Ansbach ist das markgräfliche Schloß, die Residenz. Im Bild die über hundert Meter lange Orangerie (1. Hälfte des 18. Jhs.) im Norden des Hofgartens.
Bild Seite 192 unten: Luftbild der Stadt Ansbach mit dem Herrieder Tor.
Bild Seite 193: Die Residenz in Ansbach.
Bild rechts: Schönes Fachwerkhaus in Gelnhausen. Im Hintergrund die vier Türme der romanischen evangelischen Marienkirche.

---

die Staufer zu hohem Rang gekommene Stadt, war zum stillen Handelsplatz geworden, günstig gelegen an der Straße von Frankfurt nach Fulda und weiter nach Erfurt und Leipzig. Ihre reichspolitische Bedeutung war dahin.

Zu ihrer Sicherheit bauten die Bürger einen zweiten Befestigungsring um die entstandene Ansiedlung. Auch auf der Kinziginsel, wo sich Neubürger niedergelassen hatten, wurden eine Mauer und zwei Tore gebaut.

Gelnhausen war keine arme Stadt. Sie war immer noch dem Namen nach Reichsstadt, wenn auch zu Zeiten verpfändet. Es scheint, als sei die Stimmung unter den Bürgern nicht sonderlich erfreulich gewesen. Da war eine Oberschicht alteingesessener Familien, Handelsleute, Handwerker, zum Teil wohlhabend, auch einige Adelsherren mit Landbesitz, die sich durchaus als Städter fühlten, auch eine kleine Judengemeinde.

Ihnen gegenüber waren die Ackerbürger die Minderen, zwar frei, aber doch meist Lehnsleute und ohne eigenen Grund und Boden, oft bis zum Umfallen fleißig, mißgünstig und ihres Lebens nicht froh.

Es war zum Teil nicht ihre Schuld; es lag an der Zeit, an der Unberechenbarkeit von Glück und Wohlergehen, daß sie ihre Hoffnungen an den Aberglauben hängten, empfänglich waren für grauenhafte Wahnideen, die hinter jedem Mißgeschick eine Hexerei vermuteten.

Im Südosten der Stadt steht noch der Hexenturm aus dem 15. Jahrhundert. In ihm lagen die Verschrienen, die Opfer des Aberglaubens und der Mitleidlosigkeit ihrer Mitbürger. Es gab Bauern, die liefen zum Magistrat und flehten ihn an, er solle doch endlich einmal ein paar Hexen fangen lassen, damit die Dürre aufhöre, denn bestimmte Weiber hätten den Regen weggezaubert. Es gab Bürgermeister, die hatten für derlei offene Ohren; und es war wie in anderen Städten auch: Nach Wochen, Monaten, oft erst nach Jahren des Grauens erlosch der Wahn, und was geschehen war, lebte im Volksmund als Gruselgeschichte weiter. Beinahe war man geneigt, sie für böses Märchengespinst zu halten. Aber es war nicht so.

194

Gelnhausen kam schlecht und recht über schwere Zeiten, Pest, Stadtbrände, Bauernrevolten, Kriege.

Auf Ratsbeschluß war 1543 die Augsburger Konfession angenommen worden: »-- und leidet die Stadt fortan keinen Papisten in seinen Mauern, es sei denn, er käme mit Gewalt.«

Die Gewalt kam im Dreißigjährigen Krieg. 1621 waren es Spanier. Sie ruinierten die Stadt und zogen fort, nachdem die Keller leer waren. 1634 kamen kroatische Landsknechte im Dienst der Kaiserlichen.

Hans Jakob Christoffel von Grimmelshausen saß damals, zwölf Jahre alt, in seiner Heimatstadt Gelnhausen auf der evangelischen Stadtschule. Die Folgen des Überfalls läßt er den Simplicius Simplicissimus schildern, der vom Grab seines Einsiedels aus der Waldeinsamkeit nach Gelnhausen kommt:

»Da es tagete, füttert ich mich mit Weizen, begab mich zunächst auf Gelnhausen und fand daselbst die Tor offen, welche zum Teil verbrannt und halber mit Mist verschanzt war. Ich ging hinein, konnte aber keines lebendigen Menschen gewahr werden, hingegen lagen die Gassen hin und her mit Toten, deren etliche bis aufs Hemd, etliche ganz ausgezogen waren. Der jämmerliche Anblick war mir ein schrecklich Spektakul, maßen sich meine Einfalt nicht einbilden konnte, was für ein Unglück den Ort in einen solchen Zustand gesetzt haben mußte. Ich erfuhr hernach daß kaiserliche Völker etliche Weimarische daselbst überrumpelt.«

Für den Christoffel war es von da an mit dem Lernen vorbei, weil die Schule verbrannt und der Lehrer tot, weil ja beinah niemand mehr am Leben war.

Er ging fort, wurde Dragoner, später Regimentsschreiber und, als der Krieg vorbei war, Gutsverwalter und zuletzt Dorfschultheiß in der Ortenau.

Gelnhausen, die alte Reichsstadt, hat nie mehr die Rolle gespielt wie zur Zeit der Staufer als Kaiserpfalz und Reichstagssitz und auch noch im 13. Jahrhundert, als sie im »Reichssteuerkataster« an zweiter Stelle hinter Frankfurt stand. Gelnhausen ist ein bürgerliches Landstädtchen geworden und geblieben, ruhig, nicht reich, nicht arm, aber mit viel Sinn für seine Vergangenheit. Die Reste der Kaiserpfalz, wie sie heute gesichert und vor dem Verfall bewahrt dastehen, vermitteln eine gute Vorstellung nicht nur von vergangener, vergänglicher Größe, sondern auch von ihrem hohen, beinahe unvergänglichen architektonischen Rang, den auch die kleinsten Fragmente noch erkennen lassen.

Neuburg

Kurpfälzer Residenz an der Donau

Ein Steinberg am Fluß, steilwandig, nicht zu klein, nicht zu hoch und oben einigermaßen eben, war wie geschaffen für einen sicheren Wohnsitz oder eine Burg. Das wußten die Kelten, auch die Römer. Nachdem die Provinz Raetia aufgegeben war, siedelten Bajuwaren an der Donau. Agilolfinger waren die Landherren, bis das alte (noch mit »i« zu schreibende) Baiern 788 dem fränkischen Reich einverleibt wurde. Niwinpurg (neue Burg im Unterschied zur alten Burg eine Wegstunde flußauf) war schon im 8. Jahrhundert Sitz einer der frühen, schnell wechselnden Bischöfe. Nach 788 wurde das geistliche Gut dem Bistum Augsburg unterstellt, wahrscheinlich weil der letzte Bischof Odalbert mit dem abgesetzten Agilolfingerherzog Tassilo befreundet war. So hatte es Karl der Große gewollt.

Im Jahr 916 weilte der Frankenkönig Konrad auf der Neuburg, die damals schon, »civitas« genannt, ein bedeutsamer Platz mit einer Pfarrkirche St. Peter gewesen sein muß.

Von 995 bis 1002 saß Herzog Heinrich IV. in Neuburg und stiftete das Benediktinerinnenkloster. Er kehrte als König Heinrich II. 1007 noch einmal hier ein, um großen Hoftag zu halten.

Neuburg war Königshof, keine Pfalz, aber ein sicherer Rastplatz für reisende Herrscher, wenn sie in ihrem Reich nach dem Rechten sehen mußten.

Im Jahr 1189 kam der Staufer Friedrich I. Er war auf dem Weg ins Heilige Land.

Damals standen schon Ansiedlerhäuser im Friedensbereich von St. Peter und dem Kloster. Das Burggrafenamt hatten die Kalendin und die Rechberg, die Besitz im Altmühltal hatten und sich nach dem Tod des letzten Kalendin 1214 Herren zu Pappenheim nannten. Von ihren mächtigen Nachbarn, den Wittelsbachern, wurden sie zunächst auf ihrer Burg nicht gestört.

1247, als es in Deutschland keine wirkliche königliche Autorität gab, konnten die Wittelsbacher in Bayern tun, was sie wollten. Herzog Otto II. nahm den Pappenheimern die Burg und zerstörte sie. Bis zum Jahr 1392 gehörte die Stadt Neuburg zu Oberbayern, danach zu Bayern-Ingolstadt. Seit

Bild rechts: Die Amalienstraße in Neuburg an der Donau. Die Häuser machen hier noch einen wenig gestörten, geschlossenen Eindruck. Sie stammen aus dem 17. und dem 18. Jahrhundert. In dieser Zeit wurden mit Ausnahme des Schlosses alle Sehenswürdigkeiten der Stadt errichtet: die Hofkirche St. Maria, die Kirchen St. Peter und St. Ursula, die Spitalkirche und die ehemalige St. Martins-Kirche, heute Bibliothek.

der Mitte des 14. Jahrhunderts hatte sie eine Mauer. Herrensitz war die sogenannte Münz an der Westecke des Stadtberges, der noch nicht gänzlich bebaut war. Vor der Südseite der Kirche St. Peter war ein Brunnen, dessen Schacht durch den Fels bis zum Donauspiegel getrieben war. Am Ostrand des Stadtberges, auf dem Baugrund des heutigen Schlosses, soll am Anfang des 15. Jahrhunderts der Kneißlbau gestanden haben, benannt nach Herzog Stephan dem Kneißl. Es ist aber eher wahrscheinlich, daß dessen Sohn, Ludwig der Gebartete, das Haus gebaut hat. Zu Füßen des Stadtberges lagen Bauernhöfe, besonders in dem hochwassersicheren Gebiet an der heutigen Theresienstraße. Der Markt war auf dem Stadtberg.

Das Mühlenrecht am Fluß hatten die Benediktinerinnen zu vergeben. Die Donau, die heute die Leopoldineninsel umarmt, floß damals wahrscheinlich dreigeteilt an Neuburg vorbei.

Um 1435 ließ Herzog Ludwig der Gebartete die Stadtmauer erheblich verstärken, wo nötig Gräben vorlegen und die Tore wehrhaft machen, das Obere Tor unterhalb der Münz und das Untere Tor zur Donau hin.

Neuburg war eine feste Stadt. Es lag nicht an ihr, daß sie dem Gebarteten bei der Fehde mit seinem Sohn Ludwig dem Höckrigen nicht helfen konnte. Der Herzog war alt,

Bild rechts: Mit dem Bau der ehemaligen Hofkirche St. Michael in Neuburg an der Donau wurde 1607 begonnen. Sie war als protestantische Kirche, als »Trutzmichael« gegen St. Michael in München, das Zentrum der Gegenreformation, gedacht. Noch bevor die Kirche vollendet war, übernahm wieder ein katholischer Fürst die Regierung, und die Kirche wurde jesuitisch. Die Ähnlichkeit mit dem Münchner Gegen-Vorbild ist nicht zu verkennen.
Bild rechte Seite: Der Hof des Schlosses in Neuburg an der Donau. Die Laubengänge muten auf köstliche Weise südländisch, italienisch an. Die Grisaille-Malereien, hier in fein abgestuften Grautönen, zeigen alttestamentarische Szenen. Der größte Teil des Schlosses entstammt der Renaissance und wurde 1530–1545 gebaut.

und es waren zu wenig Männer, um einen Ausfall zu wagen. Der Sohn und seine Verbündeten hatten zweimal die Burg belagert. Erst beim dritten Mal (1443) gab der alte Herzog auf. Er wurde gefangengenommen und starb 1447 im Verlies auf Burghausen.

Neuburg, Stadt und Landvogtei waren danach bayerischlandshutisch.

Die Wittelsbacher waren rechte Kampfhähne und dies auch gegeneinander. Das bewiesen sie abermals 1503 nach dem Tod Georgs des Reichen, der in seinem Testament, rechtswidrig die Münchner Herzöge mißachtend, Neuburg seinem Schwiegersohn, dem Pfalzgrafen Ruprecht, vermachte.

Der Landshuter Erbfolgekrieg brach aus, eine böse Brennerei, die 1505, als der Pfalzgraf gerade gestorben war, durch den Schiedsspruch des Kaisers Maximilian I. zugunsten der jungen Söhne Ruprechts, Ottheinrich und Philipp, ausfiel. Die Grenzen der »Jungen Pfalz« wurden 1509 im Ingolstädter Vertrag festgelegt, viel Land aber zerstreut an Donau, Naab, Vils und Sulz.

Neuburg wurde Residenz. Ottheinrich regierte mit seinem Bruder, war aber der Entscheidende in allem, was zu tun war. Er baute um 1530 (7 km östlich von Neuburg) das Jagdschloß Grünau und bis 1542 die drei Hauptflügel der Residenz auf dem Stadtberg, wo vordem der Kneißlbau gestanden hatte, ein in jeder Beziehung gelungenes Werk mit einem Arkadenhof und einer Schloßkapelle, ausgeschmückt vom Salzburger Hans Bocksberger, der sich gewaltig von italienischen Renaissancekünstlern hatte anregen lassen.

Im Heimatmuseum steht das Fragment einer Tonbüste Ottheinrichs; ein gesundes Fürstengesicht, rund und glatt, auch verschlossen und gütig. Seine Residenz schmückte er mit Kunstverstand ohne übertriebenen Aufwand, aber doch so teuer, daß Schulden ihn bald zu drücken begannen. Von größtem Wert waren die Gobelins, in Brüssel hergestellt und von allen hohen Gästen des Schlosses bewundert. Fürst Ottheinrich ist zu sehen, die schöne Pfalzgräfin Susanne, der Bruder Philipp und die Wallfahrt ins Heilige Land.

1542 bekannte sich Ottheinrich zum Protestantismus, trat dem Schmalkaldischen Bund bei und mußte ins Exil gehen, sonst hätte der Kaiser Karl V. ihn kurzerhand einsperren lassen. Kaiserliche besetzten daraufhin Neuburg und trugen viel davon, was Ottheinrich an Kunst und schönen Dingen gesammelt hatte. 1552 zog er wieder in Neuburg ein, ging aber vier Jahre später nach Heidelberg und baute als Nachfolger des Kurfürsten Friedrich II. auf dem Schloßberg den berühmten Ottheinrichsbau.

In Neuburg versuchten die Pfalzgrafen Wolfgang und nach ihm sein Sohn Philipp Ludwig, die Finanzen in Ordnung zu bringen, erließen neue Instruktionen, die sich segensreich auswirkten.

Philipp Ludwig und seine Gemahlin, die Prinzessin Anna von Kleve, erbten für Neuburg ansehnliche Gebiete am Niederrhein, Jülich-Berg mit Düsseldorf. Dies war heilsam für den pfalzgräflichen Haushalt und überdies später geradezu glorreich für die bayerischen Kunstsammlungen, die nach und nach durch niederländische Meisterwerke zu dem wurden, was sie heute sind.

Pfalzgraf Ludwig Philipp, wie sein Vater ernsthafter Lutheraner, beschloß 1607 den Bau der Hofkirche auf dem Grund des aufgelassenen Klosters der Benediktinerinnen. 1597 war in München die Jesuitenkirche St. Michael geweiht worden. Ihrem gegenreformatorischen Prunk sollte hier ein »Trutzmichael« gegenüberstehen.

Es kam anders; denn zum großen Kummer des Pfalzgrafen war sein Sohn Wolfgang Wilhelm katholisch geworden. Anders hätte er Magdalena, die Tochter des Herzogs Wilhelm von Bayern, nicht zur Frau bekommen. »Cuius regio, eius religio«; die Neuburger wurden zum Katholizismus,

nun ja, bekehrt; und um Trutzmichael kümmerten sich die
Jesuiten. Das Werk ist beispielhaft gelungen. Im rechten
Winkel zum Rathaus beherrscht die Westfront der Kirche
mit dem wohlgeratenen Turm den lindenumstandenen
Platz, der früher Marktplatz war, heute aber keine andere
Funktion hat als die, schön zu sein und zum Verweilen ein-
zuladen. Aus Trutzmichael wurde die Hofkirche St. Maria,
deren Festlichkeit durch die barocken Altäre und die
Kanzel noch gesteigert wurde.

Im Jahr 1632 hielt sich König Gustav Adolf nach dem
Kampf um den Lechübergang rastend in Neuburg auf und
führte mit dem Rektor des Jesuitenkollegs ein Gespräch
über theologische Fragen. Dann kamen der schwedische
General Horn und Bernhard von Weimar und nahmen an
Kontributionen, was herauszupressen war. Nach dem Sieg
der Kaiserlichen bei Nördlingen wurde es ruhiger, besser
erst viel später.

Im 18. Jahrhundert, zur Zeit des Fürsten Karl Philipp, ging
absolutistisch-prominentes Strahlen von Neuburg aus. Das
lag an den erstaunlichen Erfolgen seiner zahlreichen Kinder. Kaiser Leopold I., König Karl von Spanien, König
Peter von Portugal und der Herzog von Parma waren mit
Neuburgs Prinzessinen vermählt. Von den Söhnen wurden
zwei zu Kurfürsten, drei zu Bischöfen.

Danach war Neuburg nicht ganz so hell von dynastischen
Sensationen illuminiert.

Die Erinnerungen an die Franzosenzeit sind trübe. Die
Pfalz Neuburg hatte Bestand bis 1799. Aber schon Jahrzehnte vorher ereignete sich nichts Förderndes mehr. Das
Schloß wurde in regelmäßigen Abständen mißhandelt. Bis
zum Anfang des 19. Jahrhunderts war es den Wittelsba-

chern zu Wohnzwecken vorbehalten. Zuletzt (1795–1831)
war es Witwensitz der Herzogin von Pfalz-Zweibrücken.
Dann zog eine Militärbehörde ein. Von 1868 bis 1918 war
das Schloß Kaserne und litt mehr und mehr. Seit 1970 darf
sich endlich die Bayerische Verwaltung der staatlichen
Schlösser darum kümmern und es denkmalwürdig behan-
deln.

Im übrigen hat sich auf dem Stadtberg, der heute Oberstadt
genannt wird, wenig geändert. Neuburg ist das anmutige
Abbild einer kleinen Residenz geblieben. So viel ist anders
als sonst in alten Kleinstädten. Es gibt hier, wie schon gesagt, keinen Markt. Nichts mußte dem Verkehr, den Autos
und dem Tourismus zuliebe zugerichtet werden. Ein Infor-
mationsbüro ist da, eine Apotheke, aber kaum ein Laden,
überhaupt kein Laden mit einem Riesenschaufenster, dafür einige gut gehaltene Verwaltungsbauten, im ehemaligen Klosterbereich zwei Schulen, die Provinzialbibliothek
und nur einige wenige Gaststätten, dafür eine große Zahl
schöner Wohnhäuser. Daher die Anmut, auch die Ruhe
dieser privatesten aller deutschen Kleinstädte. Das Leben
von heute findet zu ihren Füßen statt.

Wolfenbüttel
Welfenresidenz

Die Schreibweise »Wulferesbutle«, von unbekannter Hand unsicher buchstabiert und als Wasserburg im Jahr 1118 genannt, sagt über die Herkunft des Namens nichts Sicheres aus. Der Platz an dem alten Handelsweg durch die Okerniederung war gut gewählt, so gut, daß die Burg schon im 12. Jahrhundert zum ersten Mal erobert wurde, ein zweites Mal von einem, der sie für sein Geschlecht haben wollte, von Albrecht, einem Enkel Heinrichs des Löwen. 1279 begannen die Welfen, die Burg zur Dammfestung auszubauen, als ob sie vorausgesehen hätten, daß sie vielleicht einmal eine neue Residenz brauchen würden. 1432 war es so weit. Wolfenbüttel wurde Residenz der Herzöge von Braunschweig und Lüneburg; denn die mächtige, reiche und sehr eigensinnige Bürgerstadt Braunschweig war den Landesherren zu ungemütlich geworden.

Die alte Marktsiedlung östlich außerhalb des Damms wuchs allmählich. Die erste Kirche, Beatae Mariae Virginis, da, wo heute die Hauptkirche steht, ist wahrscheinlich schon um 1250 gestiftet worden. Weiter östlich entstand eine zweite Siedlung, Gotteslager.

Als sich die Stadt Braunschweig 1528 zur Reformation bekannte, wollten es die Wolfenbüttler ihr gleichtun. Der Herzog Heinrich d. J. war anderen Sinnes, hatte sogar den aus Lübeck geflohenen feurigen Erzprotestanten Jürgen Wullenwever fangen und 1538 hinrichten lassen. Dafür wurde er von den im Schmalkaldischen Bund vereinigten Fürsten vertrieben.

Die Herzöge, die nach ihm kamen, bekannten sich zur Reformation. Mit dem bedächtigen Planen des Herzogs Julius (1568–89) begann die Residenz Wolfenbüttel, Gestalt zu werden. 1570 erhielt der Markt endlich die Stadtrechte. In einem um 1540 erbauten Haus in der jetzigen Kanzleistraße wurde die Landesverwaltung eingerichtet. Der Stadtmarkt entstand. Die Erdwälle und Gräben wurden durch Bastionen gesichert. Was Julius hinterließ, vollendete Herzog Heinrich Julius, kein Kriegsmann, aber Diplomat und Dichter. Er schrieb Dramen in deutscher Sprache und lud

---

Bild linke Seite oben: Das Rathaus von Wolfenbüttel unterscheidet sich im Habitus nicht von den Wohnhäusern. Tatsächlich wurde der älteste Flügel 1599 als Wohnhaus gebaut und erst einige Jahre danach vom Rat der Stadt für seine Zwecke gekauft.
Bild linke Seite unten: Das Lessinghaus, in dem Gotthold Ephraim Lessing die letzten vier Jahre seines Lebens verbrachte, scheint ein Steinhaus zu sein, ist aber in Wirklichkeit ein Fachwerkbau.

---

wandernde englische Schauspieler zum Bleiben ein. Am Stadtmarkt entstanden das Rathaus und die Krambuden. Die Commisse (später Hochzeitshaus) wurde für die Bürger zum Festefeiern gebaut, da dies zur Verhütung von Bränden in den Fachwerkwohnhäusern verboten war. Am Stadtmarkt steht das älteste steinerne Wohnhaus der Stadt (heute Bankhaus Seeliger), 1580 erbaut vom herzoglichen Bauverwalter Philipp Müller.

1607 begann auf Pfahlrosten der Bau der Hauptkirche. Unter Herzog Friedrich Ulrich (1613–34) wurde sie vollendet. 1613 war der Chor zur Beisetzung seines Vorgängers geweiht, 1620 das Langhaus eingewölbt, eine dreischiffige Halle nach gotischem Bauschema mit Strebepfeilern und Maßwerkfenstern, aber außen und innen mit den Schmuckformen der Renaissance ausgestattet. Der Turmbau mit hoher gotischer Spitze auf einer »welschen« Haube wurde erst 1750 abgeschlossen.

Friedrich Ulrichs Nachfolger war August d. J. aus der Nebenlinie Braunschweig-Lüneburg-Dannenberg. In seinem 87 Jahre währenden Leben wurde die Residenz Wolfenbüttel weltberühmt, bestaunt als »Hochsitz des Humanismus«.

August studierte an den Universitäten Rostock und Tübingen und reiste beinahe bis zu seinem 40. Lebensjahr in Italien, Frankreich, England und den Niederlanden. Er hatte an Machtzuwachs und Landgewinn nicht das geringste Interessse. Er war ein Friedensfürst, als rund um ihn Krieg war.

Als der zum Kaiser übergetretene Friedrich Ulrich 1634 gestorben war, konnte August sein Erbe nicht antreten. Er residierte auf Schloß Hitzacker, denn Wolfenbüttel war 1627 vom kaiserlichen General Gottfried Heinrich Graf zu Pappenheim besetzt und seitdem kaiserlich bis zum Frieden von Goslar 1642 zwischen den Herzögen und Kaiser Ferdinand III. 1644 zog August mit seinem Schatz, dem Grundstock seiner Bibliothek, in Wolfenbüttel ein. Im Obergeschoß des Marstalls hinter dem Zeughaus wurde die erste Bibliothek eingerichtet. Es war Platz genug für Neuerwerbungen.

Ein Spruch ist überliefert, der in dieser ersten Bibliothek Wolfenbüttel vom Herzog verfaßt war: »Wenn andere viel Redens und Ratschläge machen, so hole ich mir bei Stummen und Verstorbenen den besten Rat. Wenn die Menschen nichts vorzubringen wissen, so findet man etwas davon in Büchern; und was sich niemand untersteht zu sagen, das geben uns die klugen Alten an die Hand.«

Herzog August hatte in 16 Städten Europas Agenten beauftragt, die ihn mit Werken versorgten, die er suchte, die ihm auch Neuerscheinungen anboten. In Rom war der Jesuit Athanasius Kircher, Mathematiker und Naturforscher, für ihn tätig, in Stuttgart sein guter Freund und Berater Johann Valentin Andreä, lutherischer Theolog und Dichter. Befreundet war er auch mit Ludwig von Anhalt, dem Gründer der »Fruchtbringenden Gesellschaft zur Pflege der Tugend und der deutschen Muttersprache«.

In den von ihm selbst geführten Katalogen waren im Jahr 1660 in 18 Abteilungen von der Theologie über die Ethik bis zu den Naturwissenschaften 25849 Bände verzeichnet, dazu noch mehr als 3000 sogenannte Quodlibetica, Werke, die sich nicht präzis einordnen ließen.

Von ihm, der sich als Autor Gustavus Selenus nannte, sind Werke sehr unterschiedlicher Themen hinterlassen, so vier Bücher über »Das Schach- oder Königsspiel« und die »Brunswykische Evangelische Kirchenharmonie«, auch ein Buch über Geheimschriften. Bei all dem war der Herzog kein weltfremder Gelehrter. Er kümmerte sich um die Stadt und das Wohlergehen der Bürger wie keiner seiner Nachfolger.

Des Herzogs Sorgen um Wolfenbüttel waren groß. Die Stadt war nach 16 Jahren Besatzung heruntergekommen, die Bürger arm, einige hundert Häuser zerstört, auch das Schloß verwahrlost.

Die kommunale Ordnung war von Grund auf neu zu bauen, ein Kollegium der Räte zu schaffen, Beamte mit neuen, genauen Anweisungen auszustatten; Kanzleiordnung, Landesfürstliche Ordnung, Polizeiordnung, Gerichtsordnung, Hochzeitsordnung, Begräbnisordnung, Schulordnung, Hospital- und Armenordnung. Ordnung überall in der Stadt, wie im Herzogtum, wie in der Bibliothek.

In der Lauenkuhle westlich der Dammfestung entstand ein neuer Stadtteil für Hofbedienstete und Handwerker. Der Herzog förderte den Bau der kleinen Fachwerkkirche St. Johannis. Sie wurde 1663 geweiht und bemerkenswert ausgestattet und ist gerade in ihrer Bescheidenheit stimmungsvoller als mancher Prachtbau.

Herzog August starb 1666. In drei Ehen waren ihm elf Kinder geschenkt worden. Drei Töchter und drei Söhne überlebten ihn.

Sein Sohn Anton Ulrich, 1633 geboren, liebte auch Bücher. Er schrieb barocke Romane, und er bevorzugte bald, im Unterschied zu seinem Vater, einen aufwendigen Lebensstil. Das alte Schloß in der Dammfestung, an dem sein Vater nur einen hölzernen Arkadenhof hatte anbauen lassen, war ihm zu klein und zu alt. Er beauftragte Johann Balthasar Lauterbach, Professor für Mathematik an der Ritterakademie, Pläne für ein großes Lustschloß auf dem Grund der Domäne Salzdahlum (zwischen Wolfenbüttel und Braunschweig) zu machen. Es entstand auf dem Papier ein dreigeschossiger Bau mit zwei vorgelagerten Höfen und dahinter einem Riesenlustgarten. Der Bau wurde alsbald begonnen. In Wolfenbüttel war die Stunde des Absolutismus gekommen. Aber Anton Ulrich war pietätvoll genug, auch für seines Vaters Bibliothek ein würdiges Haus zu bauen. Nach den Plänen des Zimmermannsarchitekten Hermann Korb entstand (1710) das erste, eigens für eine Bibliothek gebaute Haus, freistehend auf quadratischem Grundriß, ein origineller Bau mit einer Rotunde über dem Dach und darauf wie schwebend ein Himmelsglobus. Das Haus hatte nur einen Nachteil; es war aus Holz. Aber viel sicherer war der Marstall auch nicht.

Anton Ulrich starb 1714. Seine Nachfolger gaben sich alle Mühe, ihm nachzueifern. In der kurzen Bauzeit von vier Jahren hatte Meister Korb 1719 die Kirche St. Trinitatis nach Plänen des Ritterprofessors Lauterbach gebaut, ein kühles evangelisch-barockes Meisterwerk, beinahe zu witzig für ein Gotteshaus.

Inzwischen hatte auch das alte Stadtschloß eine barocke Fassade bekommen. Die Welfenherzöge hatten eine der Zeit würdige Residenz. Besonders Salzdahlum wurde von den Zeitgenossen bewundert. Die Herrlichkeit lebte nicht lang. 1815 wurde das beinahe gänzlich aus Holz erbaute Schloß, das zu verfallen drohte, auf Abbruch verkauft.

Im Jahr 1753 hatten die Herzöge ihre Stadtresidenz wieder nach Braunschweig verlegt. In Wolfenbüttel residierte seit 1770 der Erbprinz Karl Wilhelm Ferdinand, ein Neffe Friedrichs des Großen. Er wollte es dem so überaus um seine Bildung, seinen Kunstverstand als Sammler, seine großartige Hofhaltung gepriesenen Anton Ulrich gleichtun. Hatte dieser den Philosophen Gottfried Wilhelm von Leibniz an die Bibliothek berufen können, so wollte er, obwohl ihn die ganze Sache nicht sonderlich interessierte, einen Namen zum Vorzeigen haben. Sehr viel scheint er über Gotthold Ephraim Lessing nicht gewußt zu haben, sonst hätte er, der süßlich französelnde Prinz und Despot, wohl nicht einen der freiesten Köpfe Deutschlands als Bibliothekar engagiert.

Lessing, der zeitlebens Schulden hatte, nahm 1770 das Angebot an, ging in die kleine, melancholisch stimmende Stadt mit den vielen bezaubernden Fachwerkhäusern und schrieb später einem Freund: »Ich wollte es auch einmal so gut haben, wie andere Menschen. Aber es ist mir schlecht bekommen.« Lessing drohte in dieser Fürstenluft zu ersticken.

Wer heute als Gast in Wolfenbüttel vor dem Lessinghaus steht, denkt, wenn er sonst nichts weiß: Wie schön für einen Dichter, Bibliothekar an einer der kostbarsten Sammlungen der Welt zu sein und dann noch so schön zu wohnen! Was war es, was Lessing so deprimierte, so sterbensmüd machte? Karl Wilhelm Ferdinand war ein böser Mensch. Als Erbprinz übte er aus, was andere Fürsten auch taten, die Subsidienverträge mit dem König von England schlossen: Soldaten liefern für den Krieg in Amerika und Geld dafür bekommen.

Der Erbprinz und spätere Herzog vermietete in den Jahren 1776 bis 1782 den Briten 5723 Mann. Von diesen kehrten

Bild oben: Das Wappen der Herzöge zu Braunschweig und Lüneburg an der Fassade des Residenzschlosses zu Wolfenbüttel.
Bild rechte Seite: Das Schloß in Wolfenbüttel ist die größte Schloßanlage Niedersachsens. Die regelmäßige Gliederung der Schaufassade, die dem Schloßplatz zugekehrt ist, läßt das breite Gebäude leicht und luftig erscheinen. Der gesamte Bau ist überraschenderweise aus Holz, die Fassade nur Verkleidung (1714) des mittelalterlichen Gebäudes.

2708 zurück. Für die Toten mußte noch einmal bezahlt werden. Nur die gesunden Männer sollten heimgeschickt werden. Die zu nichts mehr tauglichen sollte ein vom Herzog gestiftetes Invalidenhotel in New York aufnehmen.

Lessing schrieb in Wolfenbüttel die »Emilia Galotti«, das dramatische Gedicht »Nathan der Weise« und den Essay »Die Erziehung des Menschengeschlechts«. Er starb 1781, ein Jahr nachdem der Erbprinz regierender Herzog geworden war.

Die Große Bibliothek war noch hundert Jahre lang in Meister Korbs hölzerner Rotunde untergebracht. Erst 1887 wurde sie in den neuen Bau überführt, der sie heute noch beherbergt.

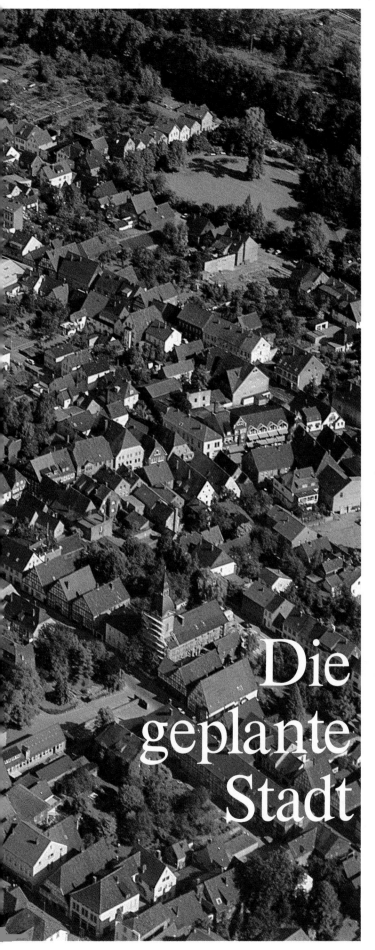

Die geplante Stadt

Stadtgründungen auf dem Papier sind ein seit der Renaissance beliebtes Architekturspiel. Sternstädte, Quadratrasterstädte, Bienenwabenstädte wurden entworfen, und einige wurden sogar gebaut. Was dabei herauskam, fand geteilten Beifall, Mißfallen und Entzücken.

Im Barock wurden die Ideen weitergesponnen. Festungsbaumeister konnten nur noch im Zickzack denken und entwerfen, und sogar die Gartenarchitekten legten der Natur ein Raster über. Bei den Hugenotten war die Rechtwinkligkeit sogar weltanschauliches Prinzip.

Für den die schnurgeraden Achsen quer durch die kleine Grafschaft liebenden Absolutismus war das natürlich auch etwas.

Die Ideen schliefen nicht ein, zogen sich durch das ganze 19. bis ins 20. Jahrhundert. Bauhaus und neue Sachlichkeit machten mit. Nur der Jugendstil war dagegen.

Wie nicht anders zu erwarten, begannen sich die Gemüter zu beruhigen und die Sache kritisch zu betrachten. Die Lehre: Rechtwinkligkeit im Hausbau und gemäßigt in der Stadtplanung ist ganz selbstverständlich, nur darf sie keinesfalls monoton angewandt werden. Geometrie im kleinen im Maßstab von Friedrichstadt an der Eider ist charmant, mit hundert multipliziert, ist sie schwer zu ertragen.

Im Luftbild links die Stadt Lemgo in Nordrhein-Westfalen.

Celle

Welfensitz an der Aller

Mitten in den Allerwiesen auf einer schon vor dem Jahr 1000 gegründeten Burg saß gegen Ende des 13. Jahrhunderts Herzog Otto der Strenge, ein Urenkel Heinrichs des Löwen. Von dem der Burg benachbarten Markt ist der Name Kellu (oder Cellu) überliefert. Die alte Burg war klein und nicht sehr wohnlich, vor allem aber war sie unsicher. Der Herzog beschloß umzuziehen, gründete auf einem Hügel einen kurzen Ritt flußabwärts, da, wo sich das Flüßchen Fuhse der Aller nähert, Schloß und Stadt Celle, denn er hatte hundert oder noch mehr Bürger aus dem alten Markt dazu bewegen können, ihm zu folgen. Der Markt in den Allerwiesen heißt seitdem Altencelle.

Schloß und Stadt wurden gleichzeitig geplant und gebaut und wuchsen, durch Gräben, Wall- und Dammbauten zwischen den beiden Flüssen gesichert, uneinnehmbar zusammen. Im Jahr 1301 erhielt Celle Stadtrecht nach dem Braunschweiger Muster. Das Schloß, ein eindrucksvoller Bau um einen Viereckhof, war auf dem Hügel durch ein geräumiges unregelmäßiges Mauerfünfeck und einen breiten Graben von der Bürgerstadt geschieden, deren Bebauung durch längs- und querlaufende Straßenzüge vorgegeben war. Den besonderen Reiz der Stadt macht aus, daß die Anlage eben nur ungefähr rechtwinklig ist.

Im Jahr 1378 beschlossen die Welfen, die glückhaft begonnene und erfreulich wachsende Gründung Celle zur Residenz des Fürstentums Lüneburg zu machen. Das war nicht nur für Celle, sondern auch für die Welfenherzöge ein guter Gedanke, denn sie wußten, wozu die Lüneburger fähig waren, wenn es wie in der Ursulanacht 1371 darum ging, das bißchen Stadtrecht zu verteidigen, das sie den großen Landherren gegenüber gerade noch hatten. Die Bürger von Celle, das war dem ersten Residenten, Herzog Albrecht, klar, waren noch nicht so weit. Sie wollten erst etwas werden.

So kam es auch. Celle erblühte, wurde handelstüchtig und -mächtig an der belebten Nord-Süd-Straße und der Furt über die Aller. In der Bürgerstadt entstanden bald die ersten Häuser, die mehr waren als simple Unterkünfte zum Schlafen. Auch die Residenz begann Gestalt anzunehmen. Das 15. Jahrhundert war noch die Zeit des Aufbaus, das 16. die Zeit der Festigung. Herzog Ernst der Bekenner führte 1527 sein Fürstentum dem neuen Glauben zu. Das Schloß, im Grundbau mittelalterlich, gotisch, bekam ein sehr deutsches Renaissancegesicht; und in der Bürgerstadt ließ sich der wachsende Wohlstand an den Schauseiten der Häuser ablesen.

Herzog Wilhelm d. J. machte 1560 den Anfang, die gotische Stadtkirche, eine dreischiffige Halle, neu auszustatten. Die Aufstellung des Hochaltars, einer der wenigen unveränderten Renaissancealtäre, erlebte er nicht mehr. Er starb 1592.

Nachfolger wurde Georg, als Erbe und einziger, der heiraten sollte, durch Auslosung bestimmt, für die sich die sieben klugen Brüder entschieden hatten, um das Fürstentum ungeteilt zu erhalten.

Der außerordentlich glückhaften Diplomatie des Herzogs gelang es, sein Land aus dem Dreißigjährigen Krieg her-auszuhalten. Celle wurde nicht belagert, nicht beschossen; weder brannte es, noch wurde es geplündert. Still, ärmer geworden, aber ohne Verluste an Menschen und Gut überstand die Stadt den Krieg.

Im Vergleich zu vielen anderen Ereignissen absolutistischen Strebens am Ende des 17. Jahrhunderts war der Aufbruch zur barocken Repräsentation in Celle, was das Volumen betrifft, bescheiden, sympathisch, wenn man bedenkt, daß manche Regenten junge Männer als Soldaten verkaufen mußten, um sich ein Klein-Versailles leisten zu können.

Merkwürdig ist an den fürstlichen Bauten oder Umbauten dieser Zeit der Unterschied in der Qualität des einen vom andern; dazu der stellenweise bombastische Aufwand an Einzelheiten, die gar nicht so wichtig waren. Am deutlichsten tritt dies zutage im Schloß, in der Ausstattung, der Wohn- und Repräsentationsräume und im Chor der Stadtkirche, der Grablege der Herzöge und einiger Verwandter. Vierzehn Herzöge und Herzoginnen sind an den Chorwänden durch Epitaphe geehrt, das älteste für Friedrich († 1533), den Bruder Wilhelm d. J., das letzte für Georg Wilhelm († 1705).

Von besonderer Schönheit sind die Reliefs von Ernst dem Bekenner und seiner Frau Sophie von Mecklenburg, und prachtvoll sind die Statuen an der rechten Chorwand: Alabaster in schwarzgrauer Marmorarchitektur, in der Mitte Herzog Georg († 1641) und seine statiöse Gemahlin Anna-Eleonore von Hessen († 1659), zu beiden Seiten die Söhne Christian Ludwig († 1665) und Georg Wilhelm († 1705). Interessant ist der Unterschied der zwei Generationen in der Tracht, und es ist zum Erstaunen, wie komisch Barock sein kann, wenn es der Künstler im Streben nach Monumentalität und zugleich Lebensechtheit gar zu arg treibt. Der Fürst sieht aus, als sei seine Hose mit Luft vollgepumpt worden. Mit Liebe zum Detail hat Jürgen Tribbe alles sehr genau dargestellt. Zu Seiten der Söhne ist noch je ein Platz frei. Dort sollten die Gattinnen aufgestellt werden; aber dazu kam es nicht. Christian Ludwigs Witwe Dorothea von Holstein heiratete den verwitweten Kurfürsten Friedrich Wilhelm von Brandenburg, und Georg Wilhelms französische Edeldame Eleonore d'Olbreuse war noch am Leben,

Bild rechte Seite oben: Im Kern ist das Schloß von Celle mittelalterlich. Die jetzige Gestalt geht auf Herzog Georg Wilhelm (1665–1705) zurück. Die eigenartige Wirkung dieses prächtigen Renaissanceschlosses beruht vor allem auf den zahlreichen rundbogigen Dacherkern.
Bild rechte Seite unten: Die Fassade des alten Rathauses in Celle wurde in der jetzigen Form 1561–1579 gestaltet und zeigt somit Renaissanceformen.
Bild folgende Doppelseite: Fachwerkbauten in der Zöllnerstraße in Celle. Das Haus Nr. 6 zeigt die charakteristische »Auslucht«, einen reichverzierten Erker vor der Giebelwand.

als das große Epitaph geschaffen wurde und wohnte noch viele Jahre im Stadtschloß Lüneburg, das der Herzog ihr als Witwensitz vorbereitet hatte, denn er war ja der letzte Regent auf Schloß Celle.

Zur Zeit des Fürsten Georg und mehr noch während Georg Wilhelms langer Regentschaft schlug das Schmuckbedürfnis hohe Wellen. In den Prunkräumen des Schlosses wurde zweifellos des Guten und nicht ganz so Guten zuviel getan. Aber da ist im Nordflügel das Theater (1665 eingerichtet), an dem, um es kurz zu sagen, »alles stimmt«, die Proportionen, die Farben; nichts Übertriebenes ist da, das

207

die Intimität stören könnte. Es ist das älteste deutsche Barocktheater, das heute noch ständig und mit eigenem Ensemble bespielt wird.

Das letzte regierende Fürstenpaar in Celle hatte viel Freude an allen Künsten, und die geistreiche Eleonore d'Olbreuse wurde von ihren Zeitgenossen geradezu ange-

schwärmt. Die Kunstsammlung des Herzogs ist zum Teil erhalten. Viel wurde in der napoleonischen Zeit davongetragen.

Celle, die Bürgerstadt, die ohne Schaden durch den Dreißigjährigen Krieg gekommen war, ist auch von den Bomben des letzten Krieges verschont worden. Umso leichter konnten sich die Denkmalpfleger um die überreichen alten Bestände kümmern. Die merkantilen Unvermeidlichkeiten in den Einkaufsstraßen der autofreien Zone bewegen sich in Grenzen.

Außerhalb der Altstadt, auf halbem Weg zum Bahnhof, an der »Trift«, steht ein besonders schöner Barockbau; stilrein und zurückhaltend monumental »grüßt« er über die Triftanlagen den Gast auf der nur einseitig bebauten Bahnhofstraße: das 1712 erbaute »Werck- und Zuchthaus«, wie das Theater auch heute noch urbanen Bedürfnissen dienlich.

In dem südlich der Altstadt gelegenen Französischen Park steht zwischen dem Kindergarten und dem Institut für Bienenforschung das anmutige Denkmal für eine junge Frau, Königin Caroline Mathilde. Sie war von ihrem Bruder, dem König Georg III. von England und Hannover, mit dem seelisch gestörten König Christian VII. von Dänemark verheiratet worden. Leibarzt des Königs und zugleich als Minister eifrig bemühter Sozialreformer war Johann Friedrich Graf von Struensee. Durch ihn erfuhr die junge Königin Zuspruch, Trost und Liebe. Die politischen Rivalen des Grafen waren besorgt, diese Beziehung schnell zu beenden. Die königliche Ehe wurde 1772 geschieden, der Graf hingerichtet, Caroline Mathilde aus dem Land gewiesen. Als Verbannte lebte sie auf Schloß Celle und starb hier 1775, vierundzwanzig Jahre alt.

Celle war bis zum Jahr 1866 zweite Residenz des Königshauses von Hannover.

Friedrichstadt an der Eider

»Ein neu Gebot geb ich euch, daß ihr euch untereinander liebet.« (Johannes 13,34)

Auf diese Bibelstelle deutet die rechte Hand des Engels, der in seiner Linken einen Wanderstab hält mit der phrygischen Mütze darauf, dem Symbol der Freiheit. Das Medaillon mit dem so dargestellten Engel ist der einzige Schmuck des Predigtstuhls in der Remonstrantenkirche, unter dem der holländische Pastor Conrad Vorstius begraben liegt. Er war der Nachfolger des Jacobus Arminius aus Oudewater, der Calvins Lehre von der Vorbestimmtheit

Bild linke Seite: Blick auf Friedrichstadt an der Eider vom Mittelburgwall aus.
Bild oben: Es ist kein Zufall, daß Friedrichstadt mit seinen Grachten, Backsteinhäusern – die heute allerdings oft verputzt sind –, Treppengiebeln und großen Fenstern einen ausgesprochen holländischen Eindruck macht. Friedrichstadt wurde von niederländischen Handwerkern errichtet: Der gottorfische Herzog Friedrich – sein Name taucht im Stadtnamen wieder auf – hatte hier den Remonstranten, einer heimatvertriebenen niederländischen Sekte, Asyl gewährt.

aller Seelenschicksale als Irrtum in der Bibelauslegung ablehnte. Die Remonstranten, genannt auch Arminianer, waren auf der Dordrechter Synode (1619) aus der holländischen Protestantengemeinschaft ausgeschlossen worden. Für den gottorfischen Herzog Friedrich III. waren sie ganz die richtigen Siedler für seine Gründung an der Eider, eine Stadt und einen Nordseehafen, der ein nordisches Amsterdam werden sollte, ein Rivale zu Hamburg.

Die Remonstranten waren keine armen Flüchtlinge, sondern Männer, die Erfahrungen und einen klaren Kopf mitbrachten. Handwerker, Seefahrer, Fachleute für Damm- und Schleusenbau, auch Kaufleute mit Handelskontakten über Grenzen und Meere. Sie nahmen die Einladung des Herzogs freudig und mit der großen Hoffnung an, unter seinem Schutz in Frieden und nach ihrem Glauben leben zu können.

Der Herzog wollte seine Stadt nicht an der Eidermündung bauen, obwohl dort die von seinem Großonkel, dem Herzog Adolf, um 1550 errichtete Burg Tönning stand. Einen halben Tagesritt flußaufwärts, da, wo die Eider die Treene aufnimmt, war ein nasser Fleck Land, Sebüll; der schien ihm sicherer, besser auch für die Flußschiffahrt landeinwärts. Ein paar Fischer siedelten hier, die bald erkannten, daß für sie von Vorteil sein werde, was der Herzog mit großem Schwung zu bauen befohlen hatte.

Der holländische Meister Rautenstein, ein Mann mit Erfahrung im Wasserbau, entwarf einen Plan, ein Rechteck aus Dämmen und Grachten, der während der Bauzeit nur geringfügig verändert werden mußte. Die Treene durfte nicht mehr, wie sie es gewohnt war, in die Eider fließen. Sie sollte zweigeteilt durch tiefgegrabene Sielzüge die neue Stadt östlich und westlich begrenzen. Wälle waren vorgesehen, ein Deich und Schleusen gegen die Eider zum Schutz vor der Flut.

Im September 1621 war es soweit. Am Binnenhafen an der Ecke zum Fürstenburgwall wurde der Grundstein für das erste feste Haus gelegt.

An Helfern war bald kein Mangel. Der große Krieg war ausgebrochen. Es war eine Zeit, da die Anhänger bedrängter, auch verfolgter Glaubensgemeinden ihre Heimat verlassen mußten.

Die Remonstranten schlugen 1623 dem Herzog vor, auch Mennoniten aufzunehmen, die von katholischen und evangelischen Landesherren schon seit dem 16. Jahrhundert verfolgt wurden. Sie nannten sich nach Menno Simons, einem ehemals katholischen Priester aus Oldesloe, der 1539 das »Fundamentbuch von dem rechten christlichen Glauben« geschrieben hatte, in dem er staatlichen Zwang in Glaubensfragen ablehnt, dazu die Ehescheidung, die Kindertaufe, den Eid und jeglichen kultischen Aufwand. Mennonit war Carsten Clooth aus Oldensworth, Deichbaumeister; er brachte etwas bisher Unbekanntes, sehr Brauchbares mit, den Schubkarren, den die Leute sogleich »Carstens Rollwagen« nannten, weil sie der Meinung waren, er habe ihn erfunden.

Lutheraner kamen, nicht weil sie vertrieben, sondern nur eben arm waren und glaubten, hier ein besseres Leben zu haben.

Statthalter Adolf van Moersbergen verkündete im Einverständnis mit dem Herzog Glaubensfreiheit für alle Bürger in Friedrichstadt und zugleich Toleranz eines jeden jedem Andersgläubigen gegenüber nach dem Wort des Johannes »daß ihr euch untereinander liebet«, auf das der Friedensengel in der Remonstrantenkirche hindeutet.

Van Moersbergens Tochter, die Jungfrau Catharina, hatte feierlich den Grundstein zur Kirche legen dürfen, die schon 1624 vollendet war, ein schmuckloser geräumiger Bau mit einem Doppelgiebel und einem hölzernen Turm. Die Kirche wurde 1850 durch das Bombardement zerstört, mit dem schleswig-holsteinische Truppen die Stadt von der dänischen Besatzung befreien wollten. Fünf Jahre danach stand der neue Bau, der weder zu Friedrichstadt noch zum Wesen der Remonstranten passen will.

Aus der Zeit des Statthalters van Moersbergen stammt eines der schönsten Häuser der Stadt, die Münze am Mittelburgwall-Süd, in der allerdings nie Geld geprägt wurde, ein schmaler edler Backsteinbau mit Wappen, Löwenköpfen und Simsen aus Sandstein.

In dem Haus hinter der Münze ist der Betsaal der Mennoniten, puritanisch nur mit dem Notwendigsten eingerichtet: einem hölzernen Altar mit der Kanzel darüber. Die Sitzbänke haben erst im 19. Jahrhundert Lehnen bekommen.

Die armen Lutheraner bauten um 1645 ihre Kirche am Mittelburgwall-Nord. Die Steine waren ein Geschenk des Herzogs; das Holz stifteten die Remonstranten, die zeitweilig auch das Gehalt für den Pastor vorstreckten. Der Rembrandt-Schüler Jürgen Ovens schenkte seinen Glaubensbrüdern das Altarbild. Erst spät, 1762, als die Gemeinde mehr als tausend Seelen zählte, konnte sie aus eigenen Mitteln den Turm vollenden. Er ist wohlgeraten mit kuppeliger Haube, einer achteckigen Uhrenstube und dem offenen Ausguck darüber.

Die erste Kirche der Katholiken in der Neuen Straße, die früher Katholische Straße hieß, mußte 1840, weil baufällig war, abgetragen werden. Die zweite auf demselben Grundstück, aber zum Fürstenwall hin verschoben, überlebte das Kriegsjahr 1850 nicht. Heute steht hier ein historisch-neuromanisches Bauwerk. Der Innenraum stimmt versöhnlich. Er ist still, hell, angenehm einfach. Die Kirche ist König Knut, dem Heiligen, geweiht, ermordet auf

Odense im Jahr 1084. An der Rückwand des Chors hängt das »Flutkreuz« einer auf Nordstrand in der Sturmflut von 1634 untergegangenen Kirche; an den Längsseiten fanden sieben Holzbildwerke Platz, mit denen die Gemeinde Husum nach dem beklagenswerten Abbruch ihrer alten Stadtkirche im Jahr 1808 nichts anderes anzufangen wußte, als sie zu verkaufen.

Friedrichstadt wuchs schnell. Dicht an dicht standen bald die Häuser, schmal, hochgiebelig, sehr holländisch, weil von Holländern gebaut und recht genau dem von Meister Rautenstein vorgezeichneten Plan entsprechend. Zwei Flächen waren freigelassen, südlich der mittleren Gracht der Steinerne Markt, nördlich von ihr der Grüne Markt, heute Stadtfeld genannt. Der Bauernmarkt, vor allem der Roßmarkt florierte. Der Warenumschlag im Hafen war nicht so lebhaft, wie ihn der Herzog erträumt hatte.

1649 kamen die ersten Juden. Es dauerte aber doch 25 Jahre, bis sie als Bürger anerkannt wurden und Grundstücke erwerben durften und dies nicht, weil sie Juden, sondern weil sie Deutsche waren. Schon im Jahr 1676 hatte Marcus Levy »Op de Klint« ein Grundstück für den Friedhof erworben und eines für das Versammlungshaus. Für die Synagoge am Fürstenburgwall stiftete König Christian VIII. um 1820 einen goldenen Kronleuchter.

Zur selben Zeit, als den Juden in Friedrichstadt die Bürgerrechte und -pflichten zugesprochen waren, kam aus England eine Gruppe von ungefähr 70 Männern und Frauen, die sich »Religiöse Gesellschaft der Freunde« nannten, überaus freundliche, hilfsbereite Menschen, die fromme, fröhliche Lieder sangen. Spöttisch waren sie in England »Quakers« genannt worden, Zitterer, weil ihnen oft ein ekstatisches Beben anzumerken war. Ihre Glaubenssätze waren zum Teil Lebensregeln, denen der Remonstranten und Mennoniten ähnlich. Lustbarkeit und leere Höflichkeit lehnten sie ab, und sie waren durchdrungen von der Idee, daß über jeden einmal die Erleuchtung komme. Sie bezogen das alte hohe Lagerhaus »Schwarzes Roß« für ihre Versammlungen, die meist Singabende waren. Nach ihrem Sinn war auch den Frauen aufgegeben zu predigen, und dies war die Ursache, daß sie einigen Widerstand zu spüren bekamen; denn eine Frau auf der Kanzel wollten all die anderen Glaubensgemeinden nicht leiden. Beinahe hundert Jahre lebten die Quäker in der Stadt. 1769 zogen sie fort. So freundlich sie waren, so eigensinnig waren sie und konnten von dem nicht lassen, was sie für gottwohlgefällig hielten.

Keiner der alteingesessenen Religionsgemeinden kam es in den Sinn zu missionieren. Sie nahmen den auf, der freiwillig, aus eigenem Entschluß zu ihnen kam, aber sie warben nicht.

Noch zu Herzog Friedrichs Zeiten bewarben sich Unitarier um die Erlaubnis, sich anzusiedeln. Sie waren, in Polen verfolgt, nach Schweden geflohen. Da sie dort nicht bleiben durften, versuchten sie es zu Friedrichstadt. Der Bürgerrat fand ihren Radikalismus gefährlich, mit dem sie das katholische Dogma von der göttlichen Dreifaltigkeit bekämpften. Überdies waren sie zänkisch. Sie wurden ausgewiesen.

Kurzlebige Versuche, Glaubensgemeinden zu gründen oder zu missionieren, gab es einige, Anhänger der Dreifaltigkeitsgemeinde, die endzeitlich gestimmte Pfingstgemeinde, die Tannenberger, Mormonen, Bibelforscher. Sie fanden keinen Widerhall und verliefen sich ohne Aufregung.

Die Ausweisung der Unitarier, der »Polnischen Brüder«, wie sie hier genannt wurden, war eine einmalige Abwehrmaßnahme, die sich nicht wiederholte. Die Austreibung der letzten 67 Juden im Jahr 1938 geschah ja nicht aus Beweggründen des Glaubens.

Die bitteren Erinnerungen an den 9. November wiegen in einer Gemeinde wie Friedrichstadt besonders schwer, in der die Achtung vor Herkunft und Glauben des anderen so selbstverständlich war, daß über Toleranz von den Kanzeln und in der Schule gar nicht mehr gesprochen werden mußte.

Unter den barbarisch vertriebenen Juden waren Nachkommen der ersten Siedler, die sich mit derselben großen Hoffnung niedergelassen hatten, die für den Herzog Anlaß zur Gründung der Stadt gewesen war. Diese Hoffnung ging nicht in Erfüllung. Aus Friedrichstadt wurde kein nordisches Amsterdam.

Entlang der Planlinien des Meisters Rautenstein war die Stadt erstaunlich schnell gewachsen; dies zu einer Zeit, da Krieg war. Die Armee des Dänenkönigs Christian IV. war (1626 bei Lutter am Barenberg) von Tilly geschlagen worden. Wallenstein war siegreich bis Jütland gezogen. Nach dem für das Land günstigen Vertrag von Lübeck (1629) zwischen König Christian und den Kaiserlichen war Ruhe eingekehrt. Aber aus dem Welthandel, wie Herzog Friedrich

Bild oben: Stadtplatz in Friedrichstadt an der Eider. Die Treppengiebel muten vertraut holländisch an. Eher ungewohnt ist jedoch das leuchtende Weiß der Fassaden.
Bild rechte Seite: Das Rathaus von Karlshafen liegt an der Südseite des Hafens, der nach dem Willen seines Erbauers, des Landgrafen Carl von Hessen-Kassel, ein bedeutender Warenumschlagplatz hätte werden sollen.

ihn hatte aufbauen wollen, konnte nichts werden, auch später nicht, denn die politische Situation Schleswig-Holsteins sollte noch zweihundert Jahre lang unsicher sein, bis das Land (1865) endgültig zu Preußen kam.

Als Hafen hatte die Gründung des gottorfischen Herzogs allezeit nur regionale Bedeutung; als erste deutsche Stadt mit ihrer die Zeiten des Unfriedens überdauernden Freiheit des Glaubens ist sie das schönste Denkmal der Toleranz.

Karlshafen

Hugenottenstadt an der Weser

Den Landgrafen Carl von Hessen-Kassel wurmten die Zölle, die in Hannoversch-Münden für alle Handelsgüter gezahlt werden mußten, die auf der Weser und der Fulda hinauf und hinunterfuhren. Mit einem Kanal von der Fulda, von Kassel, zur leidlich schiffbaren Diemel könnte man den geldgierigen Zöllnern von Münden ein Schnippchen schlagen; denn wo die Diemel in die Weser mündet, anderthalb Meilen nördlich der alten Klosterburgstadt Helmarshausen, ist immer noch Hessen. Hier wäre ein Hafen anzulegen und eine Siedlung zu gründen.

Paul du Ry wurde zu Rate gezogen, der »Hugenotten-Baumeister«, der im Auftrag des Landgrafen in Kassel die Oberneustadt baute als neue Heimat für seine mit ihm aus Frankreich geflohenen Glaubensbrüder. Nach dem zweiten Edikt von Nantes, 1685 erlassen von Ludwig XIV., waren sie zu Hunderttausenden in die protestantischen Länder Holland, England und Deutschland geflohen; denn sie wußten, daß sie, selbst wenn man sie am Leben ließe, ihres Lebens in Frankreich nicht mehr froh werden konnten. Unter ihnen waren Familien, deren Vorfahren seit 1560, seit der Zeit Calvins, seiner teils klugen, teils verstiegenen Lehre die Treue gehalten hatten.

Wo sie auch hinkamen, wo sie sich niederlassen durften, ob in Berlin, in Erlangen, Ansbach oder Kassel, brachten sie etwas mit: das Bauprinzip ihrer neuen Siedlung, die endlich realisierbare, geradezu heilige Rechtwinklichkeit.

Sie hatten sie nicht erfunden. Rechtwinkligkeit in der Stadtplanung gab es zu beinahe allen Zeiten und in den unterschiedlichsten Kulturen zwischen Peking und Manhattan. Für die Hugenotten war sie die Verwirklichung des zu ihrem Lebensgefühl passenden Lebensraums.

Die Hugenotten waren mit nur geringen Ausnahmen Städter. Sie waren anspruchslos, besonnen, amusisch und von einer Sittenstrenge, die so manchem unheimlich erscheinen mußte. Sie waren wohl freundlich; lustig oder gar kreuzfidel waren sie nie. Die Ideen ihrer planenden Köpfe fanden bei den ihnen Zuflucht gewährenden Landesherren Beifall. Paul du Ry war dem Landgrafen für die Oberneustadt in Kassel der rechte Mann. Er war es auch für seine Gründung an der Weser. Das Bauvorhaben war klein, so klein, daß die Monotonie, die großen Rechtecksiedlungen eigen ist, hier gar nicht aufkommen konnte. Überhaupt ist die Anlage so selbstverständlich, als ob man die Aufgabe gar nicht anders hätte lösen können; auch heute noch, da aus dem Handelsplatz ein Kurort geworden ist, wirkt sie überzeugend.

Zentrum der kleinen Stadt ist das Hafenbecken, ein abgerundetes Viereck, 50 mal 150 Meter in den Maßen, mit einem kurzen Kanal zur Weser und einem längeren zur Diemel. Zu beiden Längsseiten des Beckens parallele Häuserblocks, im Südwesten, die Mitte betonend, das Rathaus, das in der ersten Zeit Jagdschloß und Packhaus in einem war. An der rechten Ecke der Front eines der ersten Häuser aus dem Jahr 1699, der Gasthof »Zum Landgrafen Carl«. Im mittleren Haus des Blocks auf der anderen Seite des Hafenbeckens ist 1768 die Thurn- und Taxissche Posthalterei eingerichtet worden.

Mit der Längsachse des Hafenbeckens und der parallel zum Weserufer geführten Weserstraße ist der rechte Winkel gegeben, dem alle Straßen und Häuserblocks der Gründungszeit gehorchen.

In der südöstlichen, durch deutsche Zuwanderer bald notwendig gewordenen Erweiterung der Stadt ist die Ordnung nicht mehr so hugenottisch streng. Das liegt aber daran, daß hier das Gelände zum Brandenberg ansteigt. Es ist keinesfalls als Gegendemonstration zum hugenottischen Eigensinn zu deuten, der im übrigen doch recht bald zu verblassen begann.

Carlshafen, bis zum Ende des 19. Jahrhunderts mit »C« geschrieben, ist ein schönes Beispiel des sogenannten Hugenottenstils, durchaus dem Barock zugehörig, aber sparsam im architektonischen Aufwand. Pfeilerarkaden, auch ovale Fenster im Zwischengeschoß sind noch statthaft, Säulen schon nicht mehr. Ein Segment-Giebelbogen darf sein, auch ein achteckiges Uhrtürmchen über dem Dachfirst. Solang' kein überflüssig ausladender Schmuck, kein schwerer Sims die »edle Einfalt« stört, ist alles in Ordnung. Das Invalidenhaus an der Carlstraße ist ein interessantes Beispiel architektonischer Höflichkeit des hessischen Baumeisters Friedrich Conradi, der es 1710 erbaut hat. Einzig der Mittelteil der Front ist durch repräsentative flache Pflaster, die über drei Geschoßhöhen gehen, und durch drei hohe Fenster betont, die zur Hauskapelle gehören. Links und rechts davon ist die Fassade großflächig, einfach, schmucklos.

Landgraf Carl war für seine schöne Gründung vielleicht ebenso hoffnungsvoll wie der gottorfische Herzog für sein Friedrichstadt. Er wurde enttäuscht. Der geplante Kanal zur Fulda, an dem zwei Jahrzehnte lang gegraben worden war, hat sich nicht verwirklichen lassen.

Landgraf Carl starb 1730 nach sechzig Jahren tätiger Herrschaft über Hessen-Kassel. Seine Nachfolger, Wilhelm VIII. und Friedrich II., ließen die Wasserseite der Weserstraße bebauen und ein neues Packhaus im Süden des Hafens aufführen. Zum großen Warenumschlagplatz konnten auch sie den Hafen nicht machen. Bis zum Anfang des

19. Jahrhunderts war er regional wichtig. Für den Durchgangshandel war er uninteressant. Ein paar Jahre um 1780 war er verrufen.

Im Frühling 1781 machte ein junger Mann aus Sachsen unfreiwillig, wie damals viele junge Männer, Bekanntschaft mit Carlshafen: Johann Gottfried Seume, Bauernsohn, Dichter und Philologe. Er war auf der Wanderschaft nach Paris. Aber eh' er sich's versah, war er hessischen Werbern in die Hände geraten, nach Carlshafen eskortiert, die Weser hinunter nach England transportiert worden und übers große Meer nach Kanada. Er hatte Glück. Als er und seine Schicksalsgenossen in Kanada ankamen, war der Krieg schon zu Ende. 1783 war er wieder daheim. Die Wanderlust

Bild oben links: Das sogenannte Invalidenhaus in Karlshafen.
Bild oben rechts: Häuserzeile in Karlshafen an der Weser.
Bild rechte Seite: Das Luftbild zeigt den regelmäßigen, hugenottischen Grundriß der Stadt Karlshafen.

war ihm nicht vergangen. 1801 begann er seinen »Spaziergang nach Syrakus«, sein Tagebuch darüber hat ihn berühmt gemacht.

Carlshafen wurde mehr und mehr zu einem verschlafenen Handwerkerstädtchen.

Die Bürger machten sich Gedanken, ob das wohl in alle Zukunft so weitergehen werde. Dann aber begann etwas ganz Neues.

Um eine Solequelle entwickelte sich langsam ein kleiner Kur- und Badebetrieb. Die Heilkraft der Sole war erwiesen. In Göttingen, in Kassel, in Paderborn sprach sich's herum, sogar in Bielefeld. Und eines schönen Sommers kamen sogar Gäste aus Frankfurt und aus dem rauchigen Ruhrgebiet. Das war schon mehr als ein Hoffnungsschimmer.

Ein Kurbad, ein Erholungsort für müde Städter war besser als ein kleiner Flußhafen, an dem die meisten Schiffe vorüberfuhren.

Neben der kleinen Hugenottenstadt entstand der Kurort Bad Karlshafen; aber genau betrachtet ist das Hafenbecken, so, wie Paul du Ry es geplant hatte, immer noch der Mittelpunkt.

Lemgo

Vom Hexennest zum Westfälischen Leipzig

Die Stadt hat 39 000 Einwohner. Diese Zahl schließt ein, was in den letztvergangenen hundert Jahren um Alt-Lemgo herumgewachsen ist. Obwohl kein Torturm, kaum ein Stück Mauer die Zeiten überlebt haben, ist die Altstadt kompakt geblieben. Die Wälle, eingeebnet nur, wo es gar nicht anders ging, sind in grüne Bänder verwandelt, von Bäumen bestanden und mit Spazierwegen versehen. Alt-Lemgo ist das Bilderbuch-Beispiel einer deutschen Renaissance-Kleinstadt, strahlend vor Heiterkeit, die vergessen läßt, was in längst verschütteten Kellern ein halbes Jahrhundert lang geschehen war, vermeintlich anbefohlen durch ein Bibelwort (II Moses 22,18): »Die Zauberinnen sollst du nicht leben lassen.«

Der Name der Stadt kommt von Limgauwe, Lehmgau, einer Senke, von dem Flüßchen Bega in saloppen Windungen entwässert. Vom Teutoburger Wald her gab es seit alters einen halbwegs trockenen Pfad, später eine Straße durch die feuchten Wiesen nach Norden zur Weser. Flachsbauern und Schafzüchter siedelten, bauten auch (um 1200) eine Kirche St. Johannis, von der nur noch der Turm erhalten ist.

Östlich von St. Johannis, weil der Boden dort fester zu sein schien, steckten lippische Edelherren für den Markt Lemgo drei Straßen quer zum alten Fuhrweg ab und machten einen ersten Plan, wie Mauern und Wälle anzulegen seien. In einer aus dem Jahr 1243 stammenden Urkunde wird Lemgo zum erstenmal Stadt genannt. Um 1260 wurde der Bering nach Westen ums Doppelte erweitert.

Für die Bauern im Umland war Lemgo anziehend. Die Stadt war durch ihre Verfassung den Grafen gegenüber gut abgesichert; sie bekam sogar, was vielen Unschuldigen zum Verhängnis werden sollte, eigene Blutgerichtsbarkeit.

Bild links: Das Hexenbürgermeisterhaus in Lemgo, 1571 errichtet, hat seinen Namen nach einem seiner späteren Bewohner, dem Bürgermeister Hermann Cothmann, der in seinem Hexenwahn neunzig Menschen zu Tode bringen ließ.
Bild folgende Doppelseite: Der Rathauskomplex in Lemgo besteht aus acht verschiedenen Gebäuden aus der Spätgotik und der Renaissance. Im Hintergrund die beiden Türme der Nikolaikirche.

Aus Bauern wurden nebenbei Händler; aus Händlern wurden Kaufherren. Ihre Stadt wurde als Mitglied der Hanse dem Kölner »Quartier« angeschlossen und hatte Handelsbeziehungen nach Flandern und nord- und ostwärts über Lübeck nach Reval, Riga und Stockholm. Garn-, Leinen- und Tuchhandel machten die Stadt reich. Es war eine stetige Aufwärtsentwicklung bis ans Ende des 16. Jahrhunderts. Zwei große Kirchen wurden gebaut. Die Nikolaikirche, um 1215 als Basilika mit Querschiff und zwei kräftigen Westtürmen entworfen, wurde um 1250 vollendet. Urkunden über Bauzeit und Weihe fehlen. Der am Ende des 13. Jahrhunderts begonnene Umbau zur gotischen Hallenkirche war vermutlich um 1370 abgeschlossen.

Im Jahr 1569 bekam der Nordturm einen »welschen« Helm, dreimal abwechselnd bauchig und konkav geschwungen. Das spitze Dach des Südturms mußte 1660 nach einem Sturm erneuert werden. Beide Türme sind nicht mit Schiefer, sondern mit Blei gedeckt.

Die Marienkirche, deren gotische Halle um 1300 vollendet war, gehörte bis zur Reformation zum Kloster der Dominikanerinnen. Der ruhig und schwer wirkende Turm von 1360 steht an der Nordseite des Chores. Ein zweiter Turm war wohl geplant. Eigenartig ist die dem Stiftsgarten zugewandte Westseite, großflächig mit schlichtem Giebel und einer geometrisch einfachen 12strahligen Maßwerkrose als einzigem Schmuck.

Schon im Jahr 1530 wurden die beiden Pfarrkirchen lutherisch. Die Reformation verlief im Vergleich zu vielen anderen Städten ohne große Unruhe. Der Bischof von Paderborn schickte den Kaplan Hasewinkel, die Stadt wieder katholisch zu machen. Es kam anders. Den Kaplan entzückten die deutschen Gesänge der »wittenbergischen Nachtigall« in der Marienkirche. Er wurde Lutheraner.

Ins Kloster der Dominikanerinnen zogen evangelische Jungfrauen ein. Als Damenstift besteht das Haus heute noch. Das Franziskanerkloster, um 1560 aufgegeben, wurde ein Armenhaus. Das Haus der Augustinerinnen am Rampendal war 1576 verwaist. Es diente danach verschiedenen Zwecken, bis schließlich das Stadtarchiv einzog.

Das 16. Jahrhundert war für drei Generationen Lemgoer Klein- und Großbürger eine glückliche Zeit. Die religiösen und sozialen Erschütterungen wurden nur wie ein entferntes Wetterleuchten wahrgenommen. Das ständische Gefüge war in Ordnung, kaum gestört durch gelegentliche Überheblichkeiten der Ratsherren, die meist wohlhabend und zum Teil juristisch gebildet waren.

Die Stadt in ihrem nicht zu eng und nicht zu groß geplanten Mauerring hatte die Muße, formalen Ehrgeiz zu entwikkeln, sich schöner zu machen. Durch die Fassaden der profanen Bauten dieser Zeit erhielt die Stadt ihr fröhliches Renaissance-Gesicht, das sie über alle späteren Schrecken bewahrt hat.

Die Renaissance kam schrittweise. Versuchte man sich anfangs zuweilen noch in der gotischen Formensprache, entdeckte man schließlich, was alles mit Holz gefertigt werden kann, daß man Pfosten, Rahmenhölzer und Streben nicht nur setzt, um den Bau fest und stabil zu machen, sondern um das Haus zu schmücken mit geschnitztem Blattwerk, mit Fächern, Muscheln und sogenannten Schnürrollen oder, je nach Laune und Vermögen, mit Figuren und Reliefs in den Füllungen. In anderen Fachwerkstädten geschah ähnliches; aber hier in Lemgo erwuchs ein so besonders schönes Ensemble.

Die Ostwestachse der Stadt, die Mittelstraße, mißt knapp 900 Meter. Drei Viertel ihrer Länge sind seit ein paar Jahren den Menschen zu Fuße vorbehalten. Die Straße, durch ihre historische Substanz überaus wertvoll, hat nichts Museales an sich. Sie lebt und ist fröhlich, eine Flanier- und Einkaufszeile und dazu ganz ohne Karosserieblech. Über die Bausünden an den zum Teil schicken Läden muß der Gast gütig hinwegsehen. Es gibt andernorts Schlimmeres. Nicht immer konnte der Denkmalschutz rechtzeitig bessere Lösungen für den notwendigen Umbau vorschlagen; und so konnte manches Haus nur vom ersten Giebelgeschoß an »geschützt« werden.

Der Gast sollte die Mittelstraße von West nach Ost mit seinem Besuch beehren. Dann kommt ihm in der ersten Hälfte des Weges die Nordecke des Rathauses ins Blickfeld, und er steht nach ein paar Schritten vor einem »Kunstwerk von europäischem Rang«.

Das Rathaus, an dem namentlich bekannte und unbekannte Künstler gewirkt haben, ist in den Jahren 1480 bis 1612 entstanden, danach nur wenig verändert worden und heute beispielhaft restauriert.

Seine Besonderheit hat es dem Umstand zu danken, daß die notwendigen Erweiterungen stets zu klein geplant worden sind. Der älteste Bau ist durch die auf der Marktseite vorgebauten Erweiterungen verdeckt; ein heiteres, einfallsreiches Nebeneinander von fünf Fassaden, abwechselnd gewichtig und zurückhaltend und beherrscht vom hohen gotischen Giebel der großen Ratskammer, im architektonischen Wert aber übertroffen vom Apothekenbau und der Kornherrenstube mit offener Laube zur Mittelstraße.

Im Jahr 1609 wollte Graf Simon VI. zur Lippe, der auf seinem Lemgo benachbarten Wasserschloß Brake saß, die fröhliche Stadt zu Calvins strenger Lehre umstimmen. Vielleicht wollte er, ein ernster Herr, den Männern den Suff abgewöhnen und die Frauen vor allzu eifrigen Seitensprüngen bewahren oder umgekehrt. Die Bürger rebellierten heftig. Simon belagerte die Stadt dreimal. Es half nicht. Der Graf starb. Lemgo blieb lutherisch.

Im Jahr 1621 zogen Flüchtlinge auch durchs lippische Land. Sie erzählten, daß drei Jahre zuvor die Anhänger böhmischer Adelsherren den kaiserlichen Statthalter in Prag und seinen Secretarius zum Fenster hinausgeworfen und die Jesuiten verjagt hätten. Seitdem sei Krieg, und es sei den böhmischen Brüdern und überhaupt allen Protestanten schlimm ergangen. Für die Lemgoer war der Krieg weit weg. Es gab in all den dreißig Jahren westlich der Weser keine Schlacht, nicht einmal einen großen Heerzug. Nur einmal, im Herbst 1636, waren schwedische Soldaten nachts über die schlecht bewachte Mauer gestiegen, hatten die Tore von innen geöffnet und eine hungrige Kompanie zum Plündern hereingelassen. Danach war wieder Ruhe. Nur mit dem Handel wollte es nicht mehr recht gehen. Das bekamen die kleinen Händler naturgemäß zuerst zu spüren, die es aus Mangel an Glück und Geschicklichkeit noch nicht zu einer in knappen Zeiten nützlichen Reserve gebracht oder durch einen geplünderten Warentransport ihr halbes Vermögen verloren hatten.

Kapitalschwund, Ende der Blütezeit, Niedergang, Stillstand sind die Vokabeln, mit denen die wirtschaftliche Situation des Gemeinwesens hinreichend gekennzeichnet ist, aber eben nur diese.

Was drückend wie giftiger Dunst über der Stadt lag, war die verbrecherische dominikanische Perversion uralten Dämonenglaubens, die Hexenjagd.

Wer noch klar denken konnte, wußte es, und einige hatten den gefährlichen Mut, es zu sagen: Die Teufel säßen nicht in den Frauen, die auf der Folter »geständig« waren; die Teufel seien der Bürgermeister Kerkmann und seine Kumpane sowie Kerkmanns Nachfolger Cothmann, über den die Älteren wußten, daß seine Mutter von Kerkmann als Teufelshure zur Folter gegeben, zum Feuer verurteilt und zum Köpfen begnadigt worden war. Nicht zu vergessen den Scharfrichter, der sich schon ein gemütlich Häuslein in der Neuen Straße verdient hatte mit der frommen Inschrift »David Claus und Angenesa Brökers anno 1665. Mein Gast aus und ein laß dir Gott befohlen sein«.

Im Jahr 1665 führte die Aussage einer Magd des Buchdruckers Meyer zu einer grauenhaften Kette von Denunziationen, Anklagen, Foltern und Hinrichtungen.

Die reiche Kaufmannswitwe Böndel gab, die Beine im Schraubstock, zu, was der Inquisitor ihr an Schandtaten vorsagte, widerrief und war nach wochenlangem Verhör nur noch fähig, um ihren Tod zu bitten.

Der Obristleutnant Abschlag, erklärter Feind einiger Ratsherren, der laut sagte, was er dachte, wurde festgenommen. Nach dem dritten Grad »bekannte« er, seine Eltern und seine Kinder umgebracht zu haben.

Bild linke Seite: Die sogenannte Schwalbennestorgel in der Marienkirche in Lemgo gehört zu den besten und ältesten Orgeln Deutschlands. Vom kunsthistorischen Gesichtspunkt aus sind die Renaissanceschnitzereien bemerkenswert.
Bild oben: Großes Epitaph für Raban von Kerssenbrock (1617) in der Nikolaikirche in Lemgo.

Der Prediger von St. Nikolai, Andreas Koch, wurde auf der Folter nach den Urhebern einer Schmähschrift befragt, nannte die Namen, die seine Peiniger wissen wollten. Danach konnte er nicht mehr stehen. Seine Verurteilung wurde verschoben. Vielleicht war er noch brauchbar. In aller Stille wurde ihm später der Kopf abgeschlagen.

Neunzig Justizmorde hatte Cothmann auf dem Gewissen, als er sich 1681 reich, alt und krank in sein schönes Haus an der Breiten Straße verkriechen mußte. Denn sein letzter »Fang«, die junge Mutter Marie Rampendahl, wollte den Sündenkatalog nicht nachplappern vom Giftmischen, Nach†fahren und Kindsmord, von der Buhlschaft mit dem Schwarzen Mann und der Unzucht mit dem Ziegenbock. Sie überstand mehrmals alle drei Grade der peinlichen Befragung ohne zu reden und starb nicht.

Es war wie in Nördlingen hundert Jahre zuvor, wo es auch nach dem Sieg einer Frau über die Folter keine Prozesse

mehr gab. Nach dem obligaten Gutachten der Juristenfakultät von Rinteln war Marie Rampendahl freizusprechen. Cothmann starb bald darauf qualvoll langsam.

Im Jahr 1694 kam ein Mann nach Lemgo, Engelbert Kaempfer, weitgereister Sohn des Predigers Johannes von der Marienkirche, der geflohen war, als sein Amtsbruder Koch im Folterkerker lag.

Engelbert Kaempfer, Arzt, Naturforscher und Sprachwissenschaftler, hatte in schwedischen, russischen und holländischen Diensten Asien bereist, Persien, Indien, die Sunda-Inseln. Als Arzt war er bei der holländischen Handelsmission in Japan, der erste Europäer, der als Wissenschaftler Japan beschrieben hat, die Menschen, wie sie leben, ihre Häuser und Tempel und besonders liebevoll ihre Gärten. Beinahe noch ein Kind, hatte er das »Hexennest« verlassen und kam zurück, als Lemgo gerade begonnen hatte, aufzuatmen wie nach einem bösen Traum.

«Zeit eilt, -teilt, -heilt« steht als Sinnspruch auf alten Uhren. Als Handelsplatz war Lemgo nicht mehr besonders wichtig. Der allmählich wachsende gute Ruf kam anderswoher. Die Lemgoer Schulen galten bald im weiten Umkreis als die besten. Durch die Meyersche Druckerei und Hofbuchhandlung erwarb sich die Stadt den neuen Beinamen »Westfälisches Leipzig«.

Zu guter Letzt sind die Lemgoer Meerschaumpfeifenmanufaktur zu nennen und die Strohsemmeln, die nirgendwo sonst gebacken werden, auch in Rußland nicht mehr, wo das Geheimnis herkommt, wie der Teig zu machen und der Ofen herzurichten sei. Ein Soldat, der 1813 heil aus dem Rußlandfeldzug zurückgekommen war, hat es einem Lemgoer Bäckermeister verraten.

Ratzeburg

Eine Stadt nach dem Muster von Mannheim und ein Dom
zur Erinnerung an Heinrich den Löwen

Die Stadt im Ratzeburger See, wie sie der Gast heute sieht,
ist noch nicht einmal dreihundert Jahre alt, denn sie ist um
1700 nach völliger Zerstörung planmäßig und sehr ordentlich rechtwinklig neu aufgebaut worden. Die Inselstadt ist
durch Dämme mit dem Umland verbunden.

In der »Hamburgischen Kirchengeschichte« von 1075
nennt der Domherr Adam von Bremen die Insel Ratzeburg erstmals als den Hauptsitz der heidnischen wendischen Polaben, die in das Gebiet des schon 948 gestifteten Bistums Oldenburg eingedrungen waren.

Nach dem Abschluß der Chronik des Adam von Bremen
taucht Ratzeburg erst wieder auf, als Heinrich von Badewi-
de 1143 auf der Insel eine Burg gebaut hatte und vom Wel-
fenherzog Heinrich dem Löwen mit der so gegründeten
Grafschaft Ratzeburg belohnt worden war.

Der stürmische sehr junge Löwe wollte Ratzeburg zu
einem festen Platz machen, über den die Polaben nicht
noch einmal ungestraft herfallen sollten. Sein Leben lang
sorgte er für den ihm überaus wichtig scheinenden Stützpunkt der Christenheit, zu dem er sich geradezu liebevoll
hingezogen fühlte, weil er seine erste Gründung war.

Die paar Bauern, die auf der Insel saßen, sollten bleiben,
sich im Schutz des Badewider Grafen und seiner Burgmannen sicher fühlen. Den Benediktinern vom nahen Kloster
auf dem St. Georgsberg war aufgegeben, den Leuten klar-

zumachen, daß es mit der alten Inselgottheit nichts auf sich
hatte, die Siwa oder so ähnlich hieß.

Es fügte sich alles. Erzbischof Hartwig konnte zuversicht-
lich 1149 Ratzeburg zum Bistum ernennen, Herzog Heinrich den Prämonstratenserprobst Evermod aus Magdeburg
als ersten Bischof einsetzen. Auch die Herren des künftigen Domkapitels waren aus Magdeburg gekommen. Vom
St. Georgsberg aus betrieben sie den Bau des Bischofssitzes
auf dem Hügel am Nordende der Insel. Gegen 1170 begannen sie mit dem Bau des Domes aus gut gebrannten Ziegeln, nicht hochragend, aber fest und den sinnlosen Aufregungen gewachsen, die noch kommen sollten.

Bild oben: Der Dom von Ratzeburg ist eine romanische dreischiffige
Backsteinbasilika.
Bild rechte Seite oben: Entzückender Rokokosaal im Herrenhaus zu
Ratzeburg. Die Stuckarbeiten wurden 1766 durchgeführt.
Bild rechte Seite unten links: Im Langhaus des Domes zu Ratzeburg
befindet sich das spätromanische Triumphkreuz (1260).
Bild rechte Seite unten rechts: Passionstafel von 1430 im Dom zu
Ratzeburg.

Heinrich der Löwe stiftete alljährlich 100 Mark für den
Dombau, wie er es später auch für Lübeck tat; und nachdem er 1189 das aufmüpfige Bardowick zerstört hatte,
brachte er von dort das Kirchengerät, auch Meßgewänder
und Fensterglas nach Ratzeburg. Die Domherren fühlten
sich geehrt, so von dem Herzog umsorgt zu werden, der,
wie sie hörten, wild sein konnte, wie – nun ja, wie ein Löwe.
Für sie war er wie ein Vater.

Er starb 1195. Ein paar Jahre danach erlosch das Geschlecht
der Badewider Grafen. Ratzeburg kam an die Herren von
Sachsen-Lauenburg, die 1260 zu Herzögen erhoben wur-

den und Ratzeburg als Herzogssitz wählten. Ein Teil der Grafschaft Ratzeburg kam an das Bistum. Es wäre schön gewesen, wenn das Domkapitel das ganze bäuerliche Land bekommen hätte; aber die Lauenburger waren dagegen. Die Domherren fühlten sich nicht mehr so gut behandelt. In der Reformationszeit, nach dem Ende des Erzstifts Bremen, wirkte das Domkapitel noch eine Weile im alten

Bild rechts: Blick vom Ratzeburger See auf den Dom. Das Äußere dieses romanischen Backsteinbaus bestimmt der massige Turm, der allerdings gotische Formen zeigt. Der Bau der Kirche wurde 1170 begonnen und war zur Jahrhundertwende bereits abgeschlossen.

Sinn; aber 1566 beschlossen die Herren vom Domkapitel, mit dem »abergläubischen päpstlichen Zeremoniell« endlich Schluß zu machen. Sie schafften die katholische Liturgie ab und sangen lutherische Lieder.

Der Markt Ratzeburg erhielt vom lauenburgischen Herzog Franz II. im Jahr 1582 endlich eine Stadtverfassung.

1623 begannen die niedersächsisch-dänischen Auseinandersetzungen mit den Kaiserlichen. Wallenstein sah sich schon als »Beherrscher des ozeanischen und des baltischen Meeres«.

Der Reitergeneral Pappenheim besetzte Ratzeburg und traf alle Anstalten, die Insel, auf der er 400 Mann Besatzung einquartierte, zum kaiserlichen Stützpunkt auszubauen und durch ein Bollwerk aus 2000 Eichenstämmen zu sichern. Das Lübecker Restitutionsedikt (1629) machte dem bald ein Ende. Aber die Ratzeburger, die Bürger und die vordem wohlhabenden und sehr freien Bauern, waren ruiniert und konnten sehen, wie sie wieder auf die Beine kamen. Im Frieden von 1648 wurde der Landbesitz des alten Bistums als Fürstentum dem Haus Mecklenburg-Schwerin zugesprochen.

Im Jahr 1689, nachdem die Lauenburger ausgestorben waren, besann sich der Herzog Georg-Wilhelm von Braunschweig auf Ratzeburg, zog ein und begann, eine Festung zu bauen. Das konnte den Dänen nicht recht sein. Sie bombardierten 1693 die Insel und brannten alles nieder. Nur die Kirche und die Häuser des ehemaligen Domkapitels ließen sie stehen. Ratzeburg war tot, die Bürger umgekommen oder geflohen. Nachts heulten die Wölfe.

Der Trümmerhaufen und das Umland der alten Grafschaft kamen an Mecklenburg-Strelitz. Für die Neugründung der Stadt wurde ein Plan nach dem barocken Stadtmuster von Mannheim gemacht, abgewandelt, wie sich denken läßt, auch kleiner; sechs quadratische Reihenhausblocks und ein langer rechteckiger Markt. Das Ergebnis ist anmutig, eine kleine Stadt ohne kleinstädtische Enge, modern im Sinn des 18. Jahrhunderts und in der Nachbarschaft einer, so gesehen, uralten Kirche.

Die Ratzeburger Stadtkirche St. Petri, 1791 vollendet, ist nüchtern, ein quer rechteckiger Saalbau.

Die Stadt war inzwischen hannoversch geworden, und die Regierung hatte äußerste Sparsamkeit angeordnet, sogar einen Turmbau verboten.

Die Kirche in der Vorstadt aus dem 13. Jahrhundert auf dem St. Georgsberg hatte die Katastrophe überlebt.

Die politischen Wechselfälle des 19. Jahrhunderts trafen die Ratzeburger nicht ins Herz. 1813 wurde die Stadt preußisch, 1816 bis 1864 dänisch, dann für ein Jahr österreichisch-preußisches Kondominium, schließlich wieder preußisch. Ratzeburg heute bietet sich als Luftkurort an.

Die Städte im Gesamtüberblick

Stadt	Bundesland	Wohn-bevölkerung insgesamt	Einw. je qkm	Fläche insgesamt qkm	davon bebaut %
Alsfeld	Hessen	17 997	138	129,68	3,1
Amberg	Bayern	45 099	901	50,03	16,8
Ansbach	Bayern	38 381	386	99,39	7,3*
Arnis	Schleswig-Holstein	556	1 236	0,45	–
Bacharach	Rheinland-Pfalz	2 427	104	23,31	–
Berching	Bayern	7 624	63	121,50	–
Bernkastel-Kues	Rheinland-Pfalz	6 822	288	23,65	–
Burghausen	Bayern	17 485	983	17,77	36,5
Celle	Niedersachsen	73 419	419	174,90	15,4
Dinkelsbühl	Bayern	10 791	143	75,09	3,3**
Eichstätt	Bayern	14 100	271	52,00	***
Einbeck	Niedersachsen	29 089	175	165,78	4,6
Frickenhausen	Bayern	1 379	133	10,51x	***
Friedberg	Hessen	24 300	484	50,18	8,8
Friedrichstadt	Schleswig-Holstein	2 695	675	3,99	–
Fritzlar	Hessen	15 058	169	88,78	3,3
Gelnhausen	Hessen	18 188	402	45,18	8,9
Gengenbach	Baden-Württemberg	10 724	175	61,17	***
Goslar	Niedersachsen	53 606	580	92,27	10,9
Husum	Schleswig-Holstein	24 767	1 410	17,56	28,1
Kappeln	Schleswig-Holstein	11 381	265	42,93	11,9
Bad Karlshafen	Hessen	4 432	298	14,85	–
Kleve	Nordrhein-Westfalen	43 933	451	97,40	8,1
Kronach	Bayern	18 510	276	67,00	***
Lahr	Baden-Württemberg	35 380	507	69,77	***
Landshut	Bayern	55 435	836	66,30	29,7
Lemgo	Nordrhein-Westfalen	39 358	390	100,86	10,1
Limburg	Hessen	28 431	629	45,14	12,0
Lindau	Bayern	24 766	750	33,01	16,8
Lorsch	Hessen	10 677	423	25,23	8,6
Lüneburg	Niedersachsen	62 920	895	70,29	17,2
Markgröningen	Baden-Württemberg	12 394	440	28,16	10,0
Meersburg	Baden-Württemberg	5 155	429	12,03	–
Meldorf	Schleswig-Holstein	7 278	406	17,94	–
Memmingen	Bayern	37 758	509	74,16	11,8
Michelstadt	Hessen	13 724	158	86,58	4,1
Miltenberg	Bayern	9 275	154	60,14	–
Mindelheim	Bayern	12 246	217	56,42	5,4*
Mittenwald	Bayern	9 000	***	13,325	***
Neuburg	Bayern	24 183	334	72,21	12,1
Nördlingen	Bayern	18 607	273	68,14	***
Ochsenfurt	Bayern	11 459	180	63,56	***
Passau	Bayern	50 414	723	69,72	13,3
Ratzeburg	Schleswig-Holstein	12 537	413	30,29	10,1
Rothenburg	Bayern	11 887	284	41,76	6,0
Rottweil	Baden-Württemberg	23 671	329	71,77	4,8
Schleswig	Schleswig-Holstein	30 285	1 246	24,30	23,0
Schongau	Bayern	10 280	489	21,02	14,3
Schwäbisch Hall	Baden-Württemberg	32 181	308	104,26	5,7
Spalt	Bayern	4 786	86	55,73	–
Stade	Niedersachsen	42 325	384	110,02	16,5
Straubing	Bayern	42 894	634	67,60	6,7
Tittmoning	Bayern	4 906	68	72,25	–
Wasserburg	Bayern	13 457	346	38,87	***
Weil der Stadt	Baden-Württemberg	14 590	337	43,17	14,8
Wilster	Schleswig-Holstein	4 450	2 171	2,05	–
Wolfenbüttel	Niedersachsen	50 392	642	78,42	11,4
Wolframs-Eschenbach	Bayern	2 000	79	25,47	
Xanten	Nordrhein-Westfalen	15 579	215	72,37	7,9
Zons	Nordrhein-Westfalen	800xx	***	7,1 ha xx	***

* Stand 1.1.1978   ** Stand 1.5.1978   *** Zahlenangabe nicht möglich   x Stand 31.12.1978   xx Zahlenangabe bezieht sich auf den alten Stadtkern

Quelle: Deutscher Städtetag Köln (Hrsg.): Statistisches Jahrbuch Deutscher Gemeinden, 66. Jahrgang 1979, Köln 1979.
Die Angaben zur Fläche benennen die katasteramtliche Fläche des Gemeindegebietes. Zur bebauten Fläche zählen alle Hof- und Gebäudebauflächen sowie daran anschließende Haus- und Ziergärten bis einschließlich 10 ar, Ruinengrundstücke und dgl. Die Zahlen zur Wohnbevölkerung beruhen auf den Ergebnissen der Bevölkerungsfortschreibung der Statistischen Landesämter. Alle Zahlen Stand 1.1.1979.

Anhang

Erklärungen von Fachbegriffen

Absolutismus. Wenn der König oder Landesfürst bei seinen Entscheidungen nicht an die Mitwirkung oder gar Zustimmung einer Volks- oder Landesvertretung gebunden ist, spricht man von Absolutismus. Er bedeutet also absolute Alleinherrschaft eines einzelnen. Der Inbegriff des absolutistischen Herrschers in Europa war der Sonnenkönig Ludwig XIV. von Frankreich (Regierungszeit 1643–1715).

Alemannen. Westgermanische Völker, die erfolgreich gegen die Römer kämpften und während der Völkerwanderungszeit ein Gebiet vom Main bis in die Alpen bewohnten. Um 500 kam das alemannische Gebiet zum Frankenreich, und die Alemannen verloren langsam ihre Selbständigkeit. Die Schwaben sind direkte Nachkommen der Alemannen.

Allegorie. Bildliche Darstellung von Gedankengängen, Gefühlen und abstrakten Begriffen. Es gibt etwa Allegorien des Sieges, des Todes, der Jahreszeiten, der Tugenden und der Laster. Der darzustellende Begriff wird dabei meist personifiziert, der Tod durch den Sensenmann, die Tugend durch eine keusche Jungfrau.

Apsis (Mehrzahl Apsiden). Meist halbrunde, von einem Kegeldach gedeckte Nische an der meist nach Osten ausgerichteten Schmalseite von Kirchen. Sind verschiedene Längs- und Querschiffe (siehe Schiff) vorhanden, so kann an jeder Schmalseite eine Apsis stehen. Die Apsis ist ein wesentliches Element der Romanik (siehe dort). Sie enthielt ursprünglich den Altar und den Bischofssitz, verlor diese Funktion aber, als sich der Chor (siehe dort) ausdehnte. Man kann bei den meisten romanischen Kirchen eine Apsis als Chorabschluß finden.

Arkade. Einzelner Bogen oder eine Reihe von Bogen, die auf Stützen, Pfeilern oder Säulen, ruhen. Arkade hat oft auch die Bedeutung von Bogengang und ist somit mit der Laube (siehe dort) identisch.

Augsburger Konfession. Glaubensbekenntnis zahlreicher protestantischer Reichsstände, 1530 anläßlich des Augsburger Reichstages (siehe Augsburger Religionsfrieden) vorgebracht. Das Augsburger Bekenntnis beschrieb das protestantische Verständnis vom Glauben, vom Evangelium und der Kirche.

Augsburger Religionsfrieden. Der Augsburger Religionsfrieden, 1555 vom Reichstag beschlossen, sicherte den Anhängern des Augsburger Bekenntnisses (siehe dort) unter Ausschluß der Reformierten und der Sekten einen dauernden Frieden zu. Aus dem Augsburger Religionsfrieden entwickelte sich der Grundsatz »Cuius regio, eius religio«, »wessen Gebiet, dessen Religion«. Er besagte, daß der Landesherr die Religion seiner Untertanen bestimmte. Andersgläubige Untertanen hatten jedoch das Recht auszuwandern.

Baptisterium. Ursprünglich das Tauchbecken in den antiken Bädern, später in der christlichen Religion die selbständige Taufkirche, die neben der Hauptkirche als Zentralbau (siehe dort) über dem Taufbrunnen steht. Als der Ritus nicht mehr das völlige Untertauchen des Täuflings verlangte, genügte auch ein Taufstein. Baptisterien sind in der Romanik (siehe dort) am häufigsten.

Barock. Kunststil, auf den Manierismus folgend, in das Rokoko (siehe dort) mündend. Der Barock dauerte ungefähr von 1590 bis 1720. Die Kunst des Barocks läßt sich mit folgenden Stichworten umschreiben: kraftvolle bewegte Formen, oft kreisende oder kurvige Linien, Wechsel von Hell und Dunkel, oft übersteigerte Realität, Pracht und Prunk, oft Darstellung nackter Gestalten, reich gegliederte, plastisch wirkende Fassaden.

Basilika. Ursprünglich römische Halle, in der altchristlichen Kunst drei- oder fünfschiffige (siehe Schiff) Kirche, wobei das Mittelschiff (mit Satteldach, siehe dort) höher als die Seitenschiffe (mit Pultdächern) ist. Später auch einfach Ehrentitel ohne kunsthistorische Bedeutung.

Bastion. Vorspringendes Bollwerk einer Festung.

Biedermeier. Mode- und Wohnstil der ersten Hälfte des 19. Jahrhunderts. Besonders bekannt sind die Möbel mit ihren klaren, nicht überladenen Formen. Die Baukunst und Plastik des Biedermeier gehört zum Klassizismus (siehe dort).

Brentano, Clemens (1778–1842). Deutscher Dichter der Romantik.

Buckelquader. Mauerstein, dessen Ansichtsfläche nur am Rande behauen ist und der auf der Stirnfläche somit unregelmäßig aussieht. Mauerwerk aus Buckelquadern wirkt sehr lebendig.

Bündelpfeiler. Senkrechte Stütze, die aus bündelartigen Viertel-, Halb- oder Dreiviertelsäulen zusammengesetzt erscheint. Bündelpfeiler treten vor allem in der Gotik auf.

Bundschuh. Der hochgeschlossene Schuh des Bauern im Mittelalter. Der Bundschuh wurde zum Symbol und Namen verschiedener Bauernbünde.

Calvinismus. Vom Genfer Reformator Johannes Calvin begründete, reformierte Lehre. Bekanntester Kernpunkt ist die Auffassung von der Prädestination, der absoluten Vorausbestimmtheit jeglichen menschlichen Tuns und Schicksals.

Chor. Altarraum christlicher Kirchen. Im altchristlichen Kirchenbau hatte die Apsis (siehe dort) die Funktion des späteren Chores inne. Seit der Karolingerzeit wurde aber das Längsschiff (siehe Schiff) über das Querschiff hinaus verlängert. So entstand der meist quadratische Chor, der in der Romanik als Abschluß meist eine Apsis trägt.

Comes. Lateinische Bezeichnung für Graf.

Commedia dell'arte. Volkstümliches und vom Volk geschaffenes Stegreiftheater, in Italien zur Zeit der Renaissance (siehe dort) aufgekommen. Es gab in der Commedia dell'arte nur eine in groben Zügen festgelegte Handlung, dafür aber ganz bestimmte, immer wieder auftauchende Charaktere, z. B. ein dummer Diener, ein dicker Priester, eine amouröse Herrin.

Cuius regio, eius religio. Siehe Augsburger Religionsfrieden.

Domkapitel. Die Gesamtheit der höheren Geistlichen an einer bischöflichen oder erzbischöflichen Kirche.

Dreißigjähriger Krieg. Sammelbezeichnung für mehrere Kriege um die Vorherrschaft von Europa, von 1618 bis 1648. Der Dreißigjährige Krieg wurde durch konfessionell und politische Gegensätze zwischen den Habsburgern und dem Deutschen Reich ausgelöst. Man unterscheidet einen böhmisch-pfälzischen, einen dänischen, einen schwedischen und einen französischen Krieg.

Droste-Hülshoff. Annette von (1797-1848), bedeutendste deutsche Dichterin des 19. Jahrhunderts.

Eckhart. Meister (um 1260-1327). Berühmter Prediger, bedeutendster deutscher Mystiker. Ziel seiner Mystik war die Einswerdung der Seele mit Gott, die sogenannte unio mystica.

Empore. Geschoßartige Tribüne im Kirchenraum, meist für die Sänger und die Orgel, aber auch für Nonnen, Fürsten und Frauen bestimmt. Emporen sind vor allem in der Romanik und Frühgotik, später dann wieder in protestantischen Predigtkirchen wichtig.

Englische Fräulein. Katholische Frauenkongregation. Das wichtigste Tätigkeitsgebiet der Englischen Fräulein war die Erziehung weiblicher Jugend.

Epitaph. Gedächtnismal für einen Verstorbenen in einer Kirche. Das Epitaph ist kein Grabmal.

Exemtion. Befreiung von einer sonst allgemeinen Last oder Verbindlichkeit, z. B. die Herausnahme aus der Gerichtsbarkeit des eigentlich zuständigen Amtsvertreters.

Fächer. Siehe Fachwerk.

Fachwerk. Bis in das vorige Jahrhundert übliche Bauweise von Wohn- und Wirtschaftshäusern. Das Gerüst besteht aus Hölzern – senkrechten Ständern, waagrechten Balken sowie zahlreichen Verstrebungen. Die Zwischenräume in diesem Holzgerüst heißen Fächer oder Gefache; sie werden mit Lehm oder Ziegeln ausgefüllt. Die Holzteile von Fachwerkbauten werden oft bemalt und mit Schnitzereien verziert. Der Fachwerkbau zeigt in seinem ganzen Verbreitungsgebiet zahlreiche Formen, die oft nicht leicht zu unterscheiden sind, da sie sich gegenseitig beeinflußt haben. Für viele Fachwerkbauten typisch ist das Vorkragen (siehe dort) eines oder mehrerer Obergeschosse.

Fayence. Keramikähnliche, meist bunt bemalte Tonwaren. Der Name Fayence stammt von der italienischen Stadt Faenza.

Gefache. Siehe Fachwerk.

Gemeinfrei hießen jene Freie, die nicht dem Adel angehörten.

Giebel. Fassade, die sich zwischen den Dachschrägen befindet. Ist der Giebel der Straßenseite zugewandt, so wird er meist besonders verziert. Eine Sonderform besonders der Gotik ist

der Treppen- oder Staffelgiebel. Blendgiebel ragen höher hinauf als das Dach und entziehen dieses dem Blick.

Gobelin. Vorwiegend französischer Bildteppich.

Gotik. Kunststil, aus der Romanik (siehe dort) entstanden und in die Renaissance (siehe dort) mündend. Beginn und Dauer sind in den einzelnen Ländern Europas unterschiedlich. Die Hauptzeit der deutschen Gotik liegt im 14. und 15. Jahrhundert. Die Hauptwerke der Gotik sind die Kathedralen. Die kompakten Wände der Romanik verschwinden und werden in einzelne Stützen aufgelöst. Im Innenraum entsteht dadurch eine lichtvolle Wirkung, während außen zahlreiche Stützen notwendig sind. Stilelemente der Gotik sind das Spitzbogenfenster (siehe Spitzbogen), lange Türme und Türmchen und das Maßwerk (siehe dort).

Grabendach. Eine Dachform der Inn-Salzach-Gegend. Anstelle eines einzigen hohen Satteldaches (siehe dort) sind mehrere niedrige Satteldächer nebeneinander gereiht. Die Fassade weist meist einen Blendgiebel (siehe Giebel) auf, der diese Satteldächer verdeckt.

Grimmelshausen, Hans Jakob Christoffel von (um 1621-1676). Deutscher Barockdichter, Hauptwerk der »Simplicissimus«, ein Schelmen- und Abenteuerroman aus dem Dreißigjährigen Krieg.

Grisaille. Malerei in einer einzigen Farbe, meist in verschiedenen hellen Grautönen.

Hallenkirche. Wenn in einer Kirche die Seitenschiffe gleich hoch wie das Hauptschiff (siehe Schiff) werden, spricht man von einer Hallenkirche. Sie ist besonders in der Gotik weit verbreitet. Als Gegensatz siehe Basilika.

Heine, Heinrich (1797-1856). Deutscher Dichter, am bekanntesten vielleicht sein Gedichtband »Buch der Lieder«.

Helm. Turmdach, oft mit langgestreckter Form (Spitzhelm), als geschweifter Helm oder als Zwiebeldach (siehe dort).

Heraldik. Wappenkunde.

Historismus. Die Wiederverwendung von historischen Stilen und deren Neubelebung heißt Historismus. Ein Historismus ist zu jeder Zeit möglich, doch bezeichnet man damit vor allem den Kunststil der zweiten Hälfte des vorigen Jahrhunderts: Anstatt neuen Formen zu ersinnen, griffen die Künstler auf die alten Stilelemente zurück und vermengten sie oft. So entstand zur Zeit des Historismus eine Neuromanik, eine Neugotik, ein Neubarock. Die technischen Möglichkeiten, vor allem des Gußeisens, verführten oft zu einer hohlen Übersteigerung der Formen.

Hussiten. Die Anhänger des Jan Hus (ca. 1370–1415), eines böhmischen Reformators.

Heiliges Römisches Reich (Deutscher Nation). Offizieller Name des Deutschen Reiches ungefähr vom 10. Jahrhundert bis 1806. Der Name stammt daher, weil man behauptete, das römische Kaisertum sei auf die Griechen (z. B. Konstantin den Großen), nachher auf die fränkischen Könige (z. B. Karl den Großen) und schließlich auf die deutschen Könige übergegangen.

Hugenotten. Französische Protestanten meist calvinistischer Richtung (siehe Calvinismus). Nach mehreren Hugenottenkriegen mit wechselndem Ausgang verbot Ludwig XIV. den Hugenotten die Religionsausübung. Damals flohen die meisten Hugenotten in protestantische Länder, besonders ins nördliche Deutschland. Viele französisch klingende deutsche Familiennamen gehen auf hugenottische Vorfahren zurück.

Île-de-France. Das geschichtliche Kernland Frankreichs, im Zentrum des Pariser Beckens gelegen.

Interdictum oder Interdikt. Einspruch, vorläufiges Verbot.

Interregnum. Die Zeitspanne zwischen dem Tod eines Herrschers und dem Amtsantritt seines Nachfolgers.

Jesuiten. Katholischer Männerorden, von Ignatius von Loyola 1534 zur Bekämpfung der Reformation gegründet.

Kapitell. Kopfstück einer Säule oder eines Pfeilers, breiter als die Stütze und je nach Kunstepoche ganz verschieden plastisch gestaltet.

Karmeliter. Katholischer Bettelorden mit zwei Richtungen, den Beschuhten und den Unbeschuhten Karmelitern.

Karolingisch. Bezeichnung für die Kunst im fränkischen Reich unter den Karolingern, vom Amtsantritt Karls des Großen (768) bis zum beginnenden 10. Jahrhundert. Die karolingische Kunst belebte antike Vorbilder, etwa den Zentralbau (siehe dort) und die Basilika (siehe dort). Auf die karolingische Kunst folgte die Romanik (siehe dort).

Kastell. Ursprünglich befestigtes Lager der Römer, später auch befestigte Burg- und Schloßanlage.

Katholische Liga. Bündnis katholischer Reichsstände Oberdeutschlands und der Rheinlande (1609) gegen die ein Jahr zuvor gegründete protestantische Union. Die katholische Liga spielte mit ihrem Feldherrn Tilly eine große Rolle im Dreißigjährigen Krieg (siehe dort).

Klassizismus. Kunststil, der ungefähr von 1770–1830 andauerte und der sich zur Hauptsache in der Baukunst auswirkte (siehe auch Biedermeier). Die klaren Gebäudeformen ahmen antike Vorbilder nach und tragen antikisierende Schmuckformen. Ein bekanntes Element des Klassizismus ist die Säulenhalle.

Kluniazenser. Anhänger der von der französischen Abtei Cluny ausgehenden Reform des Mönchtums, die eine Rückkehr zur Regel des Heiligen Benedikt und vor allem die unbedingte Bindung an das Papsttum forderte. Unter den deutschen Klöstern war vor allem Hirsau kluniazensisch.

Kreuzgewölbe. Eine Gewölbeform, die man sich so entstanden vorstellen kann, daß sich zwei der Länge nach halbierte Zylinder (Tonnengewölbe) rechtwinklig durchdringen. Die so entstandenen Schnittlinien treffen im Mittelpunkt des Gewölbes zusammen. Wenn diese Schnittlinien als Rippen besonders betont werden, dann spricht man von Kreuzrippengewölbe.

Kreuzrippengewölbe. Siehe Kreuzgewölbe.

Kruzifixus. Plastische oder gemalte Darstellung (Figur) des gekreuzigten Christus auf einem Kreuz aus Holz, Metall u.ä. (seit dem 5. Jh.).

Krypta. Unterirdischer Raum, der in romanischen Kirchen meist unter dem Chor (siehe dort) liegt. Die Schiffe einer Krypta sind immer gleich hoch.

Kurfürsten hießen jene Fürsten, die seit dem 13. Jahrhundert im Heiligen Römischen Reich das Recht hatten, den König zu wählen.

Langhaus. Ein Kirchenbau mit erkennbarer Längenausdehnung, z. B. die Basilika (siehe dort) oder Hallenkirche (siehe dort). Gegensatz ist der Zentralbau (siehe dort).

Laube. Offen zugängliche überdeckte Bogengänge im Erdgeschoß von Häusern, auch als überdachter Vorbau. Lauben sind besonders bei Bürger- und Rathäusern der Gotik und Renaissance häufig. Siehe auch Arkade.

Lehen. Von einem Lehnsherrn für Dienst- und Treue verliehenes Gut zur Nutzung, nicht mit Eigentumsrecht. Lehen wurden oft als Dank für irgendwelche Dienste gegeben.

Limes. Bezeichnung für die Wehranlagen, die die Grenzen des römischen Reiches sicherten. Der Limes bestand aus Wällen, Zäunen, Gräben und vor allem Beobachtungstürmen. Am bekanntesten ist der obergermanische Limes, der zum Schutz gegen die Germanen angelegt wurde und der sich mit einer Gesamtlänge von 382 km in südöstlicher Richtung durch Deutschland zog.

Löß. Vom Wind verfrachtete, sehr feinkörnige, fruchtbare gelbe Ablagerung, oft von mehreren Metern Dicke.

Lüftlmalerei. Außenmalereien an oberbayerischen Häusern.

Malefiz. Missetat, Verbrechen.

Marktrecht. Im Mittelalter die Erlaubnis, einen Markt anzulegen und abzuhalten.

Marstall. Reit- und Fahrstall einer fürstlichen Hofhaltung.

Maßwerk. Gotische Ornamente, die nur mit dem Zirkel geschlagen und konstruiert wurden. Maßwerk hat rein abstrakten Charakter.

Ministeriale. Dienstmann, unfreier Hofdiener. Ministeriale gehörten ursprünglich der Oberschicht an und wurden zu Verwaltungs- und Kriegsdiensten herangezogen. Im Laufe der Zeit schwand ihre Unfreiheit immer mehr, und die Ministerialen bildeten schließlich den Kern des niederen Adels.

Neugotik. Siehe Historismus.

Ockham, Wilhelm von (um 1285–1349). Englischer Theologe, Philosoph, trat für die strikte Trennung von Kirche und Staat und von Theologie und Philosophie ein. Er wurde 1324 der Irrlehre angeklagt und floh 1328 zu Ludwig dem Bayern.

Oktogon. Achteck, meist Gebäude oder Turm mit achteckigem Grundriß.

Palas. Hauptgebäude einer Burg. Siehe auch Pfalz.

Pfalz. Wohnstatt zur zeitweiligen Beherbergung der mittelalterlichen Könige und Kaiser. Diese hatten keine dauernde Residenz, sondern zogen von Pfalz zu Pfalz, die über das gesamte Reichsgebiet verstreut lagen. Pfalzen waren meist burgenähnlich und wiesen einen Palas (siehe dort) auf.

Pfalzgraf. Bis zum 10. Jahrhundert königliche Beamte auf der Pfalz (siehe dort). Später galt dieser Titel nur noch dem fränkischen Pfalzgrafen bei Rhein.

Pilaster. Pfeiler, der nur teilweise aus der Wand hervortritt.

Polaben. Slawenstämme, die im frühen Mittelalter zwischen Unterelbe und Oder wohnten.

Prämonstratenser. Katholischer Männerorden, der bei der Christianisierung Norddeutschlands eine Rolle spielte.

Querhaus. Bereits die frühchristliche Basilika (siehe dort) zeigt einen kreuzförmigen Grundriß. Die Gebäudeteile, die die kurzen Kreuzesarme bilden, heißen Querhaus oder Querschiff (siehe Schiff). Zu Beginn folgte auf das Querhaus gleich die Apsis (siehe dort). Später jedoch wurde als Verlängerung des Langhauses (siehe dort) ein Chor (siehe dort) eingezogen.

Reichsacht. Strafe des altdeutschen Rechts, die für das ganze Reich galt. Der Geächtete wurde friedlos, rechtlos und vogelfrei, das heißt er konnte von jedermann getötet werden und sollte von niemandem Unterstützung erfahren. Die Acht kam einem Todesurteil gleich.

Reichsfreiheit. Reichsfrei oder reichsunmittelbar war, wer im Heiligen Römischen Reich (siehe dort) unmittelbar dem Reich und dem König, nicht aber dem jeweiligen Landesherrn unterstand.

Reichslehen. Vom König und dem Reich erhaltenes Lehen (siehe dort).

Reichsstadt. Eine Stadt, die Reichsfreiheit (siehe dort) genoß, also direkt dem König und dem Reich unterstellt war. Reichsstädte hatten eine Stimme im Reichstag.

Reichsunmittelbarkeit. Gleichbedeutend mit Reichsfreiheit (siehe dort).

Renaissance. Kunststil und geistesgeschichtliche Epoche, leitete die Neuzeit ein. Als Baustil ist die Renaissance vor allem in Italien ausgeprägt, in Deutschland (16. Jahrhundert) weniger vertreten. Renaissance heißt wörtlich übersetzt Wiedergeburt – gemeint ist die Wiedergeburt der antiken Kultur und damit die Hinwendung zum Individuum. Der Baustil läßt sich mit folgenden Stichworten kennzeichnen: klare Maßverhältnisse, Gliederung von Fassaden und Innenwänden durch Säulen und Pilaster, Rundbogen, Tonnengewölbe (siehe dort), oft Zentralbauten (siehe dort).

Rheinischer Städtebund. 1254 ursprünglich von Mainz und Worms angestrebtes gegründetes Bündnis von 70 Städten zur Wahrung des Landfriedens und zur Verteidigung territorialer Gelüste der Landesherren, 1257 aufgelöst.

Rocaille. Muschelförmiges Ornament, das besonders im Rokoko (siehe dort) Verwendung fand und dieser Kunstrichtung auch den Namen gab.

Rokoko. Endphase des Barock, dauerte von 1720–1780. Das Rokoko zeigt sich vor allem in der Dekoration: Wände und Decken wurden mit Bildern, Rocaillen (siehe dort), Früchten, Blumen und Ranken aus Stuck überzogen. Einen bedeutenden Einfluß auf das Rokoko übte besonders die eben entdeckte chinesische Kunst aus.

Romanik. Kunststil des 11., 12. und der ersten Hälfte des 13. Jahrhunderts, mündet dann in die Gotik (siehe dort). Von der Romanik sind fast nur Sakralbauten erhalten geblieben. Die bekannteste Form ist die Basilika (siehe dort). Die romanische Baukunst läßt sich mit folgenden Stichworten umschreiben: klare blockartige Konstruktionen, kräftige Pfeiler und Säulen, wuchtige, nur leicht gegliederte massive Wände. Häufige kennzeichnende Elemente sind die Apsiden (siehe dort), das Tonnengewölbe (siehe dort) und das Rundbogenfenster.

Rotunde oder Rundbau. Ein kreisförmiger Zentralbau (siehe dort) oder Teil eines Gebäudes mit kreisrundem Grundriß.

Runen. Germanische Schrift- und Zauberzeichen.

Saalkirche. Nur aus einem Schiff (siehe dort) bestehende Kirche. Besonders in Dörfern und Kleinstädten auftretend.

Säkularisation. Verstaatlichung kirchlichen Eigentums. In Deutschland fand zu Beginn des 19. Jahrhunderts eine große Welle der Säkularisation statt. Als Säkularisation bezeichnet man auch die Verweltlichung religiöser Formen und Forderungen.

Satteldach. Häufigste Dachform, bestehend aus zwei gegeneinander geneigten Dachflächen, die im langen geraden First zusammenstoßen.

Scheinarchitektur. Malereien auf Wänden und Decken, um den räumlichen Eindruck einer weitergeführten Architektur zu erwecken.

Schiff. Länglicher Kirchen- und Hallenraum. Einschiffige Kirchen heißen Saalkirchen. Die Basilika (siehe dort) weist meist drei Längsschiffe und ein Querschiff auf. Siehe auch Langhaus, Querhaus.

Schmalkaldischer Bund. 1531 geschlossener Bund protestantischer Fürsten und Reichsstädte gegen die katholischen Stände. Ziel war die Bewahrung der Selbständigkeit. Nach der Niederlage im Schmalkaldischen Krieg (1547) wurde der Bund aufgelöst.

Scholastik. Christliche Theologie und Philosophie des Mittelalters. Die Scholastik wollte einen Einklang zwischen diesen beiden Wissensgebieten herstellen. Sie hatte ein einheitliches Weltbild, wobei der griechische Denker Aristoteles eine große Rolle spielte. Einer der wichtigsten Vertreter der Scholastik war Thomas von Aquin. Besonders Wilhelm von Ockham (siehe dort) löste das einheitliche Weltbild der Scholastik auf, indem er eine Trennung von Philosophie und Theologie befürwortete.

Schultheiß. Vorsteher eines städtischen oder ländlichen Gemeinwesens, Bürgermeister.

Schwäbischer Bund. 1331 gegründeter, 1376 bekräftigter Bund schwäbischer Reichsstädte zur Erhaltung ihrer Reichsunmittelbarkeit (siehe dort).

Scriptorium. Schreibstube mittelalterlicher Klöster.

Spitzbogen. Oben meist in einen rechten oder auch spitzen Winkel zulaufender Bogen, Hauptelement der Gotik.

Stadtrechte. Wenn Städte das Privileg erhielten, die Landrechte ihren wirtschaftlichen und politischen Verhältnissen anzupassen, entstanden die Stadtrechte. Sie unterschieden sich natürlich in den einzelnen Fällen stark voneinander.

Staffelgiebel. Siehe Giebel.

Ständer. Siehe Fachwerk.

Stapelrecht. Das Recht einzelner Städte, durchziehende Kaufleute zu zwingen, ihre Waren in der Stadt für eine bestimmte Zeit zum Verkauf auszustellen.

Staufer oder Hohenstaufen. Schwäbisches Geschlecht mit mehreren deutschen Königen. Das Geschlecht erlosch im Mannesstamm 1268.

Stichkappe. Eine kleine Wölbung, die im rechten Winkel in eine größere Wölbung einschneidet, bildet eine Stichkappe. Meist sind Fensteröffnungen in großen Tonnengewölben (siehe dort) gemeint. Daher spricht man auch von Stichkappentonnen.

Stift. Mit Grundbesitz ausgestattetes Kloster oder Domkapitel (siehe dort). Bei der Säkularisation (siehe dort) 1803 verloren fast alle Stifte ihren Grundbesitz.

Stifter, Adalbert (1805-1868). Deutscher Dichter mit den Hauptwerken »Nachsommer«, »Witiko«.

Storm, Theodor (1817-1888). Deutscher Dichter, Meister der Novelle. Bekanntes Werk »Der Schimmelreiter«.

Tonnengewölbe. Gewölbe in der Form eines liegenden Zylinders, der in der Mitte der Länge nach halbiert wurde.

Traufseite. Jene Seite des Hauses, die oben von der Unterkante einer schrägen Dachfläche begrenzt wird. Wenn die Traufseite der Straße

zugewandt ist, laufen Straße und Dachfirst parallel.

Triforium. Ein schmaler Bogengang, unter den Fenstern des Kirchenraumes gelegen.

Tudorstil. Englischer Baustil der Tudorzeit (1. Hälfte des 16. Jahrhunderts), ein Ausläufer der Spätgotik mit stark horizontaler Untergliederung des Baukörpers. Ein Merkmal dieses Stils sind die sehr breiten, oben in einem weiten Winkel zulaufenden Spitzbogen.

Unitarier. Protestantische Gruppe, die die Dreifaltigkeit Gottes ablehnte und die Einheit (unitas) Gottes betonte.

Vierung. Viereckiger Raum in der Basilika (siehe dort), in der sich Querhaus (siehe dort) und Langhaus (siehe dort) schneiden. Über der Vierung steht oft ein großer Turm.

Voluten. Schnecken- oder spiralförmig eingerollte Dekorationselemente, vor allem in der Renaissance und im Barock verwendet.

Vorkragen. Ein vorkragendes Geschoß tritt aus der Flucht nach vorne und ragt heraus. Der Begriff kann auch auf andere Architekturteile angewendet werden. (Siehe auch Fachwerk)

Votivgabe. Opfergabe oder Weihegeschenk, das als Dank für empfangene Gabe und erhörtes Gebet gestiftet wird.

Waldenser. Religiöse Bewegung des 12. und 13. Jahrhunderts. Im Zentrum stand ein Leben in Armut. Da die Waldenser später das Fegfeuer, Fürbitten für Verstorbene, das Besitzwesen der Kirche, gewisse Sakramente, den Eid und sogar den Kriegsdienst ablehnten, wurden sie stark verfolgt. Die Waldenser konnten sich bis auf den heutigen Tag besonders in Nordwestitalien halten.

Wehrgang. Überdachter Gang im Inneren von Stadtmauern und anderen Befestigungen.

Weicher Stil. Bezeichnung v.a. für die in Deutschland etwa 1390-1430 herrschende Stilrichtung; sie wird auch auf die gesamteuropäische Kunst um 1400 übertragen (»internationaler Stil«). Kennzeichnend für den Weichen Stil ist ein elegantes Linien- und Farbenspiel, anmutig-zarte Gebärden und stoffreiche, weiche Faltengebung. Typische Werke: u.a. die Schönen Madonnen.

Welfen. Deutsches Herrschergeschlecht, ursprünglich aus Süddeutschland stammend. Im 12. Jahrhundert entstand ein scharfer Gegensatz zwischen den Welfen und den Staufern, in dem die Welfen schließlich unterlagen.

Welsche Haube. Glockenförmig geschweiftes Turmdach (siehe auch Zwiebeldach).

Zentralbau. Kirchliche und profane Bauten, die auf einen Raummittelpunkt und nicht auf eine Längsachse bezogen sind. Sie weisen deswegen einen runden (Rotunde), rechteckigen, achteckigen oder kreuzförmigen Grundriß auf. Meist ist das Gebäude in mehrfacher Weise symmetrisch (mehrere Symmetrieebenen). Zentralbauten sind als Baptisterien (siehe dort) vor allem in der Romanik verbreitet, doch spielen sie auch in der Renaissance und im Barock eine große Rolle.

Zähringer. Süddeutsches Adelsgeschlecht, das zu Beginn des 13. Jahrhunderts in der Manneslinie erlosch. Die bekannteste Gründung der Zähringer ist die Stadt Bern.

Zisterzienser. Katholischer Männerorden, im französischen Kloster Cîteaux entstanden. Die Zisterzienser hatten in der Romanik eine asketisch einfache Bauweise, wobei ursprünglich Bildwerke und Malereien verboten waren. Die Zisterzienser spielten eine große Rolle bei der Ausbreitung der Gotik.

Zopfstil. Der Zopfstil bildet den Übergang vom Rokoko (siehe dort) zum Klassizismus (siehe dort). Der eigentümliche Name geht nicht auf ein Dekorationselement, sondern auf die damalige Zopfmode der Männer zurück.

Zwiebeldach. Doppelt geschweiftes Turmdach in Form einer Zwiebel. Durch Einschnürung des unteren Drittels aus der welschen Haube (siehe dort) entstanden.

Register

Fotonachweis

Erich Andres, Hamburg 95
Anthony-Verlag, Starnberg 37, 85 r, 141, 161 ol, 164 ol, 186/187, 202
Lala Aufsberg, Sonthofen 130, 131 l
Emil Bauer, Bamberg 24 o, 131 r, 180 ol, 180 or, 181 ol, 181 or
Deutsche Luftbild KG, Hamburg
219, Freigabe durch das Luftamt Hamburg unter Nr. 937/77
226, Freigabe durch das Luftamt Hamburg unter Nr. 653/76
Deutsche Presse-Agentur, Frankfurt 39 o
Foto Friedel, Mindelheim 83
Elisabeth Fuchs-Hauffen, Überlingen 38
Erika Groth-Schmachtenberger, Murnau 24 u, 179 o
G. E. Habermann, Gräfelfing 168 or
Sepp Hartmann, Mindelheim 82 l, 82 r
Hasselblad-Foto, Berlin 161 ul
Dr. Hellmut Hell, Reutlingen 46
Bildarchiv Huber, Garmisch-Partenkirchen 76, 192 o
Horst von Irmer, München 85 l
Keystone Pressedienst, Hamburg 200 o
Rainer Kiedrowski, Ratingen 79, 210 o, 210 u
Joachim Kinkelin, Worms 11 ul, 43, 49, 50/51, 63, 75, 78, 116/117, 138, 139, 145, 157 u, 170 or, 171, 173, 203, 208/209, 222/223
Luftbild Klammet & Aberl, Germering
60, Freigabe durch die Regierung von Oberbayern unter Nr. G 43/21
64/65, Freigabe durch die Regierung von Oberbayern unter Nr. G 42/1263
91, Freigabe durch die Regierung von Oberbayern unter Nr. G 42/1260
150/151, Freigabe durch die Regierung von Oberbayern unter Nr. LBM 77-986
163, Freigabe durch die Regierung von Oberbayern unter Nr. LBM 76-813
192 u, Freigabe durch die Regierung von Oberbayern unter Nr. G 43/160
Péter Kuhn, München
Titelbild, 15, 32, 41, 42, 57, 58/59, 73, 74, 84, 88, 129, 166, 167 ol, 167 or, 168 ol, 169, 184
Rudolf Lindemann, Einbeck 154 ol, 154 or, 154 u, 155
Jürgen Lindenburger, Kastl 56, 69 l, 119
Photo Löbl-Schreyer, Bad Tölz 11 o, 12, 27, 28 o, 28 u, 29, 31 ol, 31 or, 31 u, 61 o, 61 u, 81, 86/87, 97, 100 l, 100 r, 101, 102, 104, 105 l, 128, 132/133, 136, 146, 157 o, 185, 188/189, 193, 198, 199, 206 o, 206 u, 211, 215 o, 215 ul, 220, 224, 225, 229
Fritz Mader, Hamburg 20, 227 ur
Richard F. J. Mayer, München 89
Werner H. Müller, Stuttgart 174
D. Muschner, Aachen 16, 18 l, 18 r, 33 l, 33 r, 36 u
Dr. Harald Neifeind, Göttingen 143

Herbert Pothorn, München 23, 55, 109, 110 ol, 110 or, 124 o, 124 u, 149, 177, 213, 215 ur
Fritz Prenzel, Gröbenzell 92/93, 170 ol, 205
Fritz Rapp, Rottweil 47 o, 47 u
roebild, Frankfurt 158/159
Siegfried Sammer, Neuenkirchen 161 or, 164 or, 217, 218 l, 218 r
Schick & Schick, Lahnau-Atzbach 68, 69 r
Toni Schneiders, Lindau 8/9, 11 ur, 22, 34/35, 71, 112/113, 121 (Oberhausmuseum, Passau), 123, 126/127, 135, 140, 176, 182/183, 212, 216
Marco Schneiders, Lindau 114
Heinz Schreiner, Seeheim 13 l
Wilkin Spitta, Zeitlarn bei Regensburg 25, 26 l, 26 r, 39 u, 103, 105 r, 106/107, 120, 190 l
Wolfgang Steinmetz, Deinste 53, 54 l, 54 r, 77 l, 77 r, 161 ur, 200 u
Heinz A. Stöckle, Ettlingen 142, 144
Walter Stöppler, Limburg/Lahn 36 o
Walter Storto, Leonberg 44
Dr. Kurt Struve, Westerland 125
Wolfgang Wienhöfer, Osterholz-Scharmbeck 118
Hans-Jürgen Wohlfahrt, Ratzeburg 227 o, 227 ul
Zentrale Farbbild Agentur, Düsseldorf 13 r, 19, 67, 110 u, 137, 148, 179 u, 190 r, 195, 196/197
Zeichnung Seite 52: Herbert Pothorn
Die Abbildung Seite 62 wurde entnommen aus: Kirchhoff-Werle/Kirchhoff, Zons, Werden und Schicksal einer alten Stadt, Zons.
Die Bildvorlage für die Seiten 98/99 wurde freundlicherweise von der Stadtverwaltung Schongau zur Verfügung gestellt.
Die verwendeten Bildvorlagen für die dem Band beiliegenden Puzzles sind von: Bildarchiv Huber, Joachim Kinkelin, Jürgen Lindenburger.